Los Funeral

LES LANGUES MODERNES / BILINGUE
Série espagnole dirigée par Fernando Teruel

GABRIEL GARCÍA MÁRQUEZ

Los Funerales de la Mamá Grande
Les funérailles de la Grande Mémé

Traduction de Claude Couffon
Introduction et notes de Marie-Claude Dana
Agrégée de l'Université
Professeur au Lycée Montaigne

Grasset

Dans la même collection

Katherine Mansfield :
At the Bay and Other Short Stories.

Joseph Conrad :
Heart of Darkness.

R. L. Stevenson :
*The Strange
Case of Dr Jekyll and Mr Hyde.*

Franz Kafka :
Die Verwandlung

Sommaire

Introduction — 7

La siesta del martes - *La sieste du mardi* — 13

Un día de estos - *Un jour comme les autres* — 37

En este pueblo no hay ladrones - *Il n'y a pas de voleurs dans ce village* — 47

La prodigiosa tarde de Baltazar - *Le merveilleux après-midi de Baltazar* — 131

La viuda de Montiel - *La Veuve Montiel* — 157

Un día después del sábado - *Un jour après le samedi* — 179

Rosas artificiales - *Les roses artificielles* — 249

Los funerales de la Mamá Grande - *Les funérailles de la Grande Mémé* — 269

Al cocodrilo sagrado
Au crocodile sacré

INTRODUCTION

Les Funérailles de la Grande Mémé paraissent en 1962 mais la plupart des contes qui composent ce recueil datent de 1958 et *Un jour, après le samedi* de 1954. Avant même cette date, Gabriel García Márquez songeait à écrire un grand roman sous le titre de *La Maison* qui deviendra sa grande œuvre en 1967 : *Cent Ans de solitude*. La chronologie des publications n'est donc pas significative et cela ne nous étonne guère chez García Márquez pour lequel « *le temps ne passe pas, il tourne en rond* », paroles qu'il prête à Ursula dans *Cent Ans de solitude*. Cette simultanéité dans la gestation des différentes œuvres fait tomber les critiques de certains qui considèrent les *Funérailles* comme des lambeaux, voire des déchets de *Cent Ans de solitude*. Tout donnerait plutôt à penser que la production de cette époque participe de la mise en place du monde narratif marquésien.

García Márquez juge lui aussi sans indulgence les récits de cette époque auxquels il reproche d'avoir « *une structure rationaliste* » et d'être de la littérature « *préméditée* » ; il affirme que « *l'écrivain qui a quelque chose dans le ventre ne s'engage pas seulement vis-à-vis de la réalité sociale et politique mais vis-à-vis de toute la réalité de ce monde et de l'autre sans privilégier ou mépriser un seul de ses aspects* ». García Márquez, en d'autres termes, renie la littérature « engagée » mais en même temps reconnaît *La Sieste du mardi*, pur produit de cette période, comme sa meilleure nouvelle. Ces récits, par ailleurs, contiennent en germe l'essentiel de ce qui caractérise sa narrative et doivent être replacés dans la genèse de son œuvre.

Il n'y a pas de rupture entre *Les Funérailles de la Grande Mémé* et le reste de l'œuvre de Márquez. En passant de l'un à l'autre de ses écrits, à l'intérieur du même recueil ou d'une œuvre à l'autre, on a une impression de familiarité, de déjà vu, que ce soit par la présence des amandiers de la place, l'obsession météorologique, la répétition des prénoms, la continuité de l'histoire, la ressemblance frappante de certains personnages ou la référence à des épisodes de leur vie.

García Márquez présente une vision totalement dépouillée du Tropique en le privant de toutes ses exubérances végétales et de sa richesse chromatique ; il n'en garde que la chaleur qui pénètre la trame perméable de la narration. Au lieu de gigantesques arbres exotiques, ce sont les amandiers poussiéreux qui ombragent le récit ; au lieu de la forêt vierge inquiétante, c'est un misérable village qui sert de cadre à l'histoire.

Ce paysage d'une tristesse infinie laisse sans mal la place de premier plan aux hommes qui, tout en représentant des types sociaux déterminés, ont chacun une caractéristique particulière : le curé, le dentiste, le médecin, le voleur, le menuisier, la jeune fille séduite et abandonnée, le maire, la mère, la matriarche évoluent dans le même décor, celui de Macondo, nombril du monde, au point de se transformer en un royaume, mais tout en ressemblant à n'importe quel autre village des Caraïbes ou d'ailleurs. Page après page, Macondo, le village mythique de *Cent Ans de solitude,* se construit jusqu'à devenir, selon l'auteur, « *un état d'esprit* ».

Dans cette continuité du décor, un entrelacs de personnages se tisse, dont l'histoire s'écrit d'un livre à l'autre. Rebecca est une petite fille qui arrive dans *Cent Ans de solitude* avec un sac contenant les os de ses parents ; elle est une veuve acariâtre et solitaire dans *Un jour après le samedi* et, dans *La Sieste du mardi,* c'est elle qui tue le petit voleur Carlos Centeno (épisode raconté également à la fin de *Cent Ans de solitude*) dont la mère souhaite visiter la tombe. Le nom de famille de Rebecca est Montiel, le même que celui du riche du *Merveilleux Après-Midi de Balthazar* et de *La Veuve Montiel.* Rebecca vient par ailleurs de Manaure, comme le jeune étranger de *Un jour après le samedi.* Le riche don José Montiel ressemble étrangement à Don Sabas de *El coronel no tiene quien le escriba*.

Le conflit sur fond de guerre civile, entre le maire et le dentiste d'*Un jour comme les autres* — nouvelle dont le titre même banalise l'affrontement — se produit également dans *La Mala Hora*.

Le colonel Aureliano Buendia, héros de *Cent Ans de solitude*, fait de fréquentes apparitions dans le recueil *Les Funérailles de la Grande Mémé* où il est fait mention des multiples guerres qu'il mena dans le pays.

On pourrait tenter une classification des contes des *Funérailles* autour de deux axes : la mort, qui regrouperait *La Sieste du mardi*, *Un jour comme les autres*, *La Veuve Montiel*, *Un jour après le samedi* et *Les Funérailles de la Grande Mémé* ; ces cinq nouvelles s'organisant autour d'un ou de plusieurs cadavres. Cette structure se retrouve en quelque sorte dans un roman postérieur, *Chronique d'une mort annoncée*. L'autre axe rassemblerait *Il n'y a pas de voleurs dans ce village*, *Le Merveilleux Après-Midi de Balthazar* et *Les Roses artificielles*, sous le thème des petites gens et leur poursuite de rêves inaccessibles.

On retrouve dans *Les Funérailles* un écho de toutes les préoccupations de García Márquez : la mémoire, le temps, la solitude, la mort, le village microcosme. À ce titre, et au regard de la richesse psychologique des personnages, ce recueil mérite qu'on le considère, non pas comme des miettes de la grande œuvre, mais comme quelques uns des cent ans de solitude.

Repères biographiques

1927 :   le 6 mars, naissance à Aracataca.

1935 :   Gabriel García Márquez quitte la maison de ses grands-parents et va vivre chez ses parents à Barranquilla.

1940-46 :   fait ses études au collège de jésuites de San José de Barranquilla, puis au lycée de Zipaquira.

1947-50 :   commence des études de droit à la Faculté de Bogota. Publie ses premières nouvelles dans le supplément littéraire de *El Espectador*. Il se rend ensuite à Cartagena et y fait ses débuts dans le journalisme. Il travaille à un roman dont le titre serait : *La Casa*. Interrompt définitivement ses études de droit.

1954 :   devient rédacteur de *El Espectador* de Bogota. Il gagne un concours littéraire national pour sa nouvelle : *Un jour après le samedi*.

1955 :   publie *La Hojarasca* à Bogota.

1958 :   la revue littéraire *Mito* de Bogota publie *Pas de lettre pour le colonel*. Il termine plusieurs des nouvelles des *Funérailles de la Grande Mémé*.

1962 :   paraissent deux œuvres de García Márquez : un recueil de nouvelles, *Les Funérailles de la Grande Mémé*, édité par l'université de Veracruz (Mexique) et un roman : *La Mala Hora*.

1967 :   *Cent Ans de solitude* paraît à Buenos Aires. Le succès est immédiat.

1969 :   *Cent Ans de solitude* reçoit le prix du meilleur livre étranger à Paris.

1970 :   *Récit d'un naufragé* est édité à Barcelone.

1972 :   *L'Incroyable et Triste Histoire de la candide Erendira et de sa grand-mère diabolique,* recueil de nouvelles, est publié.

1975 : publie *L'Automne du patriarche.*

1978 : García Márquez crée la « Fondation Habeas », pour la défense des droits de l'homme et la protection et la libération des prisonniers politiques en Amérique Latine.

1981 : *Chronique d'une mort annoncée* sort en même temps à Bogota, Barcelone et Buenos Aires et est immédiatement traduit en plusieurs langues. García Márquez reçoit la Légion d'honneur des mains du Président François Mitterrand.

1982 : le 21 octobre, García Márquez obtient le prix Nobel de littérature.

1985 : *L'Amour au temps du choléra* paraît à Barcelone.

LA SIESTA DEL MARTES

LA SIESTE DU MARDI*

* *"La Sieste du mardi,* que je considère comme ma meilleure nouvelle, est née de la vision d'une femme et d'une fillette vêtues de noir, qui marchaient sous un soleil brûlant dans un village désert." Gabriel García Márquez, *Une odeur de goyave,* entretiens avec Plinio Mendoza.

Doit-on voir dans le choix du jour une signification symbolique ? Le mardi, dans la superstition populaire, est un jour considéré comme néfaste : **"en martes, ni te cases ni te embarques ni de tu familia te apartes"**. Le proverbe déconseille pour ce jour tout type d'entreprise. Il faut signaler, par ailleurs, que le choix des jours n'est jamais gratuit dans *Cien años de soledad.*

El tren salió del trepidante corredor de rocas bermejas, penetró en las plantaciones de banano, simétricas e interminables, y el aire se hizo húmedo[1] y no se volvió a sentir la brisa del mar. Una humareda sofocante entró por la ventanilla[2] del vagón. En el estrecho camino paralelo a la vía férrea había carretas de bueyes cargadas de racimos[3] verdes. Al otro lado del camino, en intempestivos espacios sin sembrar[4], había oficinas con ventiladores eléctricos, campamentos de ladrillos rojos y residencias con sillas y mesitas blancas en las terrazas entre palmeras y rosales polvorientos[5]. Eran las once de la mañana y aún no había empezado el calor[6].

—Es mejor que subas el vidrio —dijo la mujer—. El pelo se te va a llenar de carbón[7].

La niña trató de hacerlo pero la persiana estaba bloqueada por óxido.

Eran los únicos pasajeros en el escueto vagón de tercera clase. Como el humo de la locomotora siguió entrando por la ventanilla, la niña abandonó el puesto y puso en su lugar los únicos objetos que llevaban: una bolsa de material plástico con cosas de comer y un ramo de flores envuelto[8] en papel de periódicos. Se sentó en el asiento opuesto[9], alejada de la ventanilla, de frente a su madre. Ambas[10] guardaban un luto riguroso y pobre.

---

1. **el aire se hizo húmedo**: **hacerse** est une des traductions du v. *devenir*; le changement est le fait d'une action progressive.

2. **la ventanilla**: *la fenêtre du train; la vitre (d'une voiture), le hublot.* Il ne s'agit pas d'un diminutif.

3. **racimo**: *grappe;* **racimo de uvas**: *grappe de raisins.*

4. **espacios sin sembrar**: m. à m., *des endroits qui n'étaient pas semés.* Sin + infinitif: *ne pas être.*

5. **polvorientos**: *poussiéreux,* de **polvo**, *poussière.* Tous les adjectifs contribuent à donner l'idée d'un paysage morne et inhospitalier, décrit avec une grande sobriété.

6. **no había empezado el calor**: *la chaleur n'avait pas commencé.* Les références au temps qu'il fait sont très fréquentes; le climat caribéen est une dimension de la narrative de García Márquez.

Le train sortit du trépidant corridor de roches vermeilles, pénétra dans les plantations de bananiers, symétriques et interminables; l'air devint alors humide et on ne sentit plus la brise marine. Une épaisse fumée suffocante entra par la portière de la voiture. Dans le petit chemin parallèle à la voie ferrée, des bœufs tiraient des charrettes chargées de régimes de bananes vertes. De l'autre côté, sur des terres capricieusement soustraites aux cultures, on voyait des bureaux avec des ventilateurs électriques, des bâtiments de brique rouge et des résidences avec des chaises et des tables blanches sur les terrasses au milieu de palmiers et de rosiers poussiéreux. Il était onze heures du matin et le soleil ne dardait pas encore.

« Tu ferais mieux de remonter la vitre, dit la femme. Tu vas avoir du charbon plein les cheveux. »

La fillette obéit mais le store rouillé resta bloqué.

C'étaient les seuls passagers de ce sobre wagon de troisième classe. La fumée de la locomotive continuant à entrer par la portière, la petite fille se leva et mit sur son siège les objets qu'elles avaient emportés : un sac en plastique avec un casse-croûte et un bouquet de fleurs enveloppé dans du papier journal. Puis elle alla s'asseoir à l'opposé de la fenêtre, face à sa mère. Toutes deux étaient en grand deuil, mais pauvrement vêtues.

---

7. **el pelo se te va a llenar de carbón:** *tes cheveux vont se remplir de charbon.* Dans la construction **se (me, te, le)**, le pronom indirect indique la possession. **El pelo:** singulier collectif; synonyme : **los cabellos / los pelos:** *les poils.*

8. **envuelto:** *enveloppé;* participe passé irrégulier de **envolver.**

9. **opuesto:** *opposé;* participe passé irrégulier de **oponer.**

10. **ambas:** *les deux;* pronom ou adjectif pluriel **ambos, ambas.**

La niña tenía doce años y era la primera vez que viajaba. La mujer parecía demasiado[1] vieja para ser su madre, a causa de las venas azules en los párpados y del cuerpo pequeño, blando y sin formas, en un traje cortado como una sotana. Viajaba con la columna vertebral firmemente apoyada contra el espaldar[2] del asiento, sosteniendo en el regazo con ambas manos una cartera de charol desconchado. Tenía la serenidad escrupulosa de la gente acostumbrada a la pobreza[3].

A las doce había empezado el calor. El tren se detuvo[4] diez minutos en una estación sin pueblo para abastecerse de agua[5]. Afuera, en el misterioso silencio de las plantaciones, la sombra tenía un aspecto limpio. Pero el aire estancado dentro del vagón olía a[6] cuero sin curtir[7]. El tren no volvió a acelerar[8]. Se detuvo en dos pueblos iguales, con casas de madera pintadas de colores vivos. La mujer inclinó la cabeza y se hundió en el sopor. La niña se quitó los zapatos. Después fue a los servicios sanitarios a poner en agua el ramo de flores muertas[9].

Cuando volvió al asiento la madre la esperaba para comer. Le dio un pedazo[10] de queso, medio bollo[11] de maíz y una galleta dulce, y sacó para ella de la bolsa de material plástico una ración igual. Mientras comían, el tren atravesó muy despacio un puente de hierro y pasó de largo[12] por un pueblo igual a los anteriores, sólo que[13] en este había una multitud en la plaza.

---

1. **demasiado**: *trop,* adv. ou adj. de quantité.
2. **espaldar**: *dos (d'un animal),* premier sens ; *dossier,* synonyme de **respaldo**.
3. **tenía la serenidad... a la pobreza**: le personnage est campé dans une attitude à la fois psychologique et sociale.
4. **se detuvo**: *il s'arrêta ;* passé simple irrégulier de **detenerse**.
5. **abastecerse de agua**: *s'approvisionner en eau.*
6. **olía a cuero**: *il sentait le cuir ;* **oler** est suivi de **a** ; **un olor a** ; cf. **saber a**: *avoir le goût de.*
7. **sin curtir**: *qui n'était pas tanné.* Cf. p. 14, note 4.
8. **no volvió a acelerar**: *il ne se remit pas à accélérer.*

La petite fille avait douze ans et c'était son premier voyage. La femme avec ses veines bleues sur les paupières, son corps menu, mou et sans formes dans une robe coupée comme une soutane, paraissait trop âgée pour être sa mère. Elle voyageait, la colonne vertébrale solidement appuyée contre la banquette, en tenant à deux mains sur son sein un sac de cuir verni tout craquelé. Elle avait la sérénité scrupuleuse des gens habitués à la pauvreté.

La chaleur commença sur le coup de midi. Le train s'arrêta dix minutes dans une gare sans village où il fit provision d'eau. Au-dehors, dans le mystérieux silence des plantations, l'ombre avait un aspect de pureté, tandis que l'air accumulé à l'intérieur de la voiture sentait le cuir frais équarri. Le train ne chercha plus à accélérer. Il s'arrêta dans deux villages exactement semblables avec leurs maisons peintes de couleurs vives. La femme dodelina de la tête et sombra dans la torpeur. La petite fille enleva ses souliers puis alla aux toilettes mettre dans l'eau son bouquet de fleurs mortes.

Quand elle revint, sa mère l'attendait pour manger. Elle lui tendit un morceau de fromage, une moitié de beignet de maïs, un petit gâteau sec et, du sac en plastique, elle sortit la même chose pour elle. Pendant qu'elles mangeaient, le train franchit lentement un pont métallique et traversa sans s'arrêter un village semblable aux précédents bien que dans celui-ci il y eût foule sur la place.

---

9. **el ramo de flores muertas :** dérision du geste qui souligne le dénuement des personnages ; valeur symbolique peut-être aussi : l'eau peut-elle ramener à la vie des fleurs mortes ?

10. **un pedazo :** synonyme, **un trozo.**

11. **bollo :** *petit pain, brioche ; beignet :* **buñuelo.**

12. **pasó de largo :** *il passa sans s'arrêter.*

13. **sólo que :** *à cela près que...*

Una banda de músicos tocaba una pieza alegre[1] bajo el sol aplastante. Al otro lado del pueblo, en una llanura cuarteada por la aridez, terminaban las plantaciones.

La mujer déjo de comer.

—Ponte[2] los zapatos —dijo.

La niña miró hacia el exterior. No vio nada más que la llanura desierta por donde el tren empezaba a correr de nuevo, pero metió en la bolsa el último pedazo de galleta y se puso rápidamente los zapatos. La mujer le dio[3] la peineta.

—Péinate —dijo.

El tren empezó a pitar mientras la niña se peinaba. La mujer se secó el sudor del cuello y se limpió la grasa de la cara con los dedos. Cuando la niña acabó de peinarse el tren pasó frente a las primeras casas de un pueblo más grande pero más triste que los anteriores.

—Si tienes ganas de[4] hacer algo, hazlo[5] ahora —dijo la mujer—. Después, aunque te estés muriendo de sed[6] no tomes agua[7] en ninguna parte. Sobre todo, no vayas a llorar[8].

La niña aprobó con la cabeza. Por la ventanilla entraba un viento ardiente y seco, mezclado con el pito de la locomotora y el estrépito de los viejos vagones. La mujer enrolló la bolsa con el resto de los alimentos y la metió en la cartera. Por un instante, la imagen total del pueblo, en el luminoso martes de agosto, resplandeció en la ventanilla.

---

1. **una pieza alegre**: *un morceau (de musique) joyeux.* L'adjectif détonne dans le contexte.

2. **ponte los zapatos**: *mets tes souliers;* impér. irrég. de **poner**; le pronom personnel indirect **te** est mis à la place de l'adjectif possessif français.

3. **le dio**: *elle lui donna;* le passé simple et donc l'imparfait du subjonctif de **dar** empruntent leurs formes à la 2e conjugaison.

4. **si tienes ganas de**: *si tu as envie de;* **tener ganas de,** syn.: **apetecerle a uno algo**.

5. **hazlo**: *fais-le;* impératif irrégulier de **hacer**.

6. **aunque te estés muriendo de sed**: *même si tu meurs de soif.* **Aunque**

Une fanfare jouait un air joyeux sous le soleil écrasant. De l'autre côté du village, dans la plaine crevassée par la sécheresse, c'était la fin des plantations.

La femme cessa de manger.

« Mets tes souliers », dit-elle.

La fillette regarda au-dehors. Elle vit seulement la plaine déserte sur laquelle le train s'était remis à courir ; elle glissa dans le sac le reste de son gâteau sec et enfila rapidement ses chaussures. La femme lui tendit un peigne.

« Coiffe-toi », dit-elle.

Le train siffla pendant que la petite se peignait. La femme épongea la sueur de son cou et essuya la graisse de son visage avec ses doigts. Quand la fillette eut fini de se peigner le train passait devant les premières maisons d'un village qui était plus grand mais plus triste que les précédents.

« Si tu veux faire tes besoins, vas-y maintenant, dit la femme. Ensuite, même si tu meurs de soif, ne bois pas d'eau. Et surtout ne pleure pas. »

La fillette approuva d'un signe de tête. Un vent chaud et sec entra par la portière, en même temps que le sifflet de la locomotive et le tintamarre des vieux wagons. La femme enroula le sac en plastique avec le reste du casse-croûte et le rangea dans son sac à main. Durant un instant, le village entier, en cet éblouissant mardi d'août, resplendit à travers la vitre.

---

est suivi ici d'un subjonctif car il introduit un fait hypothétique ; il est suivi d'un indicatif lorsque le fait est réel.

7. **no tomes agua :** *ne prends pas d'eau.* Le verbe est au subjonctif et a la valeur d'un impératif négatif.

8. **no vayas a llorar :** *ne te mets pas à pleurer,* cf. note 7. La mère ne parle que pour dire l'indispensable. Le milieu populaire dont elle est issue ne s'embarrasse pas de discours.

La niña envolvió las flores en los periódicos empapados[1], se apartó un poco más de la ventanilla y miró fijamente a[2] su madre. Ella le devolvió una expresión apacible. El tren acabó de pitar y disminuyó la marcha. Un momento después se detuvo[3].

No había nadie en la estación. Del otro lado de la calle, en la acera sombreada por los almendros[4], sólo estaba abierto el salón de billar[5]. El pueblo flotaba en el calor. La mujer y la niña descendieron del tren, atravesaron la estación abandonada cuyas baldosas[6] empezaban a cuartearse por la presión de la hierba, y cruzaron la calle hasta la acera de sombra.

Eran casi las dos. A esa hora, agobiado[7] por el sopor, el pueblo hacía la siesta[8]. Los almacenes, las oficinas públicas, la escuela municipal, se cerraban desde las once y no volvían a abrirse hasta un poco antes de las cuatro, cuando pasaba el tren de regreso. Sólo permanecían abiertos el hotel frente a la estación, su cantina y su salón de billar, y la oficina del telégrafo a un lado de la plaza. Las casas, en su mayoría construidas sobre el modelo de la compañía bananera[9], tenían las puertas cerradas por dentro y las persianas bajas. En algunas hacía tanto calor que sus habitantes almorzaban en el patio. Otros recostaban un asiento a la sombra de los almendros y hacían la siesta sentados en plena calle[10].

---

1. **empapados:** *trempés; mouillés* se dit: **mojados**.

2. **miró... a su madre:** *elle regarda sa mère;* le **a** est indispensable devant un complément d'objet direct représentant une personne.

3. **se detuvo:** passé simple irrégulier de **detenerse**.

4. **los almendros:** ces arbres jalonnent les récits marquésiens. Leur fonction se réduit généralement à l'ombre qu'ils procurent; ils sont parfois poussiéreux (dans *Los funerales de la Mamá Grande*); ils ne sont jamais en fleurs. Ils nous permettent d'identifier sans qu'il soit nommé le village de Macondo (cf. *Cien años de soledad*).

5. **el salón de billar:** *la salle de billard* semble être le centre de la vie sociale des villages marquésiens; cf. la nouvelle de ce recueil: *En este pueblo no hay ladrones*.

La fillette enveloppa ses fleurs dans les journaux mouillés, s'éloigna un peu plus de la portière et regarda fixement sa mère qui lui répondit par un regard calme. Le train interrompit son sifflement, ralentit, puis s'immobilisa.

Il n'y avait personne à la gare. De l'autre côté de la rue, sur le trottoir ombragé par les amandiers, la salle de billard seule était ouverte. Le village flottait dans la chaleur. La femme et la fillette descendirent du train, traversèrent la gare abandonnée dont le carrelage commençait à se fendre sous la poussée de l'herbe, et passèrent sur le trottoir à l'ombre.

Il était presque deux heures. Accablé par la torpeur ambiante, le village faisait la sieste. Les magasins, les bureaux, l'école communale, étaient fermés depuis onze heures et ne rouvriraient qu'un peu avant quatre heures au moment du retour du train. Il n'y avait que l'hôtel de la gare, avec sa buvette et sa salle de billard, et le bureau de poste, situé en bordure de la place, qui n'avaient point fermé leurs portes. Les maisons, presque toutes construites d'après le prototype de la compagnie bananière, avaient poussé leurs verrous et baissé leurs persiennes. Il faisait tellement chaud que certains habitants déjeunaient dans la cour ; d'autres avaient étendu un siège à l'ombre des amandiers et faisaient la sieste assis en pleine rue.

---

6. **cuyas baldosas** : *dont les dalles... ;* **cuyo** traduit *dont* lorsque celui-ci est complément d'un nom sujet ou complément d'object direct ; il est placé devant ce nom avec lequel il s'accorde et supprime l'article.

7. **agobiado** : *accablé ;* syn. : **abrumado**.

8. **el pueblo hacía la siesta** : en Espagne on dit **dormía la siesta**.

9. **las casas construidas sobre el modelo de la compañía bananera** : souvenir de Aracataca, village où naquit l'auteur et qui en 1910 vit s'installer la United Fruit Company.

10. **sentados en la calle** : diverses stratégies de la sieste sous une chaleur étouffante.

Buscando siempre la protección de los almendros, la mujer y la niña penetraron en el pueblo sin perturbar la siesta. Fueron directamente a la casa cural. La mujer raspó con la uña la red metálica de la puerta, esperó un instante y volvió a llamar. En el interior zumbaba un ventilador eléctrico. No se oyeron los pasos[1]. Se oyó apenas el leve crujido de una puerta y en seguida una voz cautelosa muy cerca de la red metálica: «¿Quién es?». La mujer trató de ver a través de la red metálica.

—Necesito al padre[2] —dijo.

—Ahora está durmiendo.

—Es urgente — insistió la mujer.

Su voz tenía una tenacidad reposada.

La puerta se entreabrió sin ruido y apareció una mujer madura y regordeta, de cutis muy pálido[3] y cabellos color hierro. Los ojos parecían demasiado pequeños detrás de los gruesos cristales de los lentes.

—Sigan[4] —dijo, y acabó de abrir la puerta.

Entraron en una sala impregnada de un viejo olor de flores. La mujer de la casa las condujo[5] hasta un escaño de madera y les hizo señas de que se sentaran[6]. La niña lo hizo, pero su madre permaneció de pie, absorta, con la cartera apretada en las dos manos. No se percibía ningún ruido detrás del ventilador eléctrico.

La mujer de la casa apareció en la puerta del fondo.

—Dice que vuelvan[7] después de las tres —dijo en voz muy baja—. Se acostó hace cinco minutos[8].

---

1. **no se oyeron los pasos**: *on n'entendit pas les pas*. Se et la 3ᵉ personne sont une traduction de *on*; l'accord se fait avec un nom de chose ou de personne indéterminé.

2. **necesito al padre**: *j'ai besoin de M. le curé*.

3. **de cutis muy pálido**: *au teint très pâle*.

4. **sigan**: subjonctif présent, 3ᵉ personne du pluriel, à valeur d'impératif de **Ustedes** (vouvoiement); en Espagne on dirait **pasen.**

5. **condujo**: passé simple irrégulier de **conducir.**

6. **de que se sentaran**: subjonctif imparfait après un verbe d'ordre à

Recherchant toujours la protection des amandiers, la femme et la fillette entrèrent dans le village sans en troubler la sieste. Elles se rendirent tout droit au presbytère. La femme gratta avec l'ongle le grillage du guichet, attendit un instant et appela de nouveau. A l'intérieur, un ventilateur électrique bourdonnait. On n'entendit aucun pas, simplement le léger grincement d'une porte et aussitôt après une voix prudente, tout près du grillage, qui disait : « Qui êtes-vous ? » La femme essaya de regarder par le guichet.

« Je désire voir monsieur le curé, dit-elle.

— Il est en train de dormir.

— C'est urgent », insista la femme.

Sa voix était calme et persuasive.

La porte s'entrouvrit sans un bruit et une femme mûre et rondelette, au teint pâle et aux cheveux platinés, apparut. Ses yeux semblaient tout petits derrière les verres épais de ses lunettes.

« Entrez », dit-elle, et elle ouvrit en grand la porte.

Elles pénétrèrent dans une salle imprégnée d'une odeur ancienne de fleurs. La femme les conduisit jusqu'à un banc de bois et leur fit signe de s'asseoir. Ce que fit la fillette, mais sa mère resta debout, songeuse, en serrant son sac à deux mains. On n'entendait aucun bruit derrière le ventilateur électrique.

La femme réapparut par la porte du fond et annonça à voix basse :

« Il dit que vous pouvez revenir à trois heures. Il s'est couché il y a cinq minutes.

---

l'imparfait pour respecter la concordance des temps, le verbe de la principale étant au passé simple.

7. **dice que vuelvan** : *il vous dit de revenir* ; cf. note précédente. L'infinitif est exclu en espagnol.

8. **se acostó hace cinco minutos** : la sieste est une institution très difficile à contourner. C'est par ailleurs un des seuls éléments du Tropique, lié à la chaleur, qui apparaît dans ces nouvelles.

—El tren se va a las tres y media —dijo la mujer.

Fue una réplica breve y segura, pero la voz seguía siendo apacible[1], con muchos matices[2]. La mujer de la casa sonrió por primera vez[3].

—Bueno —dijo.

Cuando la puerta del fondo volvió a cerrarse la mujer se sentó junto a[4] su hija. La angosta[5] sala de espera era pobre, ordenada y limpia. Al otro lado de una baranda de madera que dividía la habitación había una mesa de trabajo, sencilla, con un tapete de hule[6], y encima de la mesa una máquina de escribir primitiva junto a un vaso con flores. Detrás estaban los archivos parroquiales. Se notaba que era un despacho[7] arreglado por una mujer soltera.

La puerta del fondo se abrió y esta vez apareció el sacerdote limpiando los lentes[8] con un pañuelo[9]. Sólo cuando se los puso pareció evidente que era hermano de la mujer que había abierto la puerta.

—¿Qué se le ofrece[10]? —preguntó.

—Las llaves del cementerio[11] —dijo la mujer.

La niña estaba sentada con las flores en el regazo y los pies cruzados bajo el escaño. El sacerdote la miró, después miró a la mujer y después, a través de la red metálica de la ventana, el cielo brillante y sin nubes.

—Con este calor —dijo—. Han podido esperar[12] a que bajara el sol[13].

---

1. **la voz seguía siendo apacible**: m. à m., *la voix continuait à être* ou *était toujours calme;* **seguir** + gérondif: action continue.

2. **matices**: *nuances;* **el matiz**: mot masculin.

3. **por primera vez**: l'expression s'emploie sans article.

4. **junto a**: *près de;* syn.: **al lado de.**

5. **angosta**: synonyme, **estrecha.**

6. **tapete de hule**: *une toile cirée;* **el mantel**: *la nappe.*

7. **un despacho**: *un bureau* (pièce); **una oficina, un bureau** (lieu de travail); **una mesa de despacho,** *un bureau* (table).

8. **los lentes**: *les lunettes;* cf. **las gafas, los anteojos.**

9. **un pañuelo**: *un mouchoir, un foulard.*

10. **¿qué se les ofrece?**: *qu'y a-t-il pour votre service? que désirez-vous?*

— Le train repart à trois heures et demie », dit la mère.

Ce fut une réponse brève et ferme, mais la voix gardait son calme plein de nuances. Pour la première fois, l'hôtesse se mit à rire.

« Bien », dit-elle.

Quand la porte du fond se referma, la mère s'assit près de sa fille. Le salon était petit, pauvre, propre et bien rangé. De l'autre côté d'une rampe en bois qui séparait la pièce en deux, il y avait un bureau tout simple, avec une toile cirée et, dessus, une vieille machine à écrire auprès d'un vase avec des fleurs. Derrière, étaient alignées les archives de la paroisse. On remarquait que c'était un bureau tenu par une célibataire.

La porte du fond s'ouvrit et le curé s'avança en essuyant avec un mouchoir les verres de ses lunettes. Quand il les posa sur son nez, on se rendit compte aussitôt qu'il était le frère de la femme qui avait ouvert la porte.

« Qu'est-ce que vous voulez ? demanda-t-il.

— Les clefs du cimetière », dit la femme.

La fillette était assise, les fleurs sur ses genoux et les pieds croisés sous le banc. Le curé la regarda, puis regarda la femme et ensuite, à travers le grillage de la fenêtre, le ciel brillant et sans nuages.

« Avec cette chaleur, dit-il. Vous auriez pu attendre que le soleil baisse. »

---

11. **las llaves del cementerio** : cf. p. 28, les clefs sont-elles aussi celles du paradis ?

12. **han podido esperar** : passé composé à valeur de conditionnel passé ; cf. **podían haber esperado,** même sens.

13. **a que bajara el sol** : la subordonnée qui suit **esperar** est introduite par **a que** ; elle est à l'imparfait du subjonctif ; cependant, avec le passé composé dans la principale, le subjonctif présent est possible aussi.

La mujer movió la cabeza en silencio. El sacerdote pasó del otro lado de la baranda, extrajo[1] del armario un cuaderno forrado de hule, un plumero de palo y un tintero, y se sentó a la mesa. El pelo que le faltaba[2] en la cabeza le sobraba[3] en las manos.

—¿Qué tumba van a visitar? —preguntó.

—La de Carlos Centeno —dijo la mujer.

—¿Quién?

—Carlos Centeno —repitió la mujer.

El padre siguió sin entender[4].

—Es el ladrón que mataron[5] aquí la semana pasada —dijo la mujer en el mismo tono—. Yo soy su madre.

El sacerdote la escrutó. Ella lo miró fijamente, con un dominio reposado, y el padre se ruborizó[6]. Bajó la cabeza para escribir. A medida que llenaba la hoja pedía a la mujer los datos de su identidad, y ella respondía sin vacilación, con detalles precisos, como si estuviera leyendo[7]. El padre empezó a sudar. La niña se desabotonó la trabilla del zapato izquierdo, se descalzó el talón y lo apoyó en el contrafuerte. Hizo lo mismo con el derecho.

Todo había empezado el lunes de la semana anterior, a las tres de la madrugada y a pocas cuadras de allí. La señora Rebeca[8], una viuda solitaria que vivía en una casa llena de cachivaches[9], sintió a través del rumor de la llovizna que alguien trataba de forzar desde afuera la puerta de la calle.

---

1. **extrajo**: passé simple irrégulier de **extraer**; cf. **traer**.

2. **el pelo que le faltaba**: *les cheveux qui lui manquaient;* **el pelo,** cf. page 14, note 7. **Faltar,** dans ce sens, s'emploie à la 3e pers. avec un complément indirect. **Carecer de**: *manquer de.* **La falta de**: *le manque de.*

3. **le sobraba**: m. à m., *était en trop.*

4. **siguió sin entender**: *continuait à ne pas comprendre;* **seguir sin** + inf. est la forme négative de **seguir** + gérondif (action continue).

5. **mataron**: 3e pers. du plur. impersonnelle, *on.*

6. **se ruborizó**: *il se mit à rougir.* La « paisible assurance » de la mère provoque un certain malaise chez le curé.

La femme hocha la tête en silence. Le curé passa de l'autre côté de la rampe, sortit de l'armoire un cahier protégé par une couverture en matière plastique, un plumier en bois, un encrier, et s'assit au bureau. Les poils qui manquaient sur son crâne poussaient à gogo sur ses mains.

« Quelle tombe voulez-vous voir ? demanda-t-il.

— Celle de Carlos Centeno.

— Qui ?

— Carlos Centeno », répéta la femme.

Le curé ne comprenait toujours pas.

« C'est le voleur que l'on a tué ici la semaine dernière, dit la femme sur le même ton. Je suis sa mère. »

Le curé la dévisagea. Elle le regarda fixement, avec une paisible assurance, et le curé sentit qu'il rougissait. Il baissa la tête pour écrire. Au fur et à mesure qu'il remplissait la feuille, demandant à la femme des renseignements sur son identité, elle répondait sans hésiter, avec précision, comme si elle était en train de lire ce qu'elle disait. Le curé se mit à suer à grosses gouttes. La fillette déboutonna la patte de sa chaussure gauche, sortit son talon qu'elle appuya sur le contrefort. Elle fit de même avec le pied droit.

Tout avait commencé le lundi de la semaine précédente, à trois heures du matin et à quelques trottoirs de là. Rébecca, une veuve solitaire qui vivait dans une maison pleine de vieux bibelots, avait entendu à travers la rumeur de la pluie qu'on essayait de forcer la porte d'entrée.

---

7. **como si estuviera leyendo :** como si est toujours suivi de l'imparfait du subj.

8. **la señora Rebeca :** ce personnage est un des protagonistes de *Cien años de soledad* et de *Un día después del sábado*.

9. **llena de cachivaches :** sa maison est toujours présentée de cette façon dans les passages où elle apparaît.

Se levantó, buscó a tientas en el ropero un revólver arcaico que nadie había disparado[1] desde los tiempos del coronel Aureliano Buendía[2], y fue a la sala sin encender las luces. Orientándose no tanto por el ruido de la cerradura como por un terror[3] desarrollado en ella por 28 años de soledad[4], localizó en la imaginación no sólo el sitio donde estaba la puerta sino[5] la altura exacta de la cerradura. Agarró el arma con las dos manos, cerró los ojos y apretó el gatillo. Era la primera vez en su vida que disparaba un revólver. Inmediatamente después de la detonación no sintió nada más que el murmullo de la llovizna en el techo de zinc. Después percibió un golpecito metálico en el andén de cemento y una voz muy baja, apacible, pero terriblemente fatigada: «Ay, mi madre[6]». El hombre que amaneció muerto frente a la casa, con la nariz despedazada, vestía una franela a rayas de colores, un pantalón ordinario con una soga en lugar de cinturón, y estaba descalzo. Nadie lo conocía en el pueblo.

—De manera que se llamaba Carlos Centeno —murmuró el padre cuando acabó de escribir.

—Centeno Ayala — dijo la mujer—. Era el único varón.

El sacerdote volvió al armario. Colgadas de un clavo[7] en el interior de la puerta había dos llaves grandes y oxidadas, como la niña imaginaba y como imaginaba la madre cuando era niña y como debió imaginar el propio sacerdote alguna vez que eran las llaves de San Pedro[8].

---

1. **nadie había disparado**: m. à m., *avec lequel personne n'avait tiré un coup*. **Disparar** est un verbe transitif.

2. **el coronel Aureliano Buendía**: un des principaux personnages de *Cien años de soledad*.

3. **no tanto por el ruido... como por un terror**: *non pas tant par le bruit que par une peur*; comparatif d'égalité.

4. **28 años de soledad**: après la mort mystérieuse de son mari, Rébecca se mura chez elle dans la plus grande solitude.

5. **no sólo el sitio... sino la altura**: **sino** traduit *mais* pour opposer deux éléments d'une phrase négative.

Elle s'était levée, avait cherché à tâtons dans son armoire un vieux revolver dont personne ne s'était plus servi depuis les temps du colonel Buendia et, sans allumer, s'était dirigée vers la salle à manger. Guidée moins par le bruit de la serrure que par une peur qui s'était développée en elle pendant ces vingt-huit années de solitude, elle avait localisé mentalement non seulement l'endroit où se trouvait la porte mais bien le niveau exact de la serrure. Saisissant l'arme à deux mains et fermant les yeux, elle avait appuyé sur la détente. C'était la première fois de sa vie qu'elle tirait un coup de revolver. Immédiate-ment après la détonation, elle n'avait plus entendu que le murmure de la pluie sur le toit de zinc. Ensuite, elle avait surpris un petit choc métallique sur le trottoir de ciment et une voix basse, tranquille mais exténuée qui murmurait : « Hélas ! maman. » L'homme qu'on avait retrouvé mort devant la porte au petit matin, le nez déchiqueté, était vêtu d'une flanelle à rayures de couleurs, d'un pantalon quelconque retenu par une ficelle en guise de ceinture ; il était nu-pieds. Personne, au village, ne le connaissait.

« Ainsi il s'appelait Carlos Centeno, marmotta le curé quand il eut fini d'écrire.

— Centeno Ayala, dit la femme. C'était mon seul garçon. »

Le curé repartit vers l'armoire, à l'intérieur de laquelle deux grandes clefs rouillées étaient pendues à un clou ; la fillette imagina que ce devait être les clefs de saint Pierre, tout comme sa mère l'avait imaginé lorsqu'elle était enfant et comme le curé lui-même, certain jour, avait dû l'imaginer.

---

6. **ay, mi madre** : c'est aussi le cri que poussent les trois mille travailleurs massacrés dans *Cien años de soledad*.

7. **colgadas de un clavo** : *suspendues à un clou*. **Colgar** s'emploie avec **de**.

8. **las llaves de San Pedro** : cf. p. 25, note 11. Dans l'imaginaire de l'enfance, s'agit-il de grosses clefs ou des clefs qui donnent accès au paradis ?

Las descolgó, las puso en el cuaderno abierto sobre la baranda y mostró con el índice un lugar en la página escrita, mirando a la mujer.

—Firme aquí.

La mujer garabateó su nombre, sosteniendo la cartera bajo la axila[1]. La niña recogió las flores, se dirigió a la baranda arrastrando los zapatos y observó atentamente a su madre.

El párroco suspiró.

—¿Nunca trató de hacerlo entrar por el buen camino?

La mujer contestó cuando acabó de firmar.

—Era un hombre muy bueno[2].

El sacerdote miró alternativamente a la mujer y a la niña y comprobó[3] con una especie de piadoso estupor que no estaban a punto[4] de llorar.

La mujer continuó inalterable:

—Yo le decía que nunca robara nada[5] que le hiciera falta a alguien[6] para comer, y él me hacía caso[7]. En cambio, antes, cuando boxeaba, pasaba hasta tres días en la cama postrado por los golpes.

—Se tuvo que sacar todos los dientes —intervino la niña.

—Así es —confirmó la mujer—. Cada bocado que comía en ese tiempo me sabía a los porrazos[8] que le daban a mi hijo los sábados a la noche.

—La voluntad de Dios[9] es inescrutable —dijo el padre.

---

1. **bajo la axila**: m. à m., *sous l'aisselle*.

2. **era un hombre muy bueno**: réponse apparemment paradoxale qui sous-entend la solidarité inconditionnelle de la mère vis-à-vis de son fils.

3. **comprobó**: *il constate*. Aussi *vérifier*.

4. **no estaban a punto de llorar**: *elles n'étaient pas sur le point de pleurer*.

5. **que nunca robara nada**: subjonctif après un verbe d'ordre, à l'imparfait car le verbe de la principale est à l'imparfait (**decía**). Cf. page 22, note 6.

6. **que le hiciera falta a alguien**: *dont quelqu'un pourrait avoir besoin*.

Il les décrocha et les posa sur le cahier ouvert, puis, tendant l'index, désigna un endroit sur la page écrite, sans quitter la femme des yeux :

« Signez ici. »

Elle griffonna son nom, en retenant son sac avec le bras. La fillette reprit ses fleurs, alla jusqu'à la rampe en traînant ses souliers et observa attentivement sa mère.

Le curé soupira :

« Vous n'avez jamais essayé de le remettre dans le droit chemin ? »

La femme répondit lorsqu'elle eut fini de signer :

« C'était un homme très bon. »

Le curé regarda tour à tour la femme et l'enfant et découvrit avec une sorte de stupeur miséricordieuse qu'elles n'avaient pas envie de pleurer. La femme poursuivit, imperturbable :

« Je lui disais de ne jamais voler ce qui pouvait empêcher quelqu'un de manger, et il m'écoutait. Par contre, avant, quand il boxait, il passait parfois trois jours au lit à se remettre des coups qu'il avait reçus.

— Il a même fallu lui arracher toutes ses dents, intervint la fillette.

— C'est vrai, continua la femme. Chaque bouchée que j'avalais à cette époque avait le goût des coups que l'on donnait à mon fils le samedi soir.

— La volonté de Dieu est insondable », dit le curé.

Le subjonctif exprime l'éventualité ; la concordance des temps exige un imparfait ; cf. note précédente.

7. **él me hacía caso :** la mère énonce sa morale personnelle.

8. **me sabía a los porrazos :** la mère ressent dans sa chair les coups reçus par son fils, boxeur malheureux.

9. **la voluntad de Dios :** réponse passe-partout du curé.

Pero lo dijo sin mucha convicción, en parte porque la experiencia lo había vuelto un poco escéptico[1], y en parte por el calor[2]. Les recomendó que se protegieran la cabeza[3] para evitar la insolación. Les indicó bostezando[4] y ya casi completamente dormido[5], cómo debían hacer para encontrar la tumba de Carlos Centeno. Al regreso no tenían que tocar. Debían meter la llave por debajo de la puerta y poner allí mismo, si tenían, una limosna para la Iglesia. La mujer escuchó las explicaciones con mucha atención, pero dio las gracias sin sonreír.

Desde antes de abrir la puerta de la calle el padre se dio cuenta de que había alguien mirando hacia adentro, las narices aplastadas contra la red metálica. Era un grupo de niños. Cuando la puerta se abrió por completo los niños se dispersaron. A esa hora, de ordinario, no había nadie en la calle. Ahora no sólo estaban los niños. Había grupos bajo los almendros[6]. El padre examinó la calle distorsionada por la reverberación, y entonces comprendió. Suavemente volvió a cerrar la puerta.

—Esperen un minuto —dijo, sin mirar a la mujer.

Su hermana apareció en la puerta del fondo, con una chaqueta negra sobre la camisa de dormir y el cabello suelto en los hombros. Miró al padre en silencio.

—¿Qué fue? —preguntó él.

—La gente se ha dado cuenta —murmuró su hermana.

—Es mejor que salgan por la puerta del patio[7] —dijo el padre.

---

1. **la experiencia lo había vuelto un poco escéptico** : *l'expérience l'avait rendu un peu sceptique.* **Volver** ici traduit *rendre,* l'idée de transformation peut aussi être donnée par **hacer**. Le curé semble agir par pure routine.

2. **por el calor** : *à cause de la chaleur.* **Por** a une valeur causale.

3. **que se protegieran la cabeza** : subj. imparfait après un verbe de recommandation au passé simple, **recomendó**.

4. **les indicó bostezando...** : l'appel de la sieste.

5. **ya casi completamente dormido** : *déjà presque complètement endormi.*

Mais il l'affirma sans grande conviction, d'une part parce que l'expérience l'avait rendu quelque peu sceptique, et d'autre part à cause de la chaleur. Il leur recommanda de bien se protéger la tête pour éviter l'insolation. En bâillant et presque endormi, il leur indiqua comment elles devaient faire pour trouver la tombe de Carlos Centeno. Au retour, inutile de frapper : il leur suffirait de glisser la clef sous la porte avec, si elles voulaient bien, une obole pour l'église. La femme écouta attentivement les explications, mais remercia sans un sourire.

Bien avant d'ouvrir la porte d'entrée, le curé s'était rendu compte que quelqu'un regardait chez lui, le nez collé contre le grillage du guichet. C'était un groupe de gamins. Quand la porte s'ouvrit entièrement tout le monde s'envola. A cette heure, la rue était toujours déserte. Or ce jour-là, non seulement il y avait les enfants mais aussi de petits rassemblements sous les amandiers. Le curé observa la rue déformée par la réverbération et soudain il comprit. Doucement, il referma la porte.

« Attendez une minute », dit-il sans regarder la femme.

Sa sœur apparut par la porte du fond ; elle avait enfilé un boléro noir sur sa chemise de nuit et ses cheveux défaits tombaient sur ses épaules. Elle regarda le curé en silence.

« Que s'est-il passé ? demanda-t-il.

— Les gens s'en sont aperçus, murmura-t-elle.

— Il est préférable qu'elles sortent par la porte de la cour, dit le curé.

---

6. **había grupos bajo los almendros** : le village est sorti de sa torpeur pour guetter les étrangères ; les attroupements qui se forment créent une tension particulière.

7. **es mejor que salgan por la puerta del patio** : le curé essaie de leur éviter un affrontement avec les gens du village.

—Es lo mismo[1] —dijo su hermana—. Todo el mundo está en las ventanas[2].

La mujer parecía no haber comprendido hasta entonces. Trató de ver[3] la calle a través de la red metálica. Luego[4] le quitó el ramo de flores a la niña y empezó a moverse hacia la puerta. La niña la siguió.

—Esperen[5] a que baje el sol —dijo el padre.

—Se van a derretir —dijo su hermana, inmóvil en el fondo de la sala—. Espérense y les presto una sombrilla[6].

—Gracias —replicó la mujer—. Así vamos bien.

Tomó a la niña de la mano y salió a la calle.

---

1. **es lo mismo**: *c'est la même chose, cela revient au même.* Lo est un article neutre qui, employé devant un adjectif ou un adverbe, en fait des noms. Cf. **lo último.** On dit très rarement **la misma cosa.**

2. **está en las ventanas**: **en** s'emploie avec un verbe n'exprimant pas le mouvement.

3. **trató de ver**: *elle essaya de voir.* **Tratar de, intentar, procurar**: *essayer.*

4. **luego**: *puis, ensuite.* Syn.: **después.** Luego peut aussi avoir le sens de *donc.*

— C'est la même chose, dit sa sœur. Ils sont tous aux fenêtres. »

La femme semblait n'avoir rien compris jusqu'à cet instant. Elle essaya de voir la rue à travers le grillage du guichet. Puis elle enleva le bouquet de fleurs des mains de la fillette et se dirigea vers la porte. L'enfant la suivit.

« Attendez que le soleil se couche, dit le curé.

— Vous allez fondre, dit sa sœur immobile au fond du salon. Attendez, je vais vous prêter une ombrelle.

— Merci, répondit la femme. Ça va aller. »

Elle prit la fillette par la main et sortit dans la rue.

----

5. **esperen** : impératif de la 3ᵉ personne du pluriel (vouvoiement).

6. **espérense y les presto una sombrilla** : sollicitude de la sœur du curé et du curé lui-même qui, sur la fin, semblent éprouver de la sympathie pour cette pauvre femme ; à moins qu'ils ne cherchent simplement à lui éviter d'être la cible de tous les regards. Elle n'en a cure. Cette femme est d'une dignité remarquable ; forte de sa détermination résignée, elle reste imperméable à toute possible agression.

UN DÍA DE ESTOS

UN JOUR COMME LES AUTRES

El lunes amaneció[1] tibio y sin lluvia. Don Aurelio Escovar, dentista sin título[2] y buen madrugador[3], abrió su gabinete a las seis. Sacó de la vidriera una dentadura postiza montada aún[4] en el molde de yeso y puso[5] sobre la mesa un puñado de instrumentos que ordenó de mayor a menor, como en una exposición. Llevaba una camisa a rayas, sin cuello, cerrada arriba con un botón dorado, y los pantalones sostenidos con cargadores elásticos. Era rígido, enjuto[6], con una mirada que raras veces correspondía a la situación, como la mirada de los sordos.

Cuando tuvo las cosas dispuestas sobre la mesa, rodó la fresa hacia el sillón de resortes y se sentó a pulir la dentadura postiza. Parecía no pensar en lo que hacía, pero trabajaba con obstinación, pedaleando en la fresa incluso cuando no se servía de ella.

Después de las ocho hizo una pausa para mirar el cielo por la ventana y vio dos gallinazos[7] pensativos que se secaban al sol en el caballete de la casa vecina. Siguió trabajando[8] con la idea de que antes del almuerzo volvería a llover[9]. La voz destemplada de su hijo de once años lo sacó[10] de su abstracción.

—Papá.

—Qué.

—Dice el alcalde[11] que si le sacas una muela.

—Dile que no estoy aquí.

---

1. **amaneció**: v. **amanecer,** impersonnel: *faire jour, le jour se lève;* personnel (≠ **madrugar**): *apparaître à l'aube; se réveiller le matin.* **El amanecer**: *l'aube.*

2. **dentista sin título**: définition du personnage qui exerce illégalement la profession de dentiste.

3. **buen madrugador**: *lève-tôt.*

4. **aún**: *encore,* cf. **todavía** / **aun** (sans accent): *même.*

5. **puso**: passé simple irrégulier du verbe **poner.**

6. **enjuto**: *sec, maigre;* synonyme de **flaco.**

7. **gallinazo**: *urubu;* vautour de petite taille répandu en Amérique tropicale; cf.: **buitre.**

Ce lundi-là naquit tiède et sans pluie. Don Aurelio Escovar, dentiste non diplômé et homme matinal, ouvrit son cabinet à six heures. Il sortit de la vitrine un dentier encore emboîté dans son moule de plâtre et posa sur la table une poignée d'instruments qu'il aligna dans l'ordre, du plus grand au plus petit, comme pour une exposition. Il portait une chemise sans col à rayures, fermée en haut par un bouton doré, et un pantalon tenu par des bretelles. C'était un homme rigide, osseux, au regard qui correspondait rarement à la situation, tel celui des sourds.

Une fois les objets en place sur la table, il roula la fraise jusqu'au fauteuil mécanique où il s'installa pour polir le dentier. Il avait l'air de travailler sans réfléchir, mais il le faisait avec obstination, actionnant la pédale de l'instrument, même quand il ne l'utilisait pas.

Après huit heures il fit une pause et regarda le ciel par la fenêtre ; il vit deux charognards pensifs qui se séchaient au soleil sur le toit de la maison voisine. Il se remit au travail en pensant qu'il allait encore pleuvoir avant l'heure du déjeuner. La voix irritée de son fils de onze ans l'arracha à ses pensées.

« Papa.
— Quoi ?
— Le maire demande si tu peux lui arracher une dent.
— Dis-lui que je ne suis pas là. »

---

8. **siguió trabajando** : *il continua à travailler.* **Seguir** + gérondif : action continue (cf. note 1, p. 24).

9. **volvería a llover** : m. à m., *il repleuvrait.* **Volver a** + infinitif : répétition de l'action.

10. **sacó** : *tirer, sortir* (transitif), *arracher,* cf. **sacar una muela. Salir** : *sortir,* intransitif.

11. **el alcalde** : en Colombie le maire n'est pas une autorité élue, il joue un rôle politique local, voire régional. Ici comme dans **La mala hora,** c'est un militaire, cf. page 45.

Estaba puliendo[1] un diente de oro. Lo retiró a la distancia del brazo y lo examinó con los ojos a medio cerrar[2]. En la salita de espera volvió a gritar su hijo.

—Dice que sí estás porque te está oyendo.

El dentista siguió examinando el diente. Sólo cuando lo puso en la mesa con los trabajos terminados, dijo:

—Mejor[3].

Volvió a operar la fresa. De una cajita de cartón donde guardaba las cosas por hacer[4], sacó un puente de varias piezas y empezó a pulir el oro.

—Papá.

—Qué.

Aún no había cambiado de expresión.

—Dice que si no le sacas la muela te pega un tiro.

Sin apresurarse, con un movimiento extremadamente tranquilo, dejó de[5] pedalear en la fresa, la retiró del sillón y abrió por completo[6] la gaveta[7] inferior de la mesa. Allí estaba el revólver.

—Bueno —dijo—. Dile que venga[8] a pegármelo[9].

Hizo girar el sillón hasta quedar de frente a la puerta, la mano apoyada en el borde de la gaveta. El alcalde apareció en el umbral. Se había afeitado la mejilla izquierda, pero en la otra, hinchada y dolorida, tenía una barba de cinco días. El dentista vio en sus ojos marchitos[10] muchas noches de desesperación. Cerró la gaveta con la punta de los dedos y dijo suavemente[11].

—Siéntese[12].

---

1. **estaba puliendo**: estar + gérondif, forme progressive.

2. **a medio cerrar**: m. à m., *à moitié fermés*. **A medio** + infinitif: *à moitié, à demi* + participe passé.

3. **mejor**: réponse lapidaire marquant le refus flagrant de soigner le maire, sans que le lecteur connaisse les raisons de cette hostilité.

4. **por hacer**: *à faire*. Une des valeurs de **por** + infinitif, action à accomplir.

5. **dejó de: dejar de** + inf.: *cesser de*. Dejar, *laisser*.

6. **por completo**: *complètement*. Ici, *en grand*.

7. **gaveta**: *tiroir;* archaïque en Espagne ; syn.: **cajón**.

Il était en train de polir une dent en or. Il prit la dent, tendit le bras et la regarda, les yeux mi-clos. De la salle d'attente, son fils se remit à crier :

« Il dit que tu es là car il t'entend. »

Le dentiste continua d'examiner la dent, puis la posa sur la table avec les travaux terminés, et dit enfin :

« C'est préférable. »

Il remit la fraise en marche. D'un petit carton où il rangeait ses commandes il sortit un bridge et commença à polir l'or.

« Papa.

— Quoi ? »

Il n'avait toujours pas changé d'expression.

« Il dit que si tu ne lui arraches pas sa dent il va te tirer dessus. »

Sans se presser, avec une tranquillité extrême, il cessa d'actionner la fraise, la retira du fauteuil et ouvrit en grand le tiroir de la table où il rangeait son revolver :

« Eh bien, dis-lui qu'il vienne me tirer dessus ! »

Il fit pirouetter le fauteuil de manière à se trouver face à la porte, la main appuyée sur le bord du tiroir. Le maire apparut sur le seuil. Sa joue gauche était rasée, mais l'autre, enflée et endolorie, avait une barbe d'au moins cinq jours. Le dentiste décela dans ses yeux battus de nombreuses nuits de désespoir. Il referma le tiroir du bout du doigt et dit aimablement :

« Asseyez-vous.

---

8. **dile que venga** : *dis-lui de venir*. Après un verbe d'ordre, l'espagnol emploie un subjonctif. Cf. page 23, note 7.

9. **pegármelo** : enclise des deux pronoms après infinitif.

10. **marchito** : *fané, flétri*.

11. **suavemente** : le dentiste est attendri par la douleur.

12. **siéntese** : v. **sentarse** à l'impératif 3ᵉ pers. du sing. (vouvoiement).

—Buenos días —dijo el alcalde.

—Buenos —dijo el dentista.

Mientras[1] hervían los instrumentos, el alcalde apoyó el cráneo en el cabezal de la silla y se sintió mejor. Respiraba un olor glacial. Era un gabinete pobre: una vieja silla de madera, la fresa de pedal y una vidriera con pomos de loza. Frente a[2] la silla, una ventana con un cancel[3] de tela hasta la altura de un hombre. Cuando sintió que el dentista se acercaba, el alcalde afirmó los talones y abrió la boca.

Don Aurelio Escovar le movió la cara hacia la luz. Después de observar[4] la muela dañada, ajustó la mandíbula con una cautelosa presión de los dedos.

—Tiene que ser sin anestesia[5] —dijo.

—¿Por qué?

—Porque tiene un absceso.

El alcalde lo miró a los ojos.

—Está bien —dijo, y trató de[6] sonreír. El dentista no le correspondió[7]. Llevó a la mesa de trabajo la cacerola con los instrumentos hervidos y los sacó del agua con unas pinzas frías, todavía sin apresurarse. Después rodó la escupidera con la punta del zapato y fue a lavarse las manos en el aguamanil[8]. Hizo todo sin mirar al alcalde. Pero el alcalde no lo perdió de vista[9].

Era una cordal inferior. El dentista abrió las piernas y apretó la muela con el gatillo caliente. El alcalde se aferró a las barras de la silla, descargó toda su fuerza en los pies y sintió un vacío helado en los riñones, pero no soltó un suspiro[10].

---

1. **mientras**: *pendant que, tant que.*

2. **frente a la silla**: variante de **enfrente de. Frente a** est cependant obligatoire devant un terme abstrait.

3. **cancel**: *paravent* (amér.); **biombo** (Espagne).

4. **después de observar**: après **después de,** l'infinitif présent a valeur de passé.

5. **sin anestesia**: est-ce l'occasion d'une vengeance offerte par le hasard?

— Bonjour, dit le maire.

— 'jour », dit le dentiste.

Pendant qu'il faisait bouillir les instruments, le maire renversa la tête contre l'appui du fauteuil et se sentit mieux. Il respirait une odeur glaciale. C'était un cabinet misérable : une vieille chaise en bois, la fraise à pédale et, dans une vitrine, des pots de faïence. Face à la chaise, on voyait une fenêtre avec un paravent de toile qui arrivait à hauteur d'homme. Quand il sentit que le dentiste s'approchait, le maire serra les talons et ouvrit la bouche.

Don Aurelio Escovar lui tourna la tête du côté du jour. Il observa la dent gâtée et, d'une prudente pression des doigts, lui appuya sur la mâchoire.

« Je ne pourrai pas vous anesthésier, dit-il.

— Pourquoi ?

— Parce que vous avez un abcès. »

Le maire le regarda droit dans les yeux.

« Ça va », dit-il, et il s'efforça de sourire. Le dentiste resta de marbre. Il apporta sur la table la casserole avec les instruments dans l'eau bouillante et les en retira à l'aide de pinces froides, toujours sans se presser. Après quoi il fit rouler le crachoir avec la pointe de sa chaussure et alla se laver les mains dans la cuvette. Tout cela fut fait sans regarder le maire. Mais le maire, lui, ne le perdait pas de vue.

C'était une dent de sagesse, à la mâchoire inférieure. Le dentiste écarta les jambes et serra la dent avec le davier encore chaud. Le maire s'agrippa aux bras du fauteuil, appuya de toutes ses forces sur ses pieds, sentit un vide glacé dans les reins, mais ne laissa échapper aucun soupir.

---

6. **trató de** : *essaya de ;* syn. : **intentar, procurar.**
7. **no le correspondió** : *il ne lui rendit pas (son sourire).*
8. **aguamanil** : syn. : **palangana,** *cuvette.*
9. **no lo perdió de vista** : le maire craint-il seulement l'opération ?
10. **no soltó un suspiro** : il ne doit donner aucun signe de faiblesse.

El dentista sólo movió la muñeca[1]. Sin rencor, más bien con una amarga ternura, dijo:

—Aquí nos paga veinte muertos[2], teniente[3].

El alcalde sintió un crujido de huesos en la mandíbula y sus ojos se llenaron de lágrimas. Pero no suspiró hasta que no sintió salir la muela. Entonces la vio a través de las lágrimas. Le pareció tan extraña a su dolor, que no pudo[4] entender la tortura de sus cinco noches anteriores[5]. Inclinado sobre la escupidera, sudoroso, jadeante, se desabotonó la guerrera[6] y buscó a tientas el pañuelo en el bolsillo del pantalón. El dentista le dio un trapo limpio.

—Séquese las lágrimas[7] —dijo.

El alcalde lo hizo. Estaba temblando. Mientras el dentista se lavaba las manos, vio el cielorraso desfondado y una telaraña polvorienta con huevos de araña e insectos muertos. El dentista regresó secándose las manos. «Acuéstese —dijo— y haga buches de agua de sal.» El alcalde se puso de pie, se despidió con un displicente saludo militar[8], y se dirigió a la puerta estirando las piernas, sin abotonarse la guerrera.

—Me pasa la cuenta —dijo.

—¿A usted o al municipio?

El alcalde no lo miró. Cerró la puerta, y dijo, a través de la red metálica:

—Es la misma vaina[9].

---

1. **muñeca**: *le poignet,* mais aussi *la poupée.*

2. **aquí nos paga veinte muertos**: le dentiste sort de son rôle strictement professionnel; le soin prend alors la forme d'une vengeance.

3. **teniente**: grade militaire du maire. Référence à la répression exercée par le maire dans une dictature militaire.

4. **pudo**: passé simple irrégulier de **poder.**

5. **la tortura de sus cinco noches anteriores**: hésitation et endurance du maire avant de recourir à son ennemi.

6. **guerrera**: *vareuse;* le maire est en uniforme.

7. **séquese las lágrimas**: le pronom personnel réfléchi s'emploie à la place du possessif en français.

Le dentiste remua seulement le poignet. Sans rancœur, plutôt avec une tendresse amère, il lui dit :

« Vous allez payer ici vingt de nos morts, lieutenant. »

Le maire sentit un craquement d'os dans la mâchoire et ses yeux se remplirent de larmes. Mais il n'émit aucun soupir jusqu'au moment où il sentit sortir la dent. Il la vit alors à travers les larmes. Elle lui parut si étrangère à sa douleur qu'il ne pouvait comprendre ses cinq nuits de torture précédentes. Penché sur le crachoir, suant, haletant, il déboutonna sa vareuse et chercha à tâtons son mouchoir dans la poche de son pantalon. Le dentiste lui tendit un chiffon propre.

« Essuyez vos larmes », dit-il.

Ce que fit le maire. Il tremblait. Pendant que le dentiste se lavait les mains, il vit le plafond crevé et une toile d'araignée poussiéreuse pleine d'œufs et d'insectes morts. Le dentiste revint vers lui en s'essuyant les mains. « Allez vous coucher, dit-il, et rincez-vous la bouche avec de l'eau salée. » Le maire se leva, fit un froid salut militaire en guise d'au revoir et se dirigea vers la porte à grands pas, sans reboutonner sa vareuse.

« Vous m'enverrez la facture, dit-il.

— A vous ou à la municipalité ? »

Le maire ne le regarda pas, mais en fermant la porte :

« C'est la même salade », lui lança-t-il à travers le grillage.

---

8. **un displicente saludo militar** : aucune marque de reconnaissance. La fin souligne la haine entre les deux hommes et le climat de guerre civile. Dans ***La mala hora*** le maire doit utiliser la violence pour se faire soigner par le dentiste.

9. **vaina** (amér.) : ici : *le même machin ;* cette dernière réplique en dit beaucoup sur la gestion de la municipalité.

EN ESTE PUEBLO NO HAY LADRONES

IL N'Y A PAS DE VOLEURS
DANS CE VILLAGE

Dámaso regresó al cuarto con los primeros gallos. Ana, su mujer, encinta de seis meses, lo esperaba sentada en la cama, vestida y con zapatos. La lámpara de petróleo empezaba a extinguirse. Dámaso comprendió que su mujer no había dejado de esperarlo un segundo en toda la noche, y que aun[1] en ese momento, viéndolo[2] frente a ella, continuaba esperando[3]. Le hizo[4] un gesto tranquilizador al que ella no respondió. Fijó los ojos asustados en el bulto de tela roja que él llevaba en la mano, apretó los labios y se puso a temblar. Dámaso la asió por el corpiño con una violencia silenciosa[5]. Exhalaba un tufo agrio.

Ana se dejó levantar casi en vilo. Luego descargó todo el peso del cuerpo hacia adelante, llorando contra la franela a rayas coloradas de su marido, y lo tuvo abrazado por los riñones hasta cuando logró dominar[6] la crisis.

—Me dormí sentada —dijo—, de pronto[7] abrieron la puerta[8] y te empujaron dentro del cuarto, bañado en sangre.

Dámaso la separó sin decir nada. La volvió a sentar en la cama. Después le puso el envoltorio en el regazo y salió a orinar[9] al patio. Entonces ella soltó los nudos y vio: eran tres bolas de billar[10], dos blancas y una roja, sin brillo, estropeadas por los golpes.

Cuando volvió al cuarto, Dámaso la encontró en una contemplación intrigada.

—¿Y esto para qué sirve[11]? —preguntó Ana.

Él se encogió de hombros.

---

1. **aun**: *même;* syn.: **incluso. Aún** (avec accent), cf. p. 38, note 4.
2. **viéndolo**: enclise du pronom personnel après gérondif.
3. **continuaba esperando**: *elle continuait à l'attendre;* **continuar (seguir)** + gérondif, cf. p. 39, note 8.
4. **hizo**: passé simple irrégulier du v. **hacer**, 3e pers. du sing.
5. **con una violencia silenciosa**: les relations entre mari et femme sont ainsi posées: lui, le dur; elle, soumise et effrayée.
6. **logró dominar la crisis**: m. à m., *elle réussit à dominer la crise.* **Lograr** se construit directement avec un infinitif; synonyme, **conseguir.**

Damaso entra dans la chambre au lever du jour. Ana, sa femme, enceinte de six mois, l'attendait assise sur le lit, ses chaussures aux pieds. La lampe à pétrole allait bientôt s'éteindre. Damaso comprit que sa femme l'avait attendu toute la nuit et, bien qu'il fût là, en face d'elle, elle continuait à l'attendre. Il lui fit signe de se tranquilliser. Elle ne répondit pas. Ses yeux fixèrent le balluchon rouge qu'il tenait à la main ; elle serra les lèvres et se mit à trembler. Damaso la saisit par le corsage avec une violence silencieuse. De sa bouche émanait un relent aigre.

Ana se laissa soulever en l'air. Puis elle abattit en pleurant tout le poids de son corps contre la chemise de flanelle à rayures rouges de son mari, et lui serra la taille jusqu'à ce que la crise fût passée.

« Je me suis endormie assise, lui dit-elle. Tout d'un coup, on a ouvert la porte et on t'a projeté dans la chambre. Tu étais couvert de sang. »

Damaso l'écarta sans rien dire. Il la fit se rasseoir sur le lit. Puis il déposa le paquet sur ses genoux et sortit uriner dans la cour. Elle le dénoua aussitôt et regarda ce qu'il y avait à l'intérieur : trois boules de billard, deux blanches et une rouge, ternes et abîmées par les coups.

Quand il revint dans la chambre, Damaso la surprit perdue dans une contemplation perplexe.

« Et ça, à quoi ça sert ? » demanda-t-elle.

Il haussa les épaules :

---

7. **de pronto :** *tout à coup, soudain ;* syn. : **de repente.**

8. **abrieron la puerta... :** récit d'un cauchemar qui n'est pas annoncé comme tel.

9. **salió a orinar : a** après un verbe de mouvement indique la finalité. A noter le réalisme de la situation.

10. **eran tres bolas de billar :** butin insolite et dérisoire. Les boules ne sont même pas neuves.

11. **¿para qué sirve ? : servir** s'emploie avec **para** ou **de.**

—Para jugar billar[1].

Volvió a hacer los nudos y guardó el envoltorio, con la ganzúa improvisada, la linterna de pilas y el cuchillo, en el fondo del baúl. Ana se acostó de cara a la pared sin quitarse la ropa. Dámaso se quitó sólo los pantalones. Estirado en la cama, fumando en la oscuridad, trató de identificar algún rastro[2] de su aventura en los susurros dispersos de la madrugada, hasta que se dio cuenta de que su mujer estaba despierta[3].

—¿En qué piensas?

—En nada —dijo ella.

La voz, de ordinario matizada de registros baritonales, parecía más densa por el rencor[4]. Dámaso dio una última chupada al cigarrillo y aplastó la colilla en el piso de tierra.

—No había nada más —suspiró—. Estuve[5] adentro como una hora.

—Han debido pegarte un tiro[6] —dijo ella.

Dámaso se estremeció. «Maldita sea[7]», dijo, golpeando con los nudillos el marco[8] de madera de la cama. Buscó a tientas, en el suelo, los cigarrillos y los fósforos[9].

—Tienes entrañas de burro[10] —dijo Ana—. Has debido tener en cuenta[11] que yo estaba aquí sin poder dormir, creyendo que te traían muerto cada vez que había un ruido en la calle. —Agregó[12] con un suspiro—: Y todo eso para salir con tres bolas de billar[13].

---

1. **para jugar billar**: en Espagne on dirait **jugar al.** Réponse au premier degré.

2. **rastro**: *trace;* syn.: **huella.**

3. **despierta**: participe passé irrégulier de **despertar** employé comme adj. Par contre, on dit **se ha despertado,** *il* (ou *elle*) *s'est réveillé(e).*

4. **por el rencor**: **por** a une valeur causale, *à cause de.*

5. **estuve**: passé simple irrégulier du verbe **estar,** 1re personne du singulier.

6. **han debido pegarte un tiro**: passé composé à valeur de conditionnel. Il faut traduire: *tu aurais mérité qu'ils te tirent dessus.*

7. **maldita sea**: m. à m., *qu'elle soit maudite.*

« A jouer au billard. »

Il renoua le balluchon et le rangea au fond de la malle avec le passe-partout improvisé, la lampe de poche et le couteau. Ana se coucha du côté du mur, sans se déshabiller. Damaso ôta seulement son pantalon. Allongé sur le lit, il fuma dans l'obscurité en tâchant de retrouver une trace de son aventure dans les murmures épars du petit matin, jusqu'au moment où il se rendit compte que sa femme était éveillée.

« A quoi penses-tu ?

— A rien », dit-elle.

Sa voix, habituellement traversée par des inflexions de baryton, paraissait durcie par la rancœur. Damaso tira une dernière bouffée de sa cigarette et écrasa le mégot sur le sol de terre battue.

« Il n'y avait rien d'autre, soupira-t-il. Je suis resté enfermé là-dedans à peu près une heure.

— On a dû te tirer dessus », dit-elle.

Damaso sursauta. « Qu'elle aille au diable », dit-il en frappant avec ses jointures le bois du lit. Il chercha à tâtons sur le sol ses cigarettes et la boîte d'allumettes.

« Tu as un cœur de bourrique, dit Ana. Tu aurais pu penser que j'étais ici sans fermer l'œil, croyant qu'on te ramenait mort chaque fois que j'entendais un bruit dans la rue. » Puis elle ajouta en soupirant : « Et tout ça pour rapporter trois boules de billard !

---

8. **el marco** : *le cadre, l'encadrement* ; **el cuadro** : *le tableau.*
9. **los fósforos** : *les allumettes* ; syn. : **cerillas** (Esp.)
10. **entrañas de burro** : m. à m., *entrailles d'âne.*
11. **has debido tener en cuenta** : cf. note 6.
12. **agregó** : *elle ajouta* ; syn. : **añadir.**
13. **y todo eso para salir con tres bolas de billar** : reproches amers d'Ana soulignant la disproportion entre son inquiétude et le fruit du larcin.

—En la gaveta no había sino[1] veinticinco centavos.

—Entonces no has debido traer nada[2].

—El problema era entrar —dijo Dámaso—. No podía venirme con las manos vacías[3].

—Hubieras cogido[4] cualquier otra cosa[5].

—No había nada más —dijo Dámaso.

—En ninguna parte hay tantas cosas como en el salón de billar[6].

—Así parece —dijo Dámaso—. Pero después, cuando uno está allá dentro[7], se pone a mirar las cosas y a registrar por todos lados y se da cuenta de que no hay nada que sirva.

Ella hizo un largo silencio. Dámaso la imaginó con los ojos abiertos, tratando de encontrar algún objeto de valor en la oscuridad de la memoria[8].

—Tal vez —dijo.

Dámaso volvió a fumar[9]. El alcohol lo abandonaba en ondas concéntricas y él asumía de nuevo el peso, el volumen y la responsabilidad de su cuerpo.

—Había un gato allá adentro —dijo—. Un enorme gato blanco.

Ana se volteó, apoyó el vientre abultado contra el vientre de su marido, y le metió la pierna entre las rodillas. Olía a cebolla[10].

—¿Estabas muy asustado?

---

1. **no había sino...** : forme restrictive ; cf. : **no había más que** ; ou **sólo había.**

2. **no has debido traer nada** : *tu aurais dû ne rien rapporter ;* cf. p. 50, note 6.

3. **con las manos vacías** : on emploie **con** devant un complément qui marque une attitude.

4. **hubieras cogido** : plus-que-parfait du subjonctif à valeur de conditionnel passé : **habrías cogido.**

5. **cualquier otra cosa** : *n'importe quoi d'autre ;* forme apocopée de l'adjectif indéfini **cualquiera** devant un nom.

6. **hay tantas cosas como en el salón de billar** : comparatif d'égalité. **Tanto** : adjectif de quantité qui s'accorde avec le nom.

7. **cuando uno está allá dentro** : **uno** pronom impersonnel ; traduit *on* lorsque le sujet qui parle s'implique fortement.

— Il n'y avait que vingt-cinq centavos dans le tiroir-caisse.

— Il fallait ne rien rapporter.

— Le plus difficile a été d'entrer. Je ne pouvais pas revenir les mains vides.

— Tu aurais pu prendre quelque chose d'autre.

— Il n'y avait rien d'autre, dit Damaso.

— Dans une salle de billard il y a toujours un tas de trucs comme on n'en trouve nulle part ailleurs.

— C'est ce qu'on croit, mais une fois qu'on est à l'intérieur, on se met à regarder autour de soi, on fouine partout et on se rend compte qu'il n'y a rien qui puisse servir. »

Elle resta longtemps silencieuse. Damaso l'imaginait les yeux grands ouverts, tâchant de retrouver un objet de valeur dans la nuit de sa mémoire.

« Peut-être », dit-elle.

Il se remit à fumer. L'alcool s'éloignait de lui en ondes concentriques. Il pouvait à nouveau contrôler le poids, le volume et la responsabilité de son corps.

« Il y avait un chat à l'intérieur, fit-il. Un énorme chat blanc. »

Ana se retourna, colla son gros ventre rond contre celui de son mari et glissa la jambe entre ses genoux. Il sentait l'oignon.

« Tu as eu très peur ?

---

8. **algún objeto de valor en la oscuridad de la memoria** : effet de style qui consiste à allier un terme concret avec un terme abstrait (zeugme).

9. **volvió a fumar** : Damaso apparaît systématiquement avec une cigarette ou avec un besoin irrésistible de fumer.

10. **olía a cebolla** ; **oler** est employé avec **a**, cf. p. 16, note 6.

—¿Yo?

—Tú —dijo Ana—. Dicen que los hombres también se asustan[1].

Él la sintió sonreír, y sonrió.

—Un poco —dijo—. No podía aguantar[2] las ganas de orinar.

Se dejó besar sin corresponder[3]. Luego, consciente de los riesgos pero sin arrepentimiento, como evocando los recuerdos de un viaje, le contó los pormenores[4] de su aventura.

Ella habló después de un largo silencio[5].

—Fue una locura.

—Todo es cuestión de empezar —dijo Dámaso, cerrando los ojos—. Además, para ser la primera vez la cosa no salió tan mal[6].

El sol calentó tarde. Cuando Dámaso despertó, hacía rato que su mujer estaba levantada. Metió la cabeza en el chorro del patio y la tuvo allí varios minutos, hasta que acabó de despertar. El cuarto formaba parte de una galería de habitaciones iguales e independientes, con un patio común atravesado por alambres[7] de secar ropa. Contra la pared posterior, separados del patio por un tabique de lata[8], Ana había instalado un anafe[9] para cocinar y calentar las planchas, y una mesita para comer y planchar. Cuando vio acercarse a su marido puso a un lado la ropa planchada[10] y *quitó* las planchas de hierro del anafe para calentar el café.

---

1. **los hombres también se asustan :** naïveté de la réflexion, significative cependant d'une mentalité.

2. **aguantar :** *supporter ;* syn. : **soportar ; el aguante :** *l'endurance.*

3. **sin corresponder :** il faut traduire *sans lui rendre le baiser ;* cf. p. 43, note 7.

4. **los pormenores :** *les détails ;* syn. : **detalle.**

5. **después de un largo silencio :** **de** est indispensable. **Después** s'emploie seul lorsqu'il est adverbe, p. ex. : **iremos después.**

6. **no salió tan mal :** *n'a pas trop mal réussi ;* **salir bien / salir mal,** employé généralement à la 3ᵉ pers. Damaso se contente de peu ; il faut un début à tout.

— Moi ?

— Oui, toi. On dit que ça arrive aux hommes. »

Il devina qu'elle souriait, et sourit lui aussi.

« Un peu. J'avais une envie folle de pisser et je ne pouvais plus me retenir. »

Il se laissa embrasser sans broncher. Puis, conscient des risques mais sans en avoir de regrets, comme s'il évoquait des souvenirs de voyage, il lui raconta en détail son aventure.

Elle se mit à parler après un long silence.

« Une folie !

— Le tout est de commencer, dit Damaso en fermant les yeux. Et puis, pour une première fois, je ne m'en suis pas si mal tiré. »

Le soleil se leva tard. Quand Damaso se réveilla, sa femme était debout depuis longtemps. Il plongea la tête sous le robinet de la cour et l'y maintint pendant quelques minutes, jusqu'à ce qu'il fût complètement réveillé. La chambre faisait partie d'une rangée de pièces toutes semblables et indépendantes, avec une cour commune où l'on avait tendu des cordes à linge. Contre le mur du fond, séparés de la cour par une cloison de fer-blanc récupéré dans de vieilles boîtes de conserve, Ana avait installé un réchaud pour cuisiner et faire chauffer ses fers, ainsi qu'une petite table pour manger et repasser. Quand elle vit son mari s'approcher, elle mit de côté le linge qu'elle avait préparé et enleva les fers du réchaud pour faire chauffer le café.

---

7. **alambres** : *fils de fer.*
8. **un tabique de lata** : *une cloison en fer-blanc* ; l'installation est des plus rudimentaires ; misère et promiscuité. L'auteur pratique un réalisme descriptif.
9. **anafe** : *réchaud portatif.*
10. **la ropa planchada** : *le linge repassé.*

Era mayor que él, de piel muy pálida[1], y sus movimientos tenían esa suave eficacia de la gente acostumbrada a la realidad[2].

Desde la niebla de su dolor de cabeza, Dámaso comprendió que su mujer quería decirle algo con la mirada. Hasta entonces no había puesto atención a las voces del patio.

—No han hablado de otra cosa en toda la mañana —murmuró Ana, sirviéndole el café[3]—. Los hombres se fueron para allá desde hace rato[4].

Dámaso comprobó que los hombres y los niños habían desaparecido del patio. Mientras tomaba el café, siguió en silencio la conversación de las mujeres que colgaban la ropa[5] al sol. Al final encendió un cigarrillo y salió de la cocina.

—Teresa —llamó.

Una muchacha con la ropa mojada, adherida al cuerpo, respondió al llamado[6].

—Ten cuidado[7] —dijo Ana. La muchacha se acercó.

—¿Qué es lo que pasa? —preguntó Dámaso.

—Que se metieron en el salón de billar y cargaron con todo[8] —dijo la muchacha.

Parecía minuciosamente informada. Explicó cómo desmantelaron el establecimiento, pieza por pieza, hasta llevarse la mesa del billar. Hablaba con tanta convicción que[9] Dámaso no pudo creer que no fuera cierto[10].

—Mierda —dijo, de regreso a la cocina.

---

1. **de piel muy pálida**: m. à m., *à la peau très pâle*; **de** introduit un complément de relation qui définit.

2. **esa suave eficacia de la gente acostumbrada a la realidad**: comme la plupart des femmes chez Márquez, Ana assume la réalité tandis que Damaso est dans l'illusion (cf. Úrsula dans *La prodigiosa tarde de Baltazar*).

3. **sirviéndole el café**: gérondif de **servir** avec enclise du pronom **le**.

4. **desde hace rato**: *depuis un moment*; **un rato** représente un laps de temps indéfini qui peut aller jusqu'à quelques heures; **un momento**, *quelques minutes*.

5. **colgaban la ropa**: m. à m, *pendaient le linge*; cf. **tender la ropa**.

Elle était plus âgée que lui, sa peau était blanche et ses mouvements avaient cette douce efficacité des gens qui ont les pieds sur terre.

De son brouillard, celui où la migraine le plongeait, Damaso comprit que sa femme, à sa façon de le regarder, voulait lui dire quelque chose. Jusqu'à cet instant, il n'avait prêté aucune attention aux voix dans la cour.

« Ils ne parlent que de cela depuis ce matin, murmura Ana en lui servant son café. Les hommes sont partis là-bas depuis un moment déjà. »

Damaso vit en effet que les hommes et les enfants avaient disparu. Tout en prenant son café, il écouta la conversation des femmes qui étendaient leur linge au soleil. Après quoi, il alluma une cigarette et sortit de la cuisine.

« Teresa », appela-t-il.

Une jeune fille aux vêtements mouillés moulant son corps répondit à l'appel.

« Fais attention », dit Ana.

La jeune fille s'approcha.

« Qu'est-ce qui se passe ? demanda Damaso.

— On est entré au billard et on a tout raflé », dit la jeune fille.

Elle paraissait bien informée. Elle expliqua comment on avait démantelé l'établissement, pièce par pièce ; on avait même emporté la table de billard. Elle parlait avec tant de conviction que Damaso ne pouvait croire que ce fût faux.

« Merde », dit-il en revenant à la cuisine.

---

6. **al llamado :** *l'appel* (amér.) ; **la llamada** (Esp.).

7. **ten cuidado : ten,** impératif irrégulier de **tener.**

8. **cargaron con todo :** *on a tout emporté ;* 3e pers. du pl., *on ;* **cargar con :** familier.

9. **hablaba con tanta convicción que... :** l'événement est sur toutes les lèvres, chacun ajoutant des détails de son cru : la version est si vraisemblable qu'elle convainc même Damaso.

10. **que no fuera cierto :** imp. du subj. Concordance des temps. Il y a **pudo** (passé simple de **poder**) dans la principale.

Ana se puso a cantar entre dientes. Dámaso recostó un asiento contra la pared del patio, procurando[1] reprimir la ansiedad. Tres meses antes, cuando cumplió 20 años[2], el bigote lineal, cultivado no sólo con un secreto espíritu de sacrificio sino[3] también con cierta ternura, puso un toque de madurez en su rostro petrificado por la viruela. Desde entonces se sintió adulto. Pero aquella mañana, con los recuerdos de la noche anterior flotando en la ciénaga de su dolor de cabeza, no encontraba por dónde empezar a vivir[4].

Cuando acabó de planchar, Ana repartió la ropa limpia en dos bultos iguales y se dispuso[5] a salir a la calle.

—No te demores[6] —dijo Dámaso.

—Como siempre.

La siguió hasta el cuarto.

—Ahí te dejo la camisa de cuadros[7] —dijo Ana—. Es mejor que no te vuelvas a poner la franela. —Se enfrentó a los diáfanos ojos de gato de su marido—. No sabemos si alguien te vio.

Dámaso se secó en el pantalón el sudor de las manos[8].

—No me vio nadie[9].

—No sabemos —repitió Ana. Cargaba un bulto de ropa en cada brazo—. Además, es mejor que no salgas. Espera primero que yo dé una vueltecita[10] por allá, como quien no quiere la cosa[11].

1. **procurando**: *essayant, s'efforçant de.* Cf. **tratar de, intentar,** *essayer.* Cf. page 34, note 3 et page 43, note 6.

2. **cumplió veinte años**: m. à m., *il avait fait ses 20 ans;* cf. **el cumpleaños**: *l'anniversaire.*

3. **no sólo con un secreto espíritu... sino**: *non seulement... mais aussi;* **sino** marque l'opposition de deux termes dans une phrase négative.

4. **no encontraba por dónde empezar a vivir**: effet de style à partir d'une expression courante qui traduit le malaise du personnage.

5. **se dispuso**: *elle se disposa;* passé simple irrég. de **disponerse,** cf. **poner.**

6. **no te demores**: *ne t'attarde pas;* **demorarse** est surtout employé en Amérique = **no tardes mucho** (Esp.).

Ana se mit à fredonner. Damaso appuya son siège contre le mur de la cour, tâchant de refouler son anxiété. Trois mois plus tôt, lorsqu'il avait fêté ses vingt ans, sa moustache rectiligne qu'il soignait non seulement avec une idée secrète de sacrifice mais aussi avec une certaine tendresse, avait apporté une note de maturité à son visage pétrifié par la variole. Depuis, il s'était senti adulte. Mais ce matin-là, avec les souvenirs de la nuit qui flottaient dans le marécage de sa migraine, il ne savait plus par où commencer à vivre.

Quand Ana eut fini de repasser, elle répartit le linge propre en deux ballots égaux et s'apprêta à sortir.

« Ne sois pas longue, dit Damaso.

— Comme d'habitude. »

Il la suivit jusque dans la chambre.

« Tiens, voici ta chemise à carreaux, lui dit-elle. Il vaut mieux que tu ne remettes pas celle en flanelle. »

Elle affronta les yeux de chat, les yeux diaphanes de son mari.

« On ne sait pas si quelqu'un t'a vu. »

Damaso essuya la sueur de ses mains à son pantalon.

« Personne ne m'a vu.

— On ne sait jamais », répéta Ana. Elle calait un paquet de linge sous chaque bras : « D'ailleurs, il est préférable que tu ne sortes pas. Attends que je fasse un tour là-bas comme si de rien n'était. »

----

7. **la camisa de cuadros : de** pour une caractéristique qui définit, cf. p. 56, note 1.

8. **se secó... el sudor de las manos : se** indique le rapport de possession : *ses mains* en français, cf. p. 44, note 7. Par ailleurs le geste manifeste l'anxiété de Damaso.

9. **no me vio nadie :** équivaut à **nadie me vio.**

10. **una vueltecita :** diminutif de **vuelta** ; on emploie le verbe **dar : dar una vuelta, dar un paseo, dar un paso,** *faire un tour, faire une promenade, faire un pas.*

11. **como quien no quiere la cosa :** expression de la langue familière.

No se hablaba de nada distinto en el pueblo. Ana tuvo que[1] escuchar varias veces, en versiones diferentes y contradictorias, los pormenores del mismo episodio. Cuando acabó de repartir la ropa[2], en vez de[3] ir al mercado como todos los sábados, fue[4] directamente a la plaza.

No encontró frente al salón de billar tanta gente como imaginaba[5]. Algunos hombres conversaban a la sombra de los almendros[6]. Los sirios habían guardado sus trapos de colores para almorzar, y los almacenes parecían cabecear bajo los toldos de lona. Un hombre dormía desparramado en un mecedor, con la boca y las piernas y los brazos abiertos, en la sala del hotel. Todo estaba paralizado en el calor de las doce[7].

Ana siguió de largo[8] por el salón de billar, y al pasar[9] por el solar baldío situado frente al puerto se encontró con[10] la multitud. Entonces recordó[11] algo que Dámaso le había contado, que todo el mundo sabía pero que sólo los clientes del establecimiento podían tener presente: la puerta posterior del salón de billar daba al solar baldío. Un momento después, protegiéndose el vientre con los brazos, se encontró confundida con la multitud, los ojos fijos en la puerta violada. El candado estaba intacto, pero una de las argollas había sido arrancada como una muela. Ana contempló por un momento los estragos de aquel trabajo solitario y modesto, y pensó en su marido con un sentimiento de piedad[12].

—¿Quién fue?

---

1. **tuvo que**: *elle dut;* **tener que,** obligation personnelle.

2. **repartir la ropa**: incidemment, nous comprenons qu'Ana est repasseuse et que son seul travail « fait bouillir la marmite ».

3. **en vez de**: synonyme, **en lugar de.**

4. **fue**: *elle alla;* passé simple irrégulier de **ir** et de **ser,** 3e personne du singulier.

5. **tanta gente como imaginaba**: comparatif d'égalité.

6. **a la sombra de los almendros**: de page en page le village nous devient familier par le rappel de ses arbres, page 20, note 4.

Au village, on ne parlait que de l'affaire. Ana dut entendre plusieurs fois, dans des versions différentes et contradictoires, les moindres détails du même épisode. Quand elle eut fini de livrer son linge, au lieu d'aller au marché comme chaque samedi, elle se rendit directement sur la place.

Devant la salle de billard elle vit moins de gens qu'elle ne pensait. Des hommes discutaient à l'ombre des amandiers. Les Levantins avaient rangé leurs tissus bariolés pour aller déjeuner et les boutiques semblaient dodeliner du chef sous les bâches. Dans le salon de l'hôtel, un homme dormait affalé dans son rocking-chair, la bouche, les jambes et les bras grands ouverts. Tout était paralysé par la chaleur de midi.

Ana traversa sans s'arrêter la salle de billard et en passant par le terrain vague situé devant le port, elle rencontra la foule. Alors elle se rappela un détail que Damaso lui avait raconté, un détail que tout le monde connaissait mais que seuls les clients de l'établissement pouvaient avoir présent à l'esprit : la porte du fond de la salle de billard donnait sur le terrain vague. Un peu plus tard, se protégeant le ventre avec les bras, elle se mêla à l'attroupement, les yeux fixés sur la porte fracturée. Le cadenas était intact mais un des pitons avait été arraché comme une dent. Ana contempla pendant un moment les dégâts de ce travail solitaire et modeste et pensa à son mari avec pitié.

« Qui est-ce qui a fait ça ? »

---

7. **todo estaba paralizado... las doce :** le village entier dans la torpeur de midi.

8. **siguió de largo :** *continua sans s'arrêter ;* cf. **pasar de largo,** p. 17 note 12.

9. **al pasar :** *en passant ;* **al** + inf. marque la simultanéité.

10. **se encontró con :** *elle rencontra ;* **encontrarse con :** *rencontrer ;* **encontrar :** *trouver.*

11. **recordó :** *elle se rappela ;* **recordar,** transitif = acordarse de.

12. **con un sentimiento de piedad :** *avec un sentiment de pitié.* Elle s'attendrit sur son mari, voleur sans envergure.

No se atrevió a mirar en torno suyo[1].

—No se sabe[2] —le respondieron—. Dicen que fue un forastero[3].

—Tuvo que ser[4] —dijo una mujer a sus espaldas[5]—. En este pueblo no hay ladrones[6]. Todo el mundo conoce a todo el mundo.

Ana volvió la cabeza.

—Así es —dijo sonriendo[7]. Estaba empapada en sudor[8]. A su lado había un hombre muy viejo con arrugas profundas en la nuca.

—¿Cargaron con todo? —preguntó ella.

—Doscientos pesos y las bolas de billar —dijo el viejo. La examinó con una atención fuera de lugar[9]—. Dentro de poco habrá que dormir con los ojos abiertos[10].

Ana apartó la mirada[11].

—Así es —volvió a decir[12]. Se puso un trapo en la cabeza, alejándose, sin poder sortear la impresión[13] de que el viejo la seguía mirando[14].

Durante un cuarto de hora, la multitud bloqueada en el solar observó una conducta respetuosa, como si hubiera[15] un muerto detrás de la puerta violada. Después se agitó, giró sobre sí misma, y desembocó en la plaza.

El propietario del salón de billar estaba en la puerta, con el alcalde y dos agentes de la policía.

---

1. **en torno suyo**: synonyme, **alrededor de ella**.

2. **no se sabe... Dicen**: les deux formes sont impersonnelles *(on)*.

3. **un forastero**: *un étranger au village*.

4. **tuvo que ser**: cf. note 1, p. 60, *cela a dû être (ainsi)*.

5. **sus espaldas**: m. à m., *dans son dos; l'épaule*: **el hombro**.

6. **en este pueblo no hay ladrones**: c'est le titre de la nouvelle qui exprime la bonne conscience du village.

7. **sonriendo**: gérondif de **sonreír**.

8. **estaba empapada en sudor**: m. à m., *elle était trempée de sueur*.

9. **fuera de lugar**: *déplacée*.

10. **con los ojos abiertos**: cf. note 3, p. 52, **con** devant un complément qui marque une attitude.

11. **apartó la mirada**: m. à m., *elle détourna son regard*.

Elle n'osait regarder personne autour d'elle.

« On ne sait pas, lui répondit-on. On dit que c'est quelqu'un d'ailleurs.

— C'est sûr, dit une femme derrière elle. Il n'y a pas de voleurs dans ce village. Tout le monde connaît tout le monde. »

Ana tourna la tête.

« C'est vrai », dit-elle en souriant.

Elle suait à grosses gouttes. A côté d'elle il y avait un homme très vieux à la nuque sillonnée de rides profondes.

« Ils ont tout embarqué ? demanda-t-elle.

— Deux cents pesos et les boules de billard », répondit le vieillard.

Il la regarda avec une étrange attention :

« Il faudra bientôt dormir les yeux ouverts. »

Ana regarda dans une autre direction.

« C'est bien vrai », répéta-t-elle.

Elle mit un fichu sur sa tête et s'éloigna avec l'impression que le vieux la suivait des yeux.

Pendant un quart d'heure, la foule rassemblée sur le terrain vague observa une conduite respectueuse comme s'il y avait eu un mort derrière la porte fracturée. Puis elle réagit, vira sur elle-même et déboucha sur la place.

Le propriétaire de la salle de billard se tenait devant la porte avec le maire et deux policiers.

---

12. **volvió a decir :** volver a + infinitif, répétition de l'action.

13. **sortear la impresión :** ici, *éviter (l'impression)*. Autre sens, *tirer au sort*.

14. **la seguía mirando :** m. à m., *continuait à la regarder,* **seguir** + gérondif, action continue.

15. **como si hubiera :** après **como si** il faut employer le subjonctif (imparfait ou plus-que-parfait).

Bajo y redondo, los pantalones sostenidos por la sola presión del estómago y con unos anteojos[1] como los que hacen los niños, parecía investido de una dignidad extenuante[2].

La multitud lo rodeó. Apoyada contra la pared, Ana escuchó sus informaciones hasta que la multitud empezó a dispersarse. Después regresó[3] al cuarto, congestionada por la sofocación, en medio de una bulliciosa manifestación[4] de vecinos.

Estirado en la cama, Dámaso se había preguntado muchas veces cómo hizo[5] Ana la noche anterior para esperarlo sin fumar[6]. Cuando la vio entrar, sonriente, quitándose de la cabeza el trapo[7] empapado en sudor[8], aplastó el cigarrillo casi entero en el piso de tierra, en medio de un reguero de colillas[9], y esperó con mayor[10] ansiedad[11].

—¿Entonces?

Ana se arrodilló frente a la cama[12].

—Que además de ladrón eres embustero[13] —dijo.

—¿Por qué?

—Porque me dijiste[14] que no había nada en la gaveta.

Dámaso frunció las cejas.

—No había nada.

—Había doscientos pesos[15] —dijo Ana.

---

1. **con unos anteojos**: cf. p. 24, note 8; **anteojos = gafas** (Esp.).

2. **investido de una dignidad extenuante**: le patron est projeté sur le devant de la scène et devient le héros du village.

3. **regresó**: syn.: **volvió**, *retourner, rentrer, revenir*.

4. **en medio de una bulliciosa...**: *au milieu d'une bruyante...*

5. **hizo**: passé simple irrégulier de **hacer**, 3e personne du singulier.

6. **para esperarlo sin fumar**: Damaso, fumeur invétéré, projette sur Ana sa dépendance au tabac.

7. **quitándose de la cabeza el trapo**: cf. page 59, note 8, **se** indique le rapport de possession. **Trapo** au sens habituel, *chiffon, torchon*.

8. **empapado en sudor**: cf. page 62, note 8.

9. **colillas**: *mégots*. Il ne s'agit pas d'un diminutif.

Petit et rondouillard, le pantalon retenu uniquement par sa bedaine, une paire de lunettes semblables à celles que fabriquent les enfants, il semblait investi d'une accablante dignité.

La foule se mit à l'entourer. Adossée au mur, Ana écouta les informations qu'il donnait. Quand l'attroupement commença à se disperser, elle regagna sa chambre, congestionnée par la chaleur, en compagnie d'un groupe de voisins surexcités.

Allongé sur le lit, Damaso s'était demandé à plusieurs reprises comment Ana avait pu l'attendre sans fumer, la nuit précédente. Quand il la vit entrer, souriante, ôtant de sa tête son fichu trempé de sueur, il écrasa sa cigarette presque entière sur le sol de terre battue, au milieu d'une traînée de mégots, et attendit avec anxiété.

« Alors ? »

Ana s'agenouilla devant le lit.

« Non seulement tu es un voleur, mais tu es aussi un menteur.

— Et pourquoi ?

— Parce que tu m'as dit qu'il n'y avait rien dans le tiroir-caisse. »

Damaso fronça les sourcils.

« Il n'y avait rien.

— Il y avait deux cents pesos ! dit Ana.

---

10. **con mayor :** *avec une plus grande...* **mayor** est un comparatif synthétique = **más grande. La Plaza Mayor.**

11. **ansiedad :** synonyme, **angustia.**

12. **frente a : delante de la cama,** *devant.*

13. **embustero :** syn. : **mentiroso. La mentira, el embuste :** *le mensonge.*

14. **dijiste :** passé simple irrégulier de **decir,** 2ᵉ personne du singulier.

15. **había doscientos pesos :** qui ment ?

—Es mentira[1] —replicó él, levantando la voz. Sentado en la cama recobró el tono confidencial—. Sólo había veinticinco centavos.

La convenció[2].

—Es un viejo bandido —dijo Dámaso, apretando los puños—. Se está buscando que le desbarate la cara[3].

Ana rió con franqueza.

—No seas bruto[4].

También él acabó por reír[5]. Mientras se afeitaba, su mujer lo informó de lo que había logrado averiguar. La policía buscaba un forastero.

—Dicen que llegó el jueves y que anoche lo vieron dando vueltas[6] por el puerto[7] —dijo—. Dicen que no han podido encontrarlo por ninguna parte. —Dámaso pensó en el forastero que no había visto nunca y por un instante sospechó de él con una convicción sincera.

—Puede ser[8] que se haya ido —dijo Ana.

Como siempre, Dámaso necesitó[9] tres horas para arreglarse. Primero fue la talla milimétrica del bigote. Después el baño en el chorro del patio. Ana siguió paso a paso, con un fervor que nada había quebrantado desde la noche en que lo vio por primera vez, el laborioso proceso de su peinado. Cuando lo vio mirándose al espejo para salir, con la camisa de cuadros rojos, Ana se encontró madura y desarreglada. Dámaso ejecutó frente a ella un paso de boxeo con la elasticidad de un profesional. Ella lo agarró por las muñecas.

---

1. **es mentira**: m. à m.: *c'est un mensonge*; cf. page 65, note 13.

2. **la convenció**: m. à m., *il la convainquit*, passé simple de **convencer**.

3. **se está buscando que le desbarate la cara**: m. à m., *il cherche que je lui casse la gueule*; **buscar** sous forme pronominale constitue une tournure intensive de l'action.

4. **bruto**: *animal*. Employé normalement comme adjectif.

5. **acabó por reír**: *il finit par rire*. **Acabar** + gérondif = **Acabar por** + infinitif, *finir par*.

— C'est faux », répliqua-t-il, en élevant la voix. Assis sur le lit, il reprit un ton confidentiel : « Il y avait seulement vingt-cinq centavos. »

Elle le crut.

« C'est un vieux filou, dit Damaso, en serrant les poings. Il verra bien quand je vais aller lui casser la gueule. »

Ana éclata de rire :

« Ne sois pas si con. »

Il se mit aussi à rire. Pendant qu'il se rasait, elle lui raconta ce qu'elle avait vu et entendu. La police cherchait un étranger.

« On dit qu'il serait arrivé jeudi et qu'hier soir on l'a vu tourner et retourner du côté du port. On dit aussi qu'on n'a pas pu le retrouver. »

Damaso pensa à l'étranger qu'il n'avait jamais vu et, sincèrement, l'espace d'un instant, le soupçonna.

« Il se peut qu'il soit parti », ajouta Ana.

Comme d'habitude, Damaso passa trois heures à sa toilette. D'abord il tailla au millimètre sa moustache. Puis il se livra à ses ablutions sous le robinet de la cour. Ana suivit geste par geste, avec une ferveur qui n'avait pas faibli depuis le soir où elle l'avait vu pour la première fois, la laborieuse opération du lissage des cheveux. Quand elle le vit en train de se regarder dans la glace pour sortir, avec sa chemise à carreaux rouges, elle se sentit vieille et négligée. Damaso exécuta devant elle une passe de boxe avec la souplesse d'un professionnel. Elle l'attrapa par les poignets :

---

6. **dando vueltas :** *tourner en rond ;* cf. page 59, note 10.

7. **por el puerto :** **por,** préposition obligatoire pour indiquer le mouvement dans un lieu. Dans certains cas, elle prend un sens d'imprécision.

8. **puede ser = es posible.**

9. **necesitó tres horas para arreglarse :** m. à m., *il eut besoin de trois heures pour se préparer.* La coquetterie est du côté de l'homme.

—¿Tienes moneda[1]?

—Soy rico —contestó Dámaso de buen humor—. Tengo los doscientos pesos.

Ana se volteó[2] hacia la pared, sacó del seno un rollo de billetes, y le dio un peso a su marido, diciendo:

—Toma, Jorge Negrete[3].

Aquella noche, Dámaso estuvo en la plaza con el grupo de sus amigos. La gente que llegaba del campo con productos para vender en el mercado del domingo, colgaba toldos en medio de los puestos de frituras y las mesas de lotería, y desde la primera noche[4] se les oía roncar. Los amigos de Dámaso no parecían más interesados por el robo del salón de billar que por la transmisión radial del campeonato de béisbol, que no podrían escuchar esa noche por estar cerrado el establecimiento[5]. Hablando de béisbol, sin ponerse de acuerdo[6] ni enterarse[7] previamente del programa, entraron al cine.

Daban[8] una película de Cantinflas[9]. En la primera fila de la galería, Dámaso rió sin remordimientos. Se sentía convaleciente de sus emociones[10]. Era una buena noche de junio, y en los instantes vacíos en que sólo se percibía la llovizna[11] del proyector pesaba sobre el cine sin techo[12] el silencio de las estrellas.

De pronto, las imágenes de la pantalla palidecieron y hubo un estrépito en el fondo de la platea.

---

1. **¿tienes moneda?** : (amér.) = **¿tienes dinero?** (Esp.)
2. **se volteó** : (amér.) = **se dio la vuelta, se volvió** (Esp.).
3. **Jorge Negrete** : chanteur mexicain, idole féminine des années cinquante. Ce surnom de Damaso participe de la dérision du conte.
4. **la primera noche** : *dès le début de la nuit.*
5. **por estar cerrado el establecimiento** = **porque el establecimiento estaba cerrado. Por** + inf. indique la cause.
6. **sin ponerse de acuerdo** : litt., *sans se mettre d'accord.*
7. **enterarse de** : *apprendre, savoir, être au courant.*
8. **daban** : les verbes **dar, poner** sont utilisés à la forme impersonnelle pour *projeter, passer un film.*
9. **Cantinflas** : célèbre acteur comique mexicain.

« Tu as de l'argent ?

— Je suis riche, répondit-il de bonne humeur. J'ai les deux cents pesos. »

Ana se retourna face au mur, sortit de sa poitrine une liasse de billets et tendit un peso à son mari :

« Prends ça, Jorge Negrete. »

Ce soir-là Damaso alla sur la place avec un groupe d'amis. Les gens qui arrivaient de la campagne avec les produits qu'ils allaient vendre le dimanche sur le marché plantaient leurs tentes parmi les étals des marchands de friture et les tables de loteries, et bientôt, du fond de la nuit exquise on les entendait ronfler. Ce qui préoccupait les amis de Damaso dans l'affaire du cambriolage de la salle de billard c'était qu'ils ne pourraient pas écouter ce soir-là la retransmission du championnat de base-ball puisque l'établissement était fermé. Tout en discutant de base-ball, sans se consulter ni savoir ce qu'il y avait au programme, ils entrèrent au cinéma.

On projetait un film de Cantinflas. Au premier rang du poulailler, Damaso rit sans remords. Il se sentait revivre, après ses émotions. C'était une belle nuit de juin et durant les instants creux où l'on percevait seulement la petite pluie du projecteur, le silence des étoiles pesait sur le cinéma sans toit.

Soudain, les images pâlirent sur l'écran et il y eut un grand charivari au bout du parterre.

---

10. **convaleciente de sus emociones** : m. à m., *convalescent de ses émotions.* Damaso, distrait par le film drôle, oublie son forfait et relâche sa tension.

11. **la llovizna** : diminutif de **lluvia.**

12. **techo** : *plafond ; toit,* **tejado.**

En la claridad repentina[1], Dámaso se sintió[2] descubierto[3] y señalado[4], y trató de correr. Pero en seguida vio al público de la platea, paralizado, y a un agente de la policía, el cinturón enrollado en la mano, que golpeaba rabiosamente a un hombre con la pesada hebilla de cobre. Era un negro monumental. Las mujeres empezaron a gritar, y el agente que golpeaba al negro empezó a gritar por encima de los gritos de las mujeres: «¡Ratero[5]! ¡Ratero!». El negro se rodó por entre[6] el reguero de sillas, perseguido por dos agentes que lo golpearon en los riñones hasta que pudieron trabarlo por la espalda. Luego el que lo había azotado le amarró los codos por detrás con la correa y los tres lo empujaron hacia la puerta. Las cosas sucedieron[7] con tanta rapidez, que Dámaso sólo comprendió lo ocurrido[8] cuando el negro pasó junto a él, con la camisa rota[9] y la cara embadurnada de un amasijo de polvo, sudor y sangre, sollozando: «Asesinos, asesinos». Después apagaron las luces y se reanudó la película.

Dámaso no volvió a reír[10]. Vio retazos de una historia descosida, fumando sin pausas, hasta que se encendió la luz y los espectadores se miraron entre sí, como asustados de la realidad. «Qué buena», exclamó alguien a su lado. Dámaso no lo miró.

—Cantinflas es muy bueno —dijo.

La corriente lo llevó hasta la puerta. Las vendedoras de comida, cargadas de trastos, regresaban a casa. Eran más de las once, pero había mucha gente en la calle esperando a que salieran[11] del cine para informarse de la captura del negro.

---

1. **en la claridad repentina**: m. à m., *dans la soudaine clarté*.
2. **se sintió**: passé simple de **sentirse**, *se sentir, pressentir*.
3. **descubierto**: participe passé de **descubrir**, *découvrir*.
4. **señalado**: *remarqué*.
5. **¡ratero!**: *voleur!*; syn.: **¡ladrón!**
6. **por entre**: la prép. **por** est nécessaire car elle est précédée d'un verbe de mouvement, cf. page 67, note 7.

La lumière réapparut immédiatement et Damaso, se croyant découvert, essaya de s'enfuir. Mais il vit aussitôt le public du parterre comme paralysé, et un agent de police, le ceinturon enroulé autour de la main, qui frappait furieusement un homme de sa lourde boucle de cuivre. Il s'agissait d'un Noir monumental. Les femmes se mirent à crier et l'agent qui tapait sur le nègre criait encore plus fort qu'elles : « Au voleur ! Au voleur ! » Le Noir se laissa rouler parmi la coulée des fauteuils, poursuivi par deux agents qui lui rossaient les reins et qui finirent par le plaquer à terre. Aussitôt, celui qui l'avait fouetté lui lia les coudes par-derrière avec la courroie et on le bouscula en direction de la sortie. Les choses se passèrent si rapidement que Damaso comprit seulement ce qui arrivait quand le Noir passa près de lui, la chemise déchirée, le visage barbouillé d'une couche de poussière, de sueur et de sang ; il sanglotait : « Assassins, assassins. » Puis les lumières s'éteignirent et le film redémarra.

Damaso ne pouvait plus rire. Il ne vit que des bribes d'une histoire décousue, en fumant sans arrêt, jusqu'au moment où la lumière revint et où les spectateurs se regardèrent, encore sous le choc de l'événement. « C'était au poil », s'écria quelqu'un à côté de lui. Damaso ne le regarda pas.

« Cantinflas est formidable », dit-il.

Le courant l'emporta jusqu'à la porte. Les vendeuses ambulantes rentraient chez elles avec tout leur bazar. Il était onze heures passées, mais les rues étaient pleines de gens qui attendaient la sortie du cinéma pour savoir comment on avait capturé le nègre.

---

7. **sucedieron** : syn. : **pasaron, ocurrieron**.

8. **lo ocurrido** : cf. note précédente, syn. : **lo sucedido**. Devant un participe passé, l'article **lo** équivaut à *ce qui*. Ici *ce qui s'est passé*.

9. **rota** : participe passé irrégulier de **romper**.

10. **no volvió a reír** : m. à m., *ne recommença pas à rire*, cf. page 63, note 12.

11. **esperando a que salieran** : m. à m., *en attendant qu'on sorte* ; **esperar a** = finalité ; le subj. imparfait est exigé par la concordance.

Aquella noche Dámaso entró al cuarto con tanta cautela[1], que cuando Ana lo advirtió[2] entre sueños fumaba el segundo cigarrillo, estirado en la cama.

—La comida está en el rescoldo —dijo ella.

—No tengo hambre —dijo Dámaso.

Ana suspiró.

—Soñe que Nora estaba haciendo muñecos de mantequilla —dijo, todavía sin despertar. De pronto[3] cayó en la cuenta[4] de que había dormido sin quererlo y se volvió hacia Dámaso, ofuscada, frotándose los ojos.

—Cogieron al forastero[5] —dijo.

Dámaso se demoró[6] para hablar.

—¿Quién dijo?

—Lo cogieron en el cine —dijo Ana—. Todo el mundo está por aquellos lados[7].

Contó una versión desfigurada de la captura. Dámaso no la rectificó.

—Pobre hombre —suspiró Ana.

—Pobre por qué —protestó Dámaso, excitado—. ¿Quisieras[8] entonces que fuera yo el que[9] estuviera en el cepo[10]?

Ella lo conocía demasiado para replicar. Lo sintió fumar[11], respirando como un asmático, hasta que cantaron los primeros gallos.

---

1. **tanta cautela : tanto,** adjectif, s'accorde avec le nom suivant.

2. **lo advirtió :** m. à m., *elle le remarqua,* passé simple de **advertir.** Il se conjugue comme **sentir.** Syn. : **notar,** *remarquer.*

3. **de pronto :** *soudain, tout d'un coup ;* syn. : **de pronto, de repente,** cf. p. 49, note 7.

4. **cayó en la cuenta :** passé simple de **caer,** syn. : **darse cuenta.** Les deux expressions exigent la prép. **de.**

5. **al forastero :** *l'étranger au village ;* **el extranjero,** *l'étranger (d'un autre pays).*

6. **se demoró :** *s'attarda,* m. à m. (amér.), **demorarse.** En Esp., **tardar en.**

7. **por aquellos lados :** *par là-bas.* **Por** peut indiquer l'imprécision dans un lieu.

Cette nuit-là, Damaso entra dans la chambre avec tant de précaution qu'Ana était encore endormie lorsqu'elle sentit sa présence. Allongé sur le lit, il en était à sa deuxième cigarette.

« Le dîner est resté au chaud dans la braise, dit-elle.

— Je n'ai pas faim », répondit Damaso.

Ana soupira.

« Je rêvais que Nora faisait des pantins en pain d'épice », dit-elle sans se réveiller.

Puis elle se rendit compte qu'elle s'était endormie involontairement et elle se retourna vers Damaso, offusquée, en se frottant les yeux.

« Ils l'ont piqué », dit-elle.

Damaso attendit avant de parler.

« Qui t'a dit cela ?

— On l'a piqué au cinéma, fit Ana. Tout le monde est allé voir ça. »

Elle lui donna une version défigurée de la capture. Damaso ne la rectifia pas.

« Le malheureux ! soupira Ana.

— Comment ça, le malheureux ! protesta Damaso énervé. Tu aurais préféré que ce soit moi qu'ils mettent à l'ombre ? »

Elle le connaissait suffisamment pour ne pas répondre. Elle sentit qu'il fumait, en respirant comme un asthmatique, jusqu'au lever du jour.

---

8. **quisieras** : *tu voudrais*. Le subjonctif imparfait est utilisé à la place du conditionnel avec le verbe **querer**.

9. **fuera yo el que** : *qui*, dans la construction emphatique *c'est moi...* *qui*, est rendu par **el que, la que, los que**...

10. **estuviera en el cepo** : imparfait du subjonctif de **estar**, 1re (ou 3e) personne du singulier en concordance avec **quisieras**.

11. **lo sintió fumar** : Damaso est toujours accompagné d'une cigarette, cf. page 53, note 9.

Después lo sintió[1] levantado, trasegando por el cuarto[2] en un trabajo oscuro que parecía más del tacto que de la vista. Después lo sintió raspar el suelo debajo de la cama por más de un cuarto de hora, y después lo sintió desvestirse en la oscuridad, tratando de no hacer ruido, sin saber que ella no había dejado de ayudarlo[3] un instante al hacerle creer[4] que estaba dormida. Algo se movió en lo más primitivo[5] de sus instintos. Ana sabía entonces que Dámaso estuvo en el cine, y comprendió por qué acababa de enterrar las bolas de billar debajo de la cama.

El salón se abrió[6] el lunes y fue invadido por una clientela exaltada. La mesa de billar había sido cubierta por un paño morado que le imprimió al establecimiento un carácter funerario. Pusieron un letrero en la pared: «No hay servicio por falta de bolas». La gente entraba a leer[7] el letrero como si fuera[8] una novedad. Algunos permanecían un largo rato frente a él, releyéndolo con una devoción indescifrable.

Dámaso estuvo entre los primeros clientes. Había pasado una parte de su vida en los escaños destinados a los espectadores del billar, y allí estuvo desde que volvieron a abrirse las puertas. Fue algo tan difícil pero tan momentáneo como un pésame[9]. Le dio una palmadita en el hombro al propietario, por encima del mostrador, y le dijo:

—Qué vaina[10], don Roque.

---

1. **sintió**: *elle entendit,* passé simple de **sentir**. L'auteur le répète trois fois pour suggérer qu'Ana suit, en feignant de dormir, les moindres gestes de Damaso dans l'obscurité. **Sentir** veut généralement dire *sentir, ressentir* ou *regretter.*

2. **por el cuarto**: **por,** ici le mouvement dans un lieu.

3. **no había dejado de ayudarlo**: le soutien silencieux d'Ana est une preuve de plus de l'amour qu'elle voue à Damaso.

4. **al hacerle creer**: **al** + inf. est une proposition temporelle qui peut marquer la simultanéité.

5. **lo más primitivo**: m. à m., *ce qu'il y a de plus primitif.*

Ensuite elle l'entendit, debout, qui farfouillait dans la chambre, occupé à un travail obscur qui relevait plus du toucher que de la vue. Puis elle comprit qu'il grattait le sol au-dessous du lit, opération qui dura plus d'un quart d'heure ; après quoi il se déshabilla dans l'obscurité, en s'efforçant de ne pas faire de bruit, et sans savoir qu'elle n'avait pas cessé de l'aider un seul instant en lui faisant croire qu'elle dormait. Quelque chose remua dans le fond le plus primitif de ses instincts. Ana comprit alors que Damaso avait été au cinéma, et pourquoi il venait d'enterrer sous le lit les boules de billard.

La salle de jeu fut rouverte le lundi suivant et une clientèle surexcitée l'envahit. On avait recouvert la table de billard d'un tissu violet qui donnait à l'établissement un aspect mortuaire. Un écriteau avait été collé au mur : HORS D'USAGE FAUTE DE BOULES. Les gens entraient lire l'écriteau comme s'il se fût agi d'une nouveauté. Quelques-uns restaient longuement plantés devant, le lisant et le relisant avec une dévotion énigmatique.

Damaso était arrivé avec les premiers clients. Il avait passé une partie de sa vie sur les sièges destinés au public, et s'y était assis depuis la réouverture des portes. Ce fut aussi désagréable mais aussi bref que l'instant des condoléances. Il donna une tape sur l'épaule du propriétaire, qui se trouvait de l'autre côté du comptoir, et lui dit :

« Quelle affaire, don Roque. »

---

6. **se abrió** : passive impersonnelle avec **se**, cf. **fue invadido por una clientela**, passive avec **ser** + participe passé.

7. **entraba a leer** : la préposition **a** est nécessaire avec les verbes de mouvement pour exprimer la finalité de l'action.

8. **como si fuera** : après **como si** le subjonctif imparfait est obligatoire.

9. **tan difícil pero tan momentáneo como un pésame** : comparatif d'égalité ; **dar el pésame**, *présenter ses condoléances*.

10. **qué vaina** : cf. p. 45, note 9.

El propietario sacudió la cabeza con una sonrisita de aflicción, suspirando: «Ya ves[1]». Y siguió atendiendo[2] la clientela, mientras Dámaso, instalado en uno de los taburetes del mostrador, contemplaba la mesa espectral bajo el sudario morado[3].

—Qué raro[4] —dijo.

—Es verdad —confirmó un hombre en el taburete vecino—. Parece que estuviéramos[5] en Semana Santa[6].

Cuando la mayoría de los clientes se fue a almorzar[7], Dámaso metió una moneda en el tocadiscos automático y seleccionó un corrido mexicano[8] cuya colocación[9] en el tablero conocía de memoria. Don Roque trasladaba mesitas y silletas al fondo del salón.

—¿Qué haces? —le preguntó Dámaso.

—Voy a poner barajas —contestó don Roque—. Hay que hacer algo[10] mientras llegan las bolas.

Moviéndose casi a tientas, con una silla en cada brazo, parecía un viudo reciente[11].

—¿Cuándo llegan? —preguntó Dámaso.

—Antes de un mes, espero.

—Para entonces habrán aparecido las otras —dijo Dámaso.

Don Roque observó satisfecho la hilera de mesitas[12].

---

1. **ya ves:** *tu vois*. **Ya** est un renfort qui ne s'emploie qu'avec **ver** ou **saber** à la 1re et à la 2e personne.

2. **siguió atendiendo:** action continue, **seguir** + gérondif. **Atender,** *s'occuper de, servir*.

3. **la mesa espectral bajo el sudario morado:** le billard en deuil de la perte de ses boules.

4. **qué raro:** *que c'est bizarre*. Syn.: **extraño**. *Rare* dans le sens quantitatif: **escaso**.

5. **parece que estuviéramos: que** équivaut à **como si**, d'où l'imparfait du subjonctif.

6. **en Semana Santa:** le client associe cette atmosphère de deuil recueilli à la Semaine Sainte qui est l'occasion de processions.

7. **se fue a almorzar:** après le verbe **irse**, le **a** est obligatoire pour introduire un nom de lieu ou un infinitif avec le contenu de destination ou de finalité.

76

Le propriétaire remua la tête avec un petit sourire plein de tristesse. Il soupira : « Eh oui. » Puis il continua à servir la clientèle, tandis que Damaso, assis sur l'un des tabourets du comptoir, contemplait la table spectrale sous son suaire violet.

« Drôle d'idée ! dit-il.

— C'est vrai, confirma le type assis sur le tabouret d'à côté. On se croirait en semaine sainte. »

Quand la plupart des clients s'en allèrent déjeuner, Damaso mit une pièce dans le juke-box où il choisit une chanson mexicaine dont il connaissait par cœur le numéro de sélection. Don Roque transportait des tables et des chaises au fond de la salle.

« Qu'est-ce que vous faites ? lui demanda Damaso.

— Je vais sortir les jeux de cartes, répondit don Roque. En attendant les nouvelles boules, il faut bien faire quelque chose. »

Se dirigeant ainsi presque au hasard, avec une chaise dans chaque main, il ressemblait à un homme qui vient de perdre sa femme.

« Quand arriveront-elles ?

— Avant un mois, espérons-le.

— D'ici là on aura retrouvé les autres », assura Damaso.

Don Roque contempla d'un air satisfait la rangée de tables.

---

8. **un corrido mexicano :** chanson populaire du Mexique.

9. **cuya colocación :** *dont il connaissait l'emplacement,* cf. p. 21, note 6.

10. **hay que hacer algo :** obligation impersonnelle.

11. **parecía un viudo reciente :** *il ressemblait à un veuf de fraîche date ;* la perte des boules est assimilée à celle d'une épouse.

12. **la hilera de mesitas :** la salle de billard se reconvertit en salle de jeux de cartes.

—No aparecerán —dijo, secándose la frente con la manga—. Tienen al negro sin comer[1] desde el sábado y no ha querido decir dónde están. —Midió[2] a Dámaso a través de los cristales empañados por el sudor.

—Estoy seguro que las echó al río.

Dámaso se mordisqueó los labios.

—¿Y los doscientos pesos?

—Tampoco —dijo don Roque—. Sólo le encontraron treinta.

Se miraron a los ojos[3]. Dámaso no habría podido explicar[4] su impresión de que aquella mirada establecía entre él y don Roque una relación de complicidad[5]. Esa tarde, desde el lavadero, Ana lo vio llegar dando saltitos de boxeador. Lo siguió hasta el cuarto.

—Listo —dijo Dámaso—. El viejo está tan resignado que encargó bolas nuevas. Ahora es cuestión de[6] esperar que nadie se acuerde.

—¿Y el negro?

—No es nada —dijo Dámaso, alzándose de hombros[7]—. Si no le encuentran las bolas tienen que soltarlo.

Después de la comida, se sentaron a la puerta de la calle y estuvieron conversando con los vecinos hasta que se apagó el parlante del cine. A la hora de acostarse, Dámaso estaba excitado.

—Se me ha ocurrido[8] el mejor negocio del mundo —dijo.

Ana comprendió que él había molido un mismo pensamiento desde el atardecer.

---

1. **tienen al negro sin comer** : torture primitive pour faire avouer au Noir son forfait et sa cachette.

2. **midió** : m. à m., *il mesura ;* v. **medir** au passé simple.

3. **se miraron a los ojos** : *ils se regardèrent dans les yeux.*

4. **no habría podido explicar** : *il n'aurait pas pu expliquer ;* conditionnel passé de **poder.**

5. **una relación de complicidad** : Damaso n'a aucun sentiment de culpabilité ; l'attitude de sa victime à son égard lui ferait presque oublier qu'il est l'auteur du méfait.

« On ne les retrouvera pas, répondit-il en s'épongeant le front avec sa manche. Depuis samedi ils ont mis le nègre au secret sans manger, et il ne veut toujours pas dire où elles sont. »

Il toisa Damaso à travers ses verres embués de sueur.

« Je suis sûr qu'il les a jetées dans la rivière. »

Damaso se mordilla les lèvres.

« Et les deux cents pesos ?

— La même chose, on n'en sait rien. On n'a récupéré sur lui que trente pesos. »

Ils se regardèrent. Damaso se demandait s'il devait interpréter ce regard comme une complicité entre lui et don Roque. Ce soir-là, du lavoir, Ana le vit rentrer en sautillant comme un boxeur. Elle le suivit dans la chambre.

« Ça y est, dit Damaso. Le vieux est si résigné qu'il a commandé d'autres boules. Maintenant, il ne nous reste plus qu'à attendre que l'affaire tombe dans l'oubli.

— Et le nègre ?

— Aucune importance, répondit Damaso, en haussant les épaules. Si on ne trouve pas les boules, il faudra bien qu'on le relâche. »

Après dîner, ils s'assirent devant la porte de la rue et bavardèrent avec les voisins jusqu'à la dernière séance de cinéma. A l'heure de se mettre au lit, Damaso se montra surexcité.

« J'ai pensé à une affaire formidable », dit-il.

Ana comprit qu'il avait ruminé la même idée pendant toute la soirée.

---

6. **es cuestión de :** *il s'agit de ;* syn. : **se trata de.**

7. **alzándose de hombros :** syn. : **encogiéndose de hombros.** Ce geste de Damaso montre son cynisme.

8. **se me ha ocurrido :** m. à m., *il m'est venu à l'esprit;* **ocurrírsele a uno una idea.**

—Me voy de pueblo en pueblo —continuó Dámaso—. Me robo las bolas[1] de billar en uno y las vendo en el otro[2]. En todos los pueblos hay un salón de billar.

—Hasta que te peguen un tiro.

—Qué tiro ni qué tiro[3] —dijo él—. Eso no se ve sino en las películas[4]. —Plantado en la mitad del cuarto se ahogaba en su propio entusiasmo. Ana empezó a desvestirse, en apariencia indiferente, pero en realidad oyéndolo con una atención compasiva.

—Me voy a comprar una hilera de vestidos[5] —dijo Dámaso, y señaló con el índice un ropero imaginario del tamaño de la pared[6]—. Desde aquí hasta allí. Y además, cincuenta pares de zapatos.

—Dios te oiga —dijo Ana.

Dámaso fijó en ella una mirada seria.

—No te interesan mis cosas —dijo.

—Están muy lejos para mí —dijo Ana. Apagó la lámpara, se acostó contra la pared, y agregó con una amargura cierta—: Cuando tú tengas treinta años[7] yo tendré cuarenta y siete.

—No seas boba —dijo Dámaso.

Se palpó los bolsillos[8] en busca de los fósforos.

—Tú tampoco tendrás que aporrear más ropa —dijo, un poco desconcertado. Ana le dio fuego. Miró la llama hasta que el fósforo se extinguió, y tiró la ceniza. Estirado en la cama, Dámaso siguió hablando[9].

---

1. **me robo las bolas:** fréquent recours dans la langue parlée au réfléchi avec des verbes qui ne sont pas pronominaux.

2. **las vendo en el otro:** naïveté de Damaso qui croit avoir découvert l'affaire du siècle.

3. **qué tiro ni qué tiro:** la répétition est une manière d'exprimer l'incrédulité.

4. **eso no se ve sino en las películas: no... sino** traduit la forme restrictive: *ne ... que.*

5. **una hilera de vestidos:** m. à m., *une rangée de vêtements.* Damaso rêve d'être riche pour satisfaire sa coquetterie. Il est futile et puéril.

« Je vais de village en village, précisa-t-il. Je vole les boules de billard à un endroit et je les revends dans un autre. Dans tous les bleds il y a une salle de billard.

— Jusqu'à ce qu'on te tire dessus !

— Me tirer dessus ? On ne voit ça qu'au cinéma ! »

Debout au milieu de la chambre il délirait d'enthousiasme. Ana commença à se déshabiller. Apparemment indifférente, elle l'écoutait en réalité avec une attention mêlée de pitié.

« Je vais m'acheter toute une garde-robe. » Et il montra du doigt une penderie imaginaire de la grandeur du mur : « Elle ira d'ici jusque-là. Et puis, j'aurai cinquante paires de chaussures.

— Que Dieu t'entende », fit Ana.

Damaso jeta sur elle un regard grave :

« Mes affaires ne semblent pas t'intéresser.

— Tout ça, c'est trop loin pour moi », répondit Ana. Elle éteignit la lampe, se coucha face au mur, et ajouta avec une certaine amertume : « Quand tu auras trente ans, moi j'en aurai quarante-sept.

— Ne sois pas idiote », répliqua Damaso.

Il tâta ses poches, il cherchait des allumettes.

« Toi non plus, tu n'auras plus à frotter le linge », dit-il, un peu déconcerté.

Ana lui donna du feu. Il regarda la flamme jusqu'au moment où l'allumette s'éteignit, et jeta la cendre. Allongé sur le lit, il continuait à discuter :

---

6. **del tamaño de la pared :** m. à m., *de la taille du mur ;* **la talla** se dit pour *le tour de taille.*

7. **cuando tú tengas treinta años :** dans une subordonnée de temps (entre autres) le futur est impossible ; on doit employer le subjonctif présent. Ana se montre autrement plus réaliste que son mari.

8. **se palpó los bolsillos :** cf. page 15, note 7 et page 59, note 8.

9. **siguió hablando :** action continue ; **seguir** + gérondif.

—¿Sabes de qué hacen las bolas de billar?

Ana no respondió.

—De colmillos de elefantes —prosiguió él—. Son tan difíciles de encontrar[1] que se necesita un mes para que vengan. ¿Te das cuenta?

—Duérmete —lo interrumpió Ana—. Tengo que levantarme a las cinco.

Dámaso había vuelto[2] a su estado natural. Pasaba la mañana en la cama, fumando[3], y después de la siesta empezaba a arreglarse para salir. Por la noche escuchaba en el salón de billar la transmisión radial del campeonato de béisbol. Tenía la virtud de olvidar sus proyectos con tanto entusiasmo como necesitaba[4] para concebirlos.

—¿Tienes plata[5]? —preguntó el sábado a su mujer.

—Once pesos —respondió ella. Y agregó suavemente—: Es la plata del cuarto.

—Te propongo un negocio.

—¿Qué?

—Préstamelos[6].

—Hay que pagar el cuarto.

—Se paga después.

Ana sacudió la cabeza. Dámaso la agarró por la muñeca y le impidió que se levantara[7] de la mesa, donde acababan de desayunar.

—Es por pocos días —dijo acariciándole el brazo con una ternura distraída—. Cuando venda las bolas tendremos plata para todo.

---

1. **son tan difíciles de encontrar**: *elles sont si difficiles à trouver;* le complément d'adjectif est toujours introduit par **de**.

2. **había vuelto**: *il était revenu;* **vuelto**: participe passé irrégulier de **volver**.

3. **pasaba la mañana ... fumando**: *il passait la matinée à fumer.* **Pasar el tiempo** s'emploie toujours avec le gérondif qui accompagne la notion de durée.

4. **con tanto entusiasmo como necesitaba...**: *avec autant d'enthousiasme qu'il lui en fallait...;* **tanto... como,** éléments du comparatif d'égalité.

« Tu sais dans quoi sont faites les boules de billard ? »

Ana ne répondit pas.

« Dans des défenses d'éléphant. Il est tellement difficile d'en trouver qu'il faut attendre un mois pour qu'elles arrivent. Tu te rends compte ?

— Dors, fit Ana en l'interrompant. Demain, je dois me lever à cinq heures. »

Damaso avait retrouvé son état normal. Il passa la matinée au lit, à fumer, et après la sieste il s'habilla pour sortir. Dans la soirée, il écouta dans la salle de billard la retransmission du championnat de base-ball. Il oubliait aussi facilement ses projets qu'il les concevait.

« Tu as de l'argent ? demanda-t-il à sa femme le samedi suivant.

— Onze pesos », répondit-elle. Et elle ajouta doucement : « C'est l'argent du loyer.

— Je te propose une affaire.

— Laquelle ?

— Prête-les moi.

— Mais je dois payer le propriétaire.

— On le paiera plus tard. »

Ana secoua la tête. Damaso la saisit par le poignet en l'empêchant de se lever de table ; ils venaient de prendre le petit déjeuner.

« C'est seulement pour quelques jours, dit-il en lui caressant le bras avec une tendresse distraite. Quand j'aurai vendu les boules nous aurons de l'argent pour tout. »

---

5. **plata** : désigne l'*argent* en Amérique ; en Espagne on dit **dinero**.

6. **préstamelos** : les deux pronoms personnels, l'indirect puis le direct, sont soudés après l'impératif.

7. **le impidió que se levantara** : après **impedir** on a obligatoirement une subordonnée au subjonctif, ici imparfait pour respecter la concordance des temps.

Ana no cedió. Esa noche, en el cine, Dámaso no le quitó la mano del hombro ni siquiera[1] cuando conversó con sus amigos en el intermedio. Vieron la película a retazos[2]. Al final, Dámaso estaba impaciente[3].

—Entonces tendré que robarme la plata —dijo.

Ana se encogió de hombros.

—Le daré un garrotazo[4] al primero que encuentre[5] —dijo Dámaso empujándola por entre la multitud que abandonaba el cine—. Así me llevarán a la cárcel por asesino.

Ana sonrió en su interior. Pero continuó, inflexible. A la mañana siguiente, después de una noche tormentosa, Dámaso se vistió con una urgencia ostensible y amenazante. Pasó junto a su mujer, gruñendo:

—No vuelvo más nunca[6].

Ana no pudo reprimir un ligero temblor.

—Feliz viaje —gritó.

Después del portazo[7] empezó para Dámaso un domingo vacío e interminable. La vistosa cacharrería[8] del mercado público y las mujeres vestidas de colores brillantes que salían con sus niños de la misa de ocho, ponían toques alegres en la plaza, pero el aire empezaba a endurecerse de calor.

Pasó el día en el salón de billar. Un grupo de hombres jugó a las cartas en la mañana y antes del almuerzo hubo[9] una afluencia momentánea. Pero era evidente que el establecimiento había perdido su atractivo.

---

1. **ni siquiera**: *même pas ;* exclut une autre négation lorsqu'il est placé devant le verbe.

2. **a retazos**: syn.: **a trozos**: *par morceaux*. **Un retazo o un retal** veut dire *un coupon (de tissu)*.

3. **estaba impaciente**: **estar** car il ne s'agit pas de définir son caractère mais son humeur du moment en relation avec le refus de sa femme de lui donner de l'argent.

4. **un garrotazo**: de **garrote**, *bâton,* le suffixe **-azo** indique ici *un coup de.*

5. **que encuentre**: *que je rencontrerai*. Dans une subordonnée relative qui exprime une éventualité, le futur se traduit par un subjonctif.

Ana ne céda pas. Ce soir-là, au cinéma, Damaso n'ôta pas son bras de ses épaules, même quand il se mit à bavarder avec ses amis pendant l'entracte. Ils regardèrent le film par bribes. A la fin, Damaso s'impatienta :

« Je devrai donc voler l'argent ! »

Ana haussa les épaules.

« Je donnerai un coup de bâton au premier venu, dit-il en la poussant dans la foule qui sortait du cinéma. Comme ça, on me coffrera pour assassinat. »

Ana sourit en elle-même. Mais elle resta inflexible. Le lendemain matin, après une nuit agitée, Damaso s'habilla avec une hâte ostensible et menaçante. Il passa près de sa femme en grommelant :

« Je pars et pour toujours. »

Ana ne put retenir un léger frisson.

« Bon voyage ! » cria-t-elle.

Après avoir claqué la porte, Damaso commença à vivre un dimanche creux et interminable. Les éventaires des potiers du marché ainsi que les femmes vêtues de robes multicolores qui sortaient de la messe de huit heures avec leurs enfants donnaient à la place une allure joyeuse, mais l'air se durcissait sous l'effet de la chaleur.

Il passa la journée dans la salle de billard. Dans la matinée quelques hommes jouèrent aux cartes et il y eut un peu plus de mouvement avant le déjeuner. Mais il était évident que l'établissement avait perdu de son attrait.

---

6. **no vuelvo más nunca** : *je ne reviens plus jamais.* Damaso exerce toutes formes de chantage sur sa femme.

7. **el portazo** : m. à m., *le coup de porte ;* cf. note 4.

8. **cacharrería** : de **cacharro**, *récipient.*

9. **hubo** : passé simple irrégulier de **haber**.

Sólo al anochecer[1], cuando empezara la transmisión del béisbol, recobraría[2] un poco de su antigua animación.

Después de que cerraron el salón, Dámaso se encontró sin rumbo[3] en una plaza que parecía desangrarse. Descendió por la calle paralela al puerto, siguiendo el rastro de una música alegre y remota. Al final de la calle había una sala de baile enorme y escueta[4], adornada con guirnaldas de papel descolorido, y al fondo de la sala una banda de músicos sobre una tarima de madera. Adentro flotaba un sofocante olor a carmín de labios[5].

Dámaso se instaló en el mostrador. Cuando terminó la pieza, el muchacho que tocaba los platillos[6] en la banda recogió monedas entre los hombres que habían bailado. Una muchacha abandonó su pareja[7] en el centro del salón y se acercó a Dámaso.

—¿Qué hubo[8], Jorge Negrete[9]?

Dámaso la sentó a su lado. El cantinero, empolvado y con un clavel en la oreja, preguntó en falsete[10]:

—¿Qué toman?

La muchacha se dirigió a Dámaso.

—¿Qué tomamos?

—Nada.

—Es por cuenta mía[11].

—No es eso —dijo Dámaso—. Tengo hambre.

—Lástima —suspiró el cantinero—. Con esos ojos[12].

---

1. **al anochecer**: *à la tombée de la nuit.*
2. **cuando empezara... recobraría**: *quand commencerait... il retrouverait.* Après **cuando,** l'imparfait du subjonctif traduit le conditionnel français.
3. **sin rumbo**: *sans direction précise.*
4. **escueta**: *dépouillée.* Cet adjectif s'emploie pour définir un style littéraire.
5. **olor a carmín de labios**: même construction que pour le verbe **oler a,** cf. p. 16, note 6.
6. **tocaba los platillos**: **tocar** = *jouer d'un instrument.*
7. **su pareja**: *cavalier* ici. **Pareja** désigne le couple ou chaque membre du couple.

C'est seulement en fin de soirée, quand on retransmit le match de base-ball, qu'il retrouva un peu de son ancienne animation.

Quand on ferma les portes, Damaso se retrouva sans but sur une place qui paraissait se vider de son sang. Il descendit la rue parallèle au port, sur les traces d'une musique joyeuse et lointaine. Au bout de la rue se trouvait un dancing immense et rudimentaire, orné de guirlandes au papier délavé. Au fond se tenait un orchestre sur une estrade en bois. Il flottait au-dedans une odeur suffocante de rouge à lèvres.

Damaso s'installa au bar. Quand la musique s'arrêta, le garçon qui jouait des cymbales fit la quête parmi les danseurs. Une des filles abandonna son cavalier au milieu de la salle et s'approcha de Damaso.

« Comment ça va, Jorge Negrete ? »

Damaso la fit asseoir à côté de lui. Le serveur, le visage poudré, un œillet à l'oreille, leur demanda :

« Qu'est-ce que vous prenez ? »

La fille se tourna vers Damaso :

« Qu'est-ce qu'on prend ?

— Rien.

— C'est moi qui paie.

— Ce n'est pas la question, fit Damaso. Mais j'ai faim.

— Dommage, soupira le serveur. Avec des yeux pareils. »

---

8. **¿ qué hubo ?** : synonyme, **¿qué pasó ?**

9. **Jorge Negrete** : cf. p. 68, note 3. La ressemblance doit être frappante, elle nourrit en tout cas les fantasmes de Damaso.

10. **en falsete** : *avec une voix de fausset.*

11. **es por cuenta mía** : ou **pago yo.**

12. **con esos ojos** : le garçon, vraisemblablement homosexuel, succombe lui aussi au charme de Damaso.

Pasaron al comedor en el fondo de la sala. Por la forma del cuerpo la muchacha parecía excesivamente joven, pero la costra de polvos y colorete y el barniz de los labios impedían conocer[1] su verdadera edad. Después de comer, Dámaso la siguió al cuarto, al fondo de un patio oscuro donde se sentía[2] la respiración de los animales dormidos. La cama estaba ocupada por un niño de pocos meses envuelto en trapos de colores. La muchacha puso los trapos en una caja de madera[3], acostó al niño dentro, y luego puso la caja en el suelo.

—Se lo van a comer los ratones —dijo Dámaso.

—No se lo comen —dijo ella.

Se cambió el traje rojo por otro más descotado[4] con grandes flores amarillas.

—¿Quién es el papá? —preguntó Dámaso.

—No tengo la menor idea —dijo ella. Y después, desde la puerta—: Vuelvo en seguida.

La oyó cerrar el candado. Fumó varios cigarrillos, tendido boca arriba[5] y con la ropa puesta. El lienzo[6] de la cama vibraba al compás del mambo. No supo[7] en qué momento se durmió[8]. Al despertar[9], el cuarto parecía más grande en el vacío de la música.

La muchacha se estaba desvistiendo[10] frente a la cama.

—¿Qué hora es?

—Como las cuatro[11] —dijo ella—. ¿No ha llorado el niño?

—Creo que no —dijo Dámaso.

---

1. **impedían conocer**: m. à m., *empêchaient de connaître*. Le verbe **impedir** se construit directement, comme **permitir**.

2. **se sentía**: **se** = 3e pers. = forme impersonnelle *(on)*. Pour le sens de **sentir**, cf. p. 74, note 1.

3. **una caja de madera**: *une caisse en bois* est le berceau improvisé de ce bébé. Márquez joue la carte du réalisme.

4. **descotado**: moins usité que **escotado**, de **escote**: *décolleté*.

5. **boca arriba**: m. à m., *la bouche en haut*. **Boca abajo**: *sur le ventre*.

Ils passèrent au restaurant, au fond de la salle. A en juger par sa silhouette la fille paraissait vraiment très jeune, mais l'épaisse couche de poudre, le fond de teint et le rouge à lèvres ne permettaient pas de lui donner un âge. Après manger, Damaso la suivit dans sa chambre, au fond d'une cour obscure où l'on entendait respirer les bêtes endormies. Le lit était occupé par un enfant de quelques mois enveloppé de chiffons bariolés. La fille rangea les chiffons dans une caisse, y coucha l'enfant, puis déposa la caisse par terre.

« Les rats vont le bouffer, dit Damaso.

— Ils n'y toucheront pas », répondit-elle.

Elle enleva sa robe rouge et en enfila une autre, plus décolletée, avec de grandes fleurs jaunes.

« Qui c'est, le père ? demanda Damaso.

— Je n'en ai pas la moindre idée », répondit-elle. Puis, par l'entrebâillement de la porte, elle lui cria : « Je reviens. »

Il l'entendit fermer le cadenas. Couché sur le dos et tout habillé, il fuma plusieurs cigarettes. L'armature du lit vibrait au rythme du mambo. Il ne sut pas à quel moment il s'endormit. Au réveil, la chambre paraissait plus grande sans les échos de la musique. La fille se déshabillait devant le lit.

« Quelle heure est-il ?

— Il est environ quatre heures, répondit-elle. Le petit n'a pas pleuré ?

— Je ne pense pas », fit Damaso.

C'est toujours ainsi que l'on décrit les positions.

6. **el lienzo :** *tissu, étoffe, toile (tableau).*

7. **no supo :** passé simple irrégulier de **saber.**

8. **se durmió :** passé simple de **dormir.**

9. **al despertar : al** + infinitif exprime la simultanéité.

10. **se estaba desvistiendo :** forme progressive de **desvestirse.**

11. **como las cuatro : como** marque l'approximation, de même que **sobre, a eso de, hacia.**

La muchacha se acostó muy cerca de él, escrutándolo con los ojos ligeramente desviados mientras le desabotonaba la camisa. Dámaso comprendió que ella había estado bebiendo en serio. Trató de apagar la lámpara.

—Déjala así —dijo ella—. Me encanta mirarte los ojos[1].

El cuarto se llenó de ruidos rurales desde el amanecer[2]. El niño lloró. La muchacha lo llevó a la cama y le dio de mamar[3], cantando entre dientes una canción de tres notas, hasta que todos se durmieron[4]. Dámaso no se dio cuenta de que[5] la muchacha despertó[6] hacia las siete, salió del cuarto y regresó sin el niño.

—Todo el mundo se va para el puerto —dijo.

Dámaso tuvo[7] la sensación de no haber dormido más de una hora en toda la noche.

—¿A qué[8]?

—A ver al negro que se robó las bolas[9] —dijo ella—. Hoy se lo llevan[10].

Dámaso encendió su cigarrillo[11].

—Pobre hombre —suspiró la muchacha.

—Pobre por qué —dijo Dámaso—. Nadie lo obligó a ser ratero[12].

La muchacha pensó un momento con la cabeza apoyada en su pecho. Dijo en voz muy baja:

—No fue él.

—¿Quién dijo[13]?

---

1. **me encanta mirarte los ojos**: construction indirecte, cf. **me gusta**. Déplacement du possessif sur le pronom personnel.
2. **el amanecer**: el alba, la madrugada: *le point du jour*. Cf. page 38, note 1.
3. **le dio de mamar**: m. à m., *lui donna à téter*; cf. **dar de comer,** *donner à manger*.
4. **se durmieron**: passé simple irrégulier de **dormir**.
5. **no se dio cuenta de que**: cf. p. 72, note 4.
6. **despertó**: *se réveilla*; s'emploie généralement à la forme réfléchie. C'est un verbe à diphtongue.
7. **tuvo**: passé simple irrégulier de **tener**.
8. **¿a qué?**: le a marque le but; cf. **para qué**.

La fille se coucha contre lui et le scruta du coin de l'œil, tout en lui déboutonnant sa chemise. Damaso s'aperçut qu'elle avait trop bu. Il essaya d'éteindre la lampe.

« Laisse-la, dit-elle, j'adore regarder tes yeux. »

Dès l'aube, la chambre se remplit des bruits du village. L'enfant se mit à pleurer. La fille le prit dans son lit et lui donna le sein en fredonnant une chanson sur trois notes, et tout le monde se rendormit. Damaso se réveilla sans s'être rendu compte que la fille s'était levée vers sept heures, qu'elle était sortie et était rentrée sans l'enfant.

« Tout le village se rend au port », dit-elle.

Damaso avait l'impression de ne pas avoir dormi plus d'une heure de toute la nuit.

« Quoi faire ?

— Voir le nègre qui a volé les boules de billard. C'est aujourd'hui qu'on l'emmène. »

Damaso alluma une cigarette.

« Pauvre type, soupira la fille.

— Pourquoi ça, pauvre type ? dit Damaso. Personne ne l'a forcé à chaparder. »

La fille resta un moment pensive, la tête penchée sur la poitrine. Elle lui dit à voix basse :

« Ce n'était pas lui.

— Qui te l'a dit ?

---

9. **se robó las bolas** : cf. p. 80, note 1.

10. **hoy se lo llevan** : 3e personne du pluriel. C'est une forme impersonnelle.

11. **encendió su cigarrillo** : il est véritablement impossible au lecteur d'imaginer Damaso sans cigarette.

12. **nadie lo obligó a ser ratero** : réplique de Damaso qui montre une fois de plus son cynisme ; il joue aussi la vraisemblance : l'homme honnête indigné.

13. **¿ quién dijo ?** : inquiétude de Damaso : et si quelqu'un l'avait vu, lui, dans la salle de billard ?

—Yo lo sé[1] —dijo ella—. La noche que se metieron en el salón de billar el negro estaba con Gloria[2], y pasó todo el día siguiente en su cuarto hasta por la noche. Después vinieron[3] diciendo[4] que lo habían cogido en el cine.

—Gloria se lo puede decir a la policía[5].

—El negro se lo dijo —dijo ella—. El alcalde vino[6] donde Gloria, volteó el cuarto al derecho y al revés, y dijo que la iba a llevar a la cárcel por cómplice. Al fin se arregló por veinte pesos[7].

Dámaso se levantó antes de las ocho.

—Quédate —le dijo la muchacha—. Voy a matar una gallina para el almuerzo.

Dámaso sacudió la peinilla en la palma de la mano antes de guardársela[8] en el bolsillo posterior del pantalón.

—No puedo —dijo, atrayendo a la muchacha por las muñecas. Ella se había lavado[9] la cara, y era en verdad muy joven, con unos ojos grandes y negros que le daban un aire desamparado. Lo abrazó por la cintura.

—Quédate[10] —insistió.

—¿Para siempre[11]?

Ella se ruborizó ligeramente, y lo separó.

—Embustero[12] —dijo.

---

1. **yo lo sé**: 1ʳᵉ personne du présent de l'indicatif de **saber**, renforcée par le pronom sujet **yo**.

2. **Gloria**: c'est selon toute probabilité une collègue de la compagne de Damaso.

3. **vinieron**: 3ᵉ pers. du plur. Passé simple irrég. de **venir**; **vino** (3ᵉ pers. du sing.).

4. **diciendo**: gérondif de **decir**.

5. **se lo puede decir a la policía**: le pronom **se** (qui serait **le** en l'absence de **lo**) annonce le complément indirect **a la policía**; son emploi est obligatoire.

6. **el alcalde vino**: pour la fonction du maire, voir dans *Un día de estos,* page 39, note 11.

7. **se arregló por veinte pesos**: « l'arrangement » avec le maire est un exemple de corruption et d'arbitraire et montre qu'aucun recours à la justice n'est possible.

— Je le sais. La nuit où on a cambriolé la salle de billard, le nègre était avec Gloria dans sa chambre, et il y est resté jusqu'au lendemain soir. Plus tard ils sont venus dire qu'ils l'avaient arrêté au cinéma.

— Gloria pourrait raconter cela à la police.

— Le nègre l'a fait, continua-t-elle. Le maire est allé chez Gloria, il a mis la chambre sens dessus dessous et il a conclu en disant qu'il allait l'emmener en prison pour complicité. A la fin, ils se sont mis d'accord pour vingt pesos. »

Damaso se leva avant huit heures.

« Reste, lui dit la fille. Je vais tuer une poule pour le déjeuner. »

Damaso secoua son peigne dans le creux de sa main avant de le ranger dans la poche arrière de son pantalon.

« Je ne peux pas », répondit-il en attirant la fille par les poignets.

Elle s'était lavé la figure et maintenant on pouvait voir qu'elle était réellement très jeune avec de grands yeux noirs qui lui donnaient un air désemparé.

Elle le prit par la taille.

« Reste, insista-t-elle.

— Pour toujours ? »

Elle rougit légèrement et s'écarta :

« Baratineur », dit-elle.

---

8. **guardársela** : soudure des deux pronoms personnels après un infinitif.

9. **se había lavado** : plus-que-parfait du verbe **lavarse**. Rappel : **haber** est le seul auxiliaire pour former les temps composés.

10. **quédate** : la fille, au lieu de lui réclamer de l'argent, souhaite le voir rester avec elle.

11. **¿para siempre ?** : Damaso mesure l'impact de son charme.

12. **embustero** : cf. p. 65, note 13 ; le sens est un peu différent.

Ana se sentía agotada[1] aquella mañana. Pero se contagió de la excitación del pueblo. Recogió más aprisa[2] que de costumbre la ropa para lavar[3] esa semana, y se fue al puerto a presenciar[4] el embarque del negro. Una multitud impaciente esperaba frente a las lanchas listas para zarpar. Allí estaba Dámaso.

Ana lo hurgó con los índices por los riñones.

—¿Qué haces aquí? —preguntó Dámaso dando un salto.

—Vine[5] a despedirte[6] —dijo Ana.

Dámaso golpeó con los nudillos un poste del alumbrado público.

—Maldita sea[7] —dijo.

Después de encender[8] el cigarrillo arrojó al río la cajetilla vacía. Ana sacó otra del corpiño y se la metió en el bolsillo de la camisa[9]. Dámaso sonrió por primera vez.

—Eres burra —dijo.

—Ja, ja —hizo Ana.

Poco después embarcaron al negro. Lo llevaron por el medio de la plaza, las muñecas amarradas a la espalda con una soga tirada por un agente de la policía. Otros dos agentes armados de fusiles caminaban a su lado. Estaba sin camisa, el labio inferior partido y una ceja hinchada, como un boxeador[10]. Esquivaba las miradas de la multitud con una dignidad pasiva[11].

---

1. **agotada**: *épuisée;* **agotar; el agotamiento,** *l'épuisement.*

2. **aprisa**: **de prisa, rápido.**

3. **la ropa para lavar**: Ana est lavandière (cf. p. 78, **el lavadero**: *lavoir;* p. 80, **aporrear la ropa**).

4. **presenciar**: *assister à,* v. transitif; syn.: **asistir a.**

5. **vine**: passé simple irrégulier de **venir,** 1re pers. Cf. page 92, note 3.

6. **despedirte**: *dire au revoir.* **Despedir,** *renvoyer quelqu'un;* **la despedida**: *les adieux.* Ana sous-entend que Damaso devrait être celui que la police embarque.

7. **maldita sea**: Damaso lui répond par une insulte. Cf. page 50, note 7.

Ce matin-là, Ana se sentait sans force. Mais l'agitation du village la gagna. Elle ramassa plus rapidement que d'habitude le linge à laver pendant la semaine et s'en alla au port assister à l'embarquement du Noir. Une foule impatiente attendait en face des bateaux prêts à lever l'ancre. Elle y aperçut Damaso. Elle le chatouilla, un index enfoncé dans chaque creux des reins.

« Qu'est-ce que tu fais là ? demanda Damaso en sursautant.

— Je suis venue te dire au revoir », répondit Ana.

Damaso tapota avec les jointures de ses doigts la colonne d'un réverbère.

« Merde », fit-il.

Après avoir allumé une cigarette, il jeta dans l'eau le paquet vide. Ana en sortit un autre de son corsage et le lui glissa dans la poche de sa chemise. Damaso, enfin, sourit.

« Tu es une idiote, dit-il.

— Ah ! Ah ! » fit Ana.

Peu après on embarqua le Noir. On lui fit traverser le centre de la place, les poings liés dans le dos avec une corde que tenait un agent de police. Deux autres policiers armés marchaient à ses côtés. Il s'avançait torse nu ; la lèvre inférieure fendue, l'arcade sourcilière tuméfiée, il ressemblait à un boxeur. Il passait droit devant la foule, avec une dignité passive.

---

8. **después de encender :** infinitif présent, cf. p. 42, note 4.

9. **se la metió en el bolsillo de la camisa :** Ana pourvoit toujours au besoin de tabac de son mari.

10. **como un boxeador :** le Noir présumé coupable du seul fait d'être étranger au village est dans un piteux état après le « passage à tabac » qu'il vient de subir.

11. **una dignidad pasiva :** la dignité lui vient de son innocence ; la passivité de son impuissance à la prouver.

En la puerta[1] del salón de billar, donde se había concentrado la mayor cantidad de público para participar de los dos extremos del espectáculo, el propietario lo vio pasar moviendo la cabeza en silencio. El resto de la gente lo observó con una especie de fervor.

La lancha zarpó en seguida. El negro iba en el techo[2], amarrado de pies y manos a un tambor de petróleo. Cuando la lancha dio la vuelta en la mitad del río y pitó por última vez, la espalda del negro lanzó un destello[3].

—Pobre hombre —murmuró Ana.

—Criminales[4] —dijo alguien cerca de ella—. Un ser humano no puede aguantar tanto sol.

Dámaso localizó la voz en una mujer extraordinariamente gorda, y empezó a moverse hacia la plaza.

—Hablas mucho —susurró al oído de Ana—. Lo único que falta[5] es que te pongas a gritar el cuento.

Ella lo acompañó hasta la puerta del billar.

—Por lo menos anda a cambiarte —le dijo al abandonarlo[6]—. Pareces un pordiosero[7].

La novedad había llevado al salón una clientela alborotada. Tratando de atender a todos[8], don Roque servía mesas al mismo tiempo[9]. Dámaso esperó a que pasara[10] junto a él.

—¿Quiere que lo ayude?

Don Roque le puso enfrente media docena[11] de botellas de cerveza con los vasos embocados en el cuello.

—Gracias, hijo.

---

1. **en la puerta**: la préposition **en** indique qu'il n'y a pas de mouvement.
2. **iba en el techo**: *il était sur le pont (du bateau);* **ir** est un semi-auxiliaire qui équivaut ici à **estar**.
3. **lanzó un destello**: le dos brille de sueur ou l'éclat vient du reflet du soleil sur les blessures.
4. **pobre hombre ... criminales**: le Noir suscite des réactions de pitié dans la foule et chez Ana sensible à l'injustice du traitement.
5. **lo único que falta**: *la seule chose qui manque.*

A la porte du billard, où s'était concentrée la plus grande partie du public afin de ne rien perdre du spectacle, le propriétaire le regarda passer en hochant la tête en silence. Les autres gens l'observaient avec une certaine ferveur.

La vedette quitta le port. Le Noir fut installé sur le pont, les pieds et les mains attachés à un baril de pétrole. Quand le bateau exécuta un demi-tour au milieu du fleuve et fit fonctionner sa sirène pour la dernière fois, le dos du Noir fulgura.

« Le pauvre, murmura Ana.

— Espèces de criminels ! fit quelqu'un près d'elle. Un être humain ne peut supporter un soleil pareil. »

Damaso regarda la grosse femme qui venait de parler et se dirigea vers la place.

« Tu parles trop, murmura-t-il à l'oreille d'Ana. Pendant que tu y es, tu pourrais leur brailler la vérité. »

Elle l'accompagna jusqu'à la porte du billard.

« Au moins viens te changer, lui dit-elle en le quittant. Tu as l'air d'un mendigot. »

La nouvelle avait attiré dans la salle de billard un flot de clients surexcités. S'efforçant de s'occuper de tous, don Roque servait plusieurs tables en même temps. Damaso attendit qu'il passât près de lui.

« Vous avez besoin d'un coup de main ? »

Don Roque posa devant lui une douzaine de bouteilles de bière avec les verres retournés sur les goulots.

« Merci, mon garçon. »

---

6. **al abandonarlo :** al + infinitif, cf. p. 89, note 9.

7. **un pordiosero :** syn. : **mendigo**. Le mot vient de **pedir limosna por Dios**.

8. **atender a todos :** *servir tout le monde.*

9. **al mismo tiempo :** *en même temps.*

10. **a que pasara :** subj. imparfait en concordance des temps avec le passé simple (**esperó**).

11. **media docena :** *une demi-douzaine.* L'adjectif **medio** s'emploie sans article.

Dámaso llevó las botellas a la mesa. Tomó varios pedidos[1], y siguió trayendo y llevando[2] botellas, hasta que la clientela se fue a almorzar. Por la madrugada[3], cuando volvió al cuarto, Ana comprendió que había estado bebiendo. Le cogió de la mano y se la puso en el vientre de ella.

—Tienta aquí —le dijo—. ¿No sientes?

Dámaso no dio ninguna muestra de entusiasmo.

—Ya está vivo —dijo Ana—. Se pasó la noche dándome pataditas[4] por dentro.

Pero él no reaccionó. Concentrado en sí mismo, salió al día siguiente muy temprano y no volvió hasta la medianoche. Así transcurrió la semana. En los escasos momentos que pasaba en la casa, fumando acostado, esquivaba la conversación. Ana extremó su solicitud. En cierta ocasión, al principio de su vida en común, él se había comportado de igual modo, y entonces ella no lo conocía tanto como para no intervenir. Acaballado sobre ella en la cama, Dámaso la había golpeado hasta hacerla sangrar[5].

Esta vez esperó. Por la noche ponía junto a la lámpara una cajetilla de cigarrillos, sabiendo que él era capaz de soportar el hambre y la sed, pero no la necesidad de fumar[6]. Por fin, a mediados[7] de julio, Dámaso regresó al cuarto al atardecer[8]. Ana se inquietó, pensando que él debía estar muy aturdido cuando venía a buscarla a esa hora. Comieron[9] sin hablar. Pero antes de acostarse, Dámaso estaba ofuscado y blando[10], y dijo espontáneamente:

---

1. **pedidos** : *des commandes ;* de **pedir**.

2. **siguio trayendo y llevando** : **seguir** + gérondif : action continue.

3. **la madrugada** : *le petit matin,* cf. **el alba, el amanecer**. Cf. page 90, note 2 et page 38, note 1.

4. **se pasó la noche dándome pataditas** : *il a passé la nuit à me donner des petits coups de pied.* **Pasarse** + notion de temps + gérondif. Ana se laisse aller à une émotion maternelle touchante qui laisse Damaso totalement indifférent.

5. **la había golpeado hasta hacerla sangrar** : c'est significatif de la teneur des rapports entre Ana et son mari, violent et sordide.

Damaso transporta les bouteilles jusqu'à la table. Il prit plusieurs commandes et continua à servir ici et là jusqu'au moment où tout le monde s'en alla déjeuner.

A l'aube, lorsqu'il rentra dans la chambre, Ana comprit qu'il avait bu. Elle lui prit la main qu'elle posa sur son ventre.

« Touche, lui dit-elle. Tu ne sens rien ? »

Damaso ne laissa paraître aucun signe d'enthousiasme.

« Il vit, ajouta Ana. Toute la nuit, il m'a donné des petits coups de pied. »

Il ne réagissait toujours pas. Perdu dans ses pensées, il sortit le lendemain très tôt et ne revint que vers minuit. Ainsi s'écoula la semaine. Les rares moments où il était à la maison, il fumait couché, en évitant toute conversation. Ana redoubla ses attentions. Au début de leur vie commune, il s'était quelquefois comporté de la même manière, mais à cette époque-là elle ne le connaissait pas assez pour savoir qu'elle ne devait pas intervenir. Perché au-dessus d'elle sur le lit, il l'avait battue jusqu'au sang.

Cette fois-ci, elle attendit. Le soir, elle déposait près de la lampe de chevet un paquet de cigarettes, sachant qu'il pouvait supporter la faim et la soif mais pas l'envie de fumer. Vers la mi-juillet, Damaso rentra un jour en fin d'après-midi. Ana s'inquiéta, pensant qu'il devait être bien dérouté pour revenir si tôt. Ils dînèrent sans parler. Mais avant de se coucher, Damaso, furieux et pâle, déclara d'un jet :

---

6. **no la necesidad de fumar :** Ana toujours attentive aux besoins de son mari, cf. p. 95, note 9.

7. **a mediados :** s'emploie toujours au pluriel.

8. **al atardecer :** *à la tombée du soir.*

9. **comieron :** *ils dînèrent.* En Espagne : **cenar** ; **comer** ne s'emploie que pour le repas de midi, syn. : **almorzar.**

10. **ofuscado y blando :** il faudrait traduire : *troublé et tendre.*

—Me quiero ir.

—¿Para dónde?

—Para cualquier parte[1].

Ana examinó el cuarto. Las carátulas[2] de revistas que ella misma había recortado y pegado en las paredes hasta empapelarlas por completo con litografías de actores de cine, estaban gastadas y sin color. Había perdido la cuenta de los hombres que paulatinamente, de tanto mirarlos[3] desde la cama, se habían ido llevando esos colores[4].

—Estás aburrido[5] conmigo —dijo.

—No es eso —dijo Dámaso—. Es este pueblo.

—Es un pueblo como todos.

—No se pueden vender las bolas —dijo Dámaso.

—Deja esas bolas tranquilas —dijo Ana—. Mientras Dios me dé fuerzas[6] para aporrear ropa no tendrás que andar aventurando. —Y agregó suavemente después de una pausa—: No sé cómo se te ocurrió meterte en eso.

Dámaso terminó el cigarrillo antes de hablar.

—Eran tan fácil que no me explico cómo no se le ocurrió a nadie —dijo.

—Por la plata —admitió Ana—. Pero nadie hubiera sido tan bruto[7] de traerse las bolas.

—Fue sin pensarlo —dijo Dámaso—. Ya me venía cuando las vi detrás del mostrador, metidas en su cajita, y pensé que todo eso era mucho trabajo para venirme con las manos vacías.

---

1. **para cualquier parte**: *n'importe où;* la préposition change selon le régime du verbe (**a, en**).

2. **las carátulas**: *les couvertures (de revues)* en Amérique; **portadas** en Espagne.

3. **de tanto mirarlos**: *à force de les regarder.*

4. **se habían ido llevando esos colores**: *avaient emporté peu à peu...* Ir + gérondif: forme progressive qui exprime une action qui se déroule peu à peu, au fur et à mesure. La structure est appelée par l'adverbe **paulatinamente**. La métaphore évoque l'usure du temps et de la jeunesse d'Ana.

5. **estás aburrido**: autre manière de le dire: **te aburres**.

« Je veux m'en aller.

— Où ça ?

— N'importe où. »

Ana jeta un regard à la chambre. Les couvertures de revues qu'elle avait découpées et collées sur les murs au point de les tapisser complètement de portraits d'acteurs de cinéma étaient maintenant délavées et incolores. Elle ne savait plus le nombre d'hommes qui, peu à peu, depuis le temps qu'elle les regardait de son lit, avaient perdu leurs couleurs.

« Tu t'ennuies avec moi, fit-elle.

— Ce n'est pas ça, dit Damaso. C'est ce village.

— C'est un village pareil aux autres.

— On ne peut pas y vendre les boules, avoua Damaso.

— Laisse les boules tranquilles, dit Ana. Tant que Dieu me donnera la force de battre le linge tu n'auras pas besoin de te lancer dans l'aventure. » Et elle ajouta doucement après une pause : « Je me demande comment tu as eu l'idée de te fourrer dans une histoire pareille. »

Damaso termina sa cigarette avant de parler.

« C'était si simple que je ne m'explique pas comment personne n'y avait pensé avant, dit-il.

— Pour de l'argent, d'accord, admit Ana. Mais personne n'aurait été assez stupide pour emporter les boules.

— Je l'ai fait machinalement, dit Damaso. J'allais partir lorsque je les ai vues derrière le comptoir, rangées dans leur boîte, et alors j'ai pensé que je m'étais donné trop de mal pour revenir les mains vides.

---

6. **mientras Dios me dé fuerzas** : **mientras** est suivi du subjonctif, le futur étant impossible dans une subordonnée de temps. Ana s'engage à continuer à subvenir aux besoins de la famille et à prendre en charge son mari.

7. **nadie hubiera sido tan bruto** : plus-que-parfait du subjonctif à valeur de conditionnel ; équivaut à **habría sido**.

—La mala hora[1] —dijo Ana.

Dámaso experimentaba[2] una sensación de alivio.

—Y mientras tanto[3] no llegan las nuevas —dijo—. Mandaron decir[4] que ahora son más caras y don Roque dice que así no es negocio. —Encendió otro cigarrillo, y mientras hablaba sentía que su corazón se iba desocupando[5] de una materia oscura.

Contó que el propietario había decidido vender la mesa de billar. No valía mucho. El paño roto por las audacias de los aprendices había sido remendado[6] con cuadros de diferentes colores y era necesario cambiarlo[7] por completo. Mientras tanto, los clientes del salón, que había envejecido en torno al billar, no tenían ahora más diversión que las transmisiones del campeonato de béisbol.

—Total —concluyó Dámaso—, que sin quererlo nos tiramos al pueblo[8].

—Sin ninguna gracia —dijo Ana.

—La semana entrante se acaba el campeonato —dijo Dámaso.

—Y eso no es lo peor. Lo peor es el negro.

Acostada en su hombro, como en los primeros tiempos, sabía en qué estaba pensando su marido. Esperó a que terminara el cigarrillo. Después, con voz cautelosa, dijo:

—Dámaso.

—¿Qué pasa?

—Devuélvelas[9].

---

1. la mala hora : apparaît généralement sous la forme en mala hora. Syn. : la mala suerte.

2. experimentaba : éprouver, ressentir ; syn. : sentir.

3. mientras tanto : pendant ce temps. Rappel : mientras : pendant que, tant que.

4. mandaron decir : mandar + infinitif = faire + infinitif.

5. se iba desocupando : se libérait peu à peu. Ir + gérondif : forme progressive, cf. p. 100, note 4.

6. había sido remendado : avait été rapiécé. L'emploi de ser se justifie dans le cas d'une forme passive où l'action est envisagée dans son

— La malchance », dit Ana.

Damaso éprouvait une sensation de soulagement.

«Et pendant ce temps-là, les neuves n'arrivent pas, commenta-t-il. On a fait dire à don Roque qu'elles avaient augmenté et il pense que ça ne vaut plus le coup. »

Il alluma une autre cigarette et tout en parlant il sentait que son cœur se libérait d'un poids obscur.

Il raconta que le propriétaire avait décidé de vendre la table de billard. Elle ne valait pas grand-chose. Le tapis avait été déchiré par les audaces des débutants ; on l'avait rapiécé avec des bouts d'étoffes de différentes couleurs et maintenant il fallait le remplacer. En attendant, les clients qui avaient vieilli autour du billard n'avaient plus pour se distraire que les retransmissions du championnat de base-ball.

« Conclusion, dit-il, sans le vouloir, nous avons fait du tort au village.

— Ce n'est pas drôle, fit Ana.

— Et la semaine prochaine ce sera la fin du championnat, ajouta Damaso.

— Ce n'est pas le plus grave. Le plus grave, c'est le nègre. »

Appuyée contre son épaule, comme aux premiers temps, elle savait à quoi pensait son mari. Elle attendit qu'il eut fini sa cigarette. Ensuite, d'une voix prudente, elle murmura :

« Damaso.

— Qu'est-ce qu'il y a ?

— Rends-les. »

---

déroulement. On emploie **estar** dans une forme passive lorsqu'on envisage le résultat.

7. **era necesario cambiarlo** : il n'y a jamais de préposition dans le schéma : **es** + adjectif + infinitif.

8. **nos tiramos al pueblo** : on « fout en l'air » le village. Expression très familière avec une variante : **nos cargamos al pueblo**. Répercussions en chaîne d'un vol minable.

9. **devuélvelas** : impératif de **devolver** ; verbe à diphtongue.

Él encendió otro cigarrillo[1].

—Eso es lo que estoy pensando hace días —dijo—. Pero la vaina[2] es que no encuentro cómo.

Así que decidieron abandonar[3] las bolas en un lugar público. Ana pensó luego que eso resolvía el problema del salón de billar, pero dejaba pendiente[4] el del negro. La policía habría podido interpretar el hallazgo de muchos modos sin absolverlo. No descartaba tampoco el riesgo de que las bolas fueran encontradas[5] por alguien que en vez de devolverlas se quedara con ellas para negociarlas.

—Ya que[6] se van a hacer las cosas —concluyó Ana—, es mejor hacerlas bien hechas[7].

Desenterraron las bolas. Ana las envolvió en periódicos[8], cuidando de que el envoltorio no revelara la forma del contenido, y las guardó en el baúl.

—Es cosa de esperar[9] una ocasión —dijo.

Pero en espera de la ocasión transcurrieron dos semanas. La noche del 20 de agosto —dos meses después del asalto—, Dámaso encontró a don Roque sentado detrás del mostrador, sacudiéndose los zancudos con un abanico de palma. Su soledad[10] parecía más intensa con la radio apagada.

—Te lo dije —exclamó don Roque con un cierto alborozo[11] por el pronóstico cumplido—. Esto se fue al carajo[12].

---

1. **otro cigarrillo**: *une autre cigarette*. Pas d'article indéfini devant **otro**.

2. **la vaina**: ici *le hic*. Cf. p. 45, note 9 et p. 75, note 10.

3. **decidieron abandonar**: **decidir** se construit directement avec un infinitif.

4. **pendiente**: exactement, *en suspens*. C'est un adjectif. **La pendiente** veut dire: *la pente*.

5. **el riesgo de que las bolas fueran encontradas**: m. à m., *le risque que les boules fussent retrouvées*. La proposition étant complément du nom, elle est introduite par **de que**. Pour la forme passive avec **ser**, cf. p. 102, note 6.

6. **ya que**: *puisque*. Expression équivalente: *puesto que*.

7. **hacerlas bien hechas**: la répétition de **hacer** sous la forme du participe passé **hechas** est une redondance.

Il alluma une autre cigarette :

« Ça fait plusieurs jours que j'y pense. L'embêtement, c'est que je ne sais pas comment m'y prendre. »

Ils décidèrent d'abandonner les boules quelque part dans un lieu public. Par la suite, Ana pensa que le problème du billard était ainsi résolu mais que celui du nègre restait entier. La police pourrait donner plusieurs explications à la découverte sans pour autant acquitter l'homme. Ne risquait-on pas non plus que quelqu'un découvrît les boules et qu'au lieu de les rendre, il les gardât pour les vendre ?

« Puisqu'on pense agir, conclut Ana, autant le faire bien. »

Ils déterrèrent les boules. Ana les enveloppa dans des journaux, en faisant attention à ce que la forme du paquet ne révélât pas son contenu, puis elle le rangea dans la malle.

« Il n'y a plus qu'à attendre l'occasion », suggéra-t-elle.

Mais deux semaines passèrent et l'occasion ne s'était toujours pas présentée. Le 20 août au soir, deux mois après le cambriolage, Damaso trouva don Roque assis derrière son comptoir, en train de chasser les moustiques avec un éventail de feuilles de palmier. Son poste de radio éteint, il paraissait plus seul que jamais.

« Je te l'avais bien dit, s'écria don Roque en quelque sorte satisfait d'avoir vu juste. C'est la débâcle. »

---

8. **las envolvió en periódicos** : les personnages de Márquez utilisent souvent ce mode d'emballage, dans ***La siesta del martes*** et dans ***Crónica de una muerte anunciada*** où les couteaux de bouchers qui servirent au crime étaient enveloppés de cette façon.

9. **es cosa de esperar** : m. à m., *il s'agit d'attendre.* Cf. **es cuestión de...**, p. 79, note 6.

10. **su soledad** : le billard étant déserté, don Roque, veuf éploré, se retrouve seul. Cf. p. 77, note 11.

11. **un cierto alborozo** : *une certaine allégresse.*

12. **se fue al carajo** : *c'est foutu.* Argotique.

Dámaso puso una moneda en el tocadiscos automático. El volumen de la música y el sistema de colores del aparato le parecieron una ruidosa prueba de su lealtad[1]. Pero tuvo la impresión de que don Roque no lo advirtió[2]. Entonces acercó un asiento y trató de consolarlo con argumentos ofuscados que el propietario trituraba sin emoción, al compás[3] negligente de su abanico.

—No hay nada que hacer[4] —decía—. El campeonato de béisbol no podía durar toda la vida.

—Pero pueden aparecer las bolas.

—No aparecerán.

—El negro no pudo habérselas comido.

—La policía buscó por todas partes[5] —dijo don Roque con una certidumbre desesperante—. Las echó al río.

—Puede suceder un milagro[6].

—Déjate de ilusiones[7], hijo —replicó don Roque—. Las desgracias son como un caracol. ¿Tú crees en los milagros[8]?

—A veces —dijo Dámaso.

Cuando abandonó el establecimiento aún no habían salido del cine. Los diálogos enormes y rotos[9] del parlante resonaban en el pueblo apagado, y en las pocas casas que permanecían abiertas había algo de provisional. Dámaso erró un momento por los lados del cine. Después fue al salón de baile.

---

1. **una ruidosa prueba de su lealtad:** la mise en scène de Damaso simule la bonne conscience de celui qui n'a rien à se reprocher. Il déploie toute une stratégie qui tombe à plat. Cf. **Don Roque no lo advirtió.**

2. **no lo advirtió:** passé simple, 3ᵉ pers. de **advertir.**

3. **al compás:** *au rythme.* Syn.: **al ritmo.**

4. **no hay nada que hacer:** le patron est d'un fatalisme résigné; cette scène a son pendant à la dernière page de la nouvelle.

5. **por todas partes:** **por** indique le mouvement à travers un lieu; **en todas partes:** absence de mouvement.

6. **puede suceder un milagro: suceder:** *arriver;* **un suceso:** *un fait*

Damaso glissa une pièce dans le juke-box. Le tintamarre de la musique et les effets de couleurs de l'appareil étaient à ses yeux un témoignage criant de sa loyauté. Mais il lui sembla que don Roque ne s'apercevait de rien. Alors il approcha un siège et tâcha de le consoler en utilisant des arguments indignés que le propriétaire ruminait sans émotion, au rythme négligent de son éventail.

« Il n'y a plus rien à faire, disait-il. Le championnat de base-ball ne peut pas durer toute la vie.

— Mais on peut retrouver les boules.

— Impossible.

— Le nègre ne les a tout de même pas avalées.

— La police a cherché partout, fit don Roque avec une certitude désespérante. Il les a jetées dans le fleuve.

— Un miracle peut toujours se produire.

— Ne te fais pas d'illusions, mon garçon, répliqua don Roque. Les malheurs sont comme les escargots : ils tardent à venir, mais ils viennent. Tu y crois, toi, aux miracles ?

— Quelquefois », répondit Damaso.

Quand il quitta l'établissement les gens n'étaient pas encore sortis du cinéma. Les dialogues hurlants et fragmentaires du haut-parleur retentissaient dans le village mort, et les rares maisons encore ouvertes ne l'étaient certainement plus pour longtemps. Damaso erra un moment aux alentours du cinéma. Puis il se dirigea vers le dancing.

---

divers. Syn. : **acontecer, pasar, ocurrir**. Damaso prépare le terrain : la réapparition des boules serait le fait de la providence ; cf. p. 126.

7. **déjate de ilusiones** : m. à m., *arrête de te faire des illusions.* **Dejarse de** + un nom : *arrêter de* + un verbe + un complément d'objet direct ; ex., **déjate de tonterías.**

8. **tú crees en los milagros** : la préposition **en** est celle qui s'emploie avec **creer**.

9. **rotos** : *cassés, déchirés.* Participe passé irrégulier de **romper**.

La banda tocaba[1] por un solo cliente que bailaba con dos mujeres al tiempo[2]. Las otras, juiciosamente sentadas contra la pared, parecían a la espera de una carta[3]. Dámaso ocupó una mesa, hizo señal al cantinero de que le sirviera[4] una cerveza, y la bebió en la botella con breves pausas para respirar, observando como a través de un vidrio al hombre que bailaba con las dos mujeres. Era más pequeño que ellas[5].

A la medianoche llegaron las mujeres que estaban en el cine, perseguidas por un grupo de hombres. La amiga de Dámaso, que hacía parte[6] del grupo, abandonó a los otros y se sentó a su mesa.

Dámaso no la miró. Se había tomado media docena de cervezas y continuaba con la vista fija en el hombre que ahora bailaba con tres mujeres, pero sin ocuparse de ellas, divertido con las filigranas de sus propios pies. Parecía feliz, y era evidente que habría sido aún más feliz si además de las piernas y los brazos hubiera tenido una cola[7].

—No me gusta ese tipo[8] —dijo Dámaso.

—Entonces no lo mires[9] —dijo la muchacha.

Pidió un trago al cantinero. La pista comenzó a llenarse de parejas[10], pero el hombre de las tres mujeres siguió sintiéndose[11] solo en el salón. En una vuelta se encontró con la mirada de Dámaso, imprimió mayor dinamismo a su baile, y le mostró en una sonrisa sus dientecillos[12] de conejo.

---

1. **la banda tocaba** : *l'orchestre jouait ;* **tocar** : *jouer de la musique.*
2. **al tiempo** : ou **al mismo tiempo.**
3. **a la espera de una carta** : *dans l'attente d'une lettre.*
4. **de que le sirviera** : subordonnée au subjonctif après un verbe d'ordre.
5. **más pequeño que ellas** : on dit généralement : **más bajo.**
6. **hacía parte** : *faisait partie.* Cf. **formar parte.**
7. **habría sido más feliz si... hubiera tenido una cola** : condition irréelle du passé. La principale est au conditionnel passé, la subordonnée au plus-que-parfait du subjonctif.

L'orchestre ne jouait que pour un seul client qui dansait avec deux femmes en même temps. Les autres, sagement assises contre le mur, semblaient attendre le facteur. Damaso choisit une table, fit signe au garçon de lui apporter une bière qu'il but à même la bouteille, avec de courtes pauses, le temps de respirer ; il observait comme à travers une vitre le type qui dansait avec les deux femmes. L'homme était plus petit qu'elles.

A minuit, les filles qui étaient au cinéma entrèrent, poursuivies par un groupe d'hommes. L'amie de Damaso abandonna aussitôt ses compagnes pour venir s'asseoir à sa table.

Damaso ne la regarda pas. Il avait déjà ingurgité une demi-douzaine de bières et continuait à fixer le type qui dansait maintenant avec trois filles sans se soucier d'elles, amusé par les filigranes de ses propres pieds. Il semblait heureux et il était évident qu'il l'aurait été davantage si, en plus des pieds et des bras, il avait eu une traîne.

« Je n'aime pas ce type, opina Damaso.

— Alors, ne le regarde pas », dit la fille.

Il redemanda une bière au serveur. La piste se remplit de couples mais l'homme aux trois filles se sentait toujours aussi seul dans la salle.

Au moment où il faisait un tour sur lui-même, son regard croisa celui de Damaso et il mit alors plus de fougue à danser, lui montrant dans un sourire ses petites dents de lapin.

---

8. **ese tipo** : l'adjectif démonstratif a une valeur péjorative.

9. **no lo mires** : impératif négatif, 2e personne du singulier de **mirar.**

10. **parejas** : cf. page 86, note 7.

11. **siguió sintiéndose** : seguir + gérondif = action continue.

12. **dientecillos** : diminutif de **dientes.** Damaso, agacé par l'attitude narcissique de l'homme, cherche l'affrontement. C'est le départ de la scène classique de la bagarre de boîte de nuit.

Dámaso sostuvo la mirada[1] sin parpadear[2], hasta que el hombre se puso serio[3] y le volvió la espalda.

—Se cree muy alegre —dijo Dámaso.

—Es muy alegre —dijo la muchacha—. Siempre que[4] viene al pueblo coge la música por su cuenta[5], como todos los agentes viajeros[6].

Dámaso volvió hacia ella los ojos desviados[7].

—Entonces vete con él[8] —dijo—. Donde comen tres comen cuatro.

Sin replicar, ella apartó la cara hacia la pista de baile, tomando el trago a sorbos lentos. El traje amarillo pálido acentuaba su timidez.

Bailaron la tanda siguiente. Al final, Dámaso estaba tenso.

—Me estoy muriendo de hambre —dijo la muchacha, llevándolo por el brazo hacia el mostrador—. Tú también tienes que comer[9]. —El hombre alegre venía con las tres mujeres en sentido contrario.

—Oiga[10] —le dijo Dámaso.

El hombre le sonrió sin detenerse. Dámaso se soltó del brazo[11] de su compañera y le cerró el paso.

—No me gustan sus dientes[12].

El hombre palideció, pero seguía sonriendo[13].

—A mí tampoco[14] —dijo.

---

1. **sostuvo la mirada** : *il soutint son regard.* Passé simple irrégulier de **sostener** sur le modèle de **tener**.

2. **parpadear** : exactement, *ciller.* De **párpados** : *paupières.*

3. **se puso serio** : passé simple irrégulier de **ponerse**, un aspect de *devenir.*

4. **siempre que** : *chaque fois, toutes les fois que.*

5. **coge la música por su cuenta** : équivaut à : **paga la banda,** cf. page 87, note 11.

6. **los agentes viajeros** : également, et plus souvent, **los viajantes.**

7. **los ojos desviados** : curieusement, cette « coquetterie » dans le regard s'appliquait précédemment à la jeune fille (page 90).

8. **entonces vete con él** : agressivement jaloux, Damaso ne supporte pas que la fille puisse présenter « l'homme joyeux » avec une certaine sympathie.

110

Damaso le regarda sans sourciller, à tel point que l'homme redevint sérieux et lui tourna le dos.

« Il se prend pour un rigolo, commenta Damaso.

— C'en est un, dit la fille. Chaque fois qu'il vient ici, c'est lui qui paie l'orchestre, comme le font d'ailleurs tous les représentants. »

Damaso lui jeta un regard furibond.

« Dans ce cas, va-t'en avec lui. Quand il y en a pour trois il y en a pour quatre. »

Elle ne lui répondit pas mais tourna la tête en direction de la piste et but son verre à petites gorgées. Sa robe jaune pâle accentuait sa timidité.

Ils dansaient au tour suivant. La danse terminée, Damaso paraissait crispé.

« Je meurs de faim, dit la fille en l'entraînant par le bras jusqu'au comptoir. Toi aussi, tu dois manger. »

L'homme content de lui venait, avec les trois filles, dans l'autre sens.

« Eh! toi, là-bas! » appela Damaso.

L'homme lui sourit sans s'arrêter. Damaso lâcha le bras de son amie et lui barra la route.

« Je n'aime pas tes dents. »

L'homme pâlit tout en continuant de sourire.

« Moi non plus », répondit-il.

---

9. **tú también tienes que comer** : la compagne de Damaso essaie de le détourner de son intention de provoquer la bagarre ; en vain.

10. **oiga** : m. à m., *écoutez* (*allô* dans la conversation téléphonique).

11. **se soltó del brazo** : **soltar** est intransitif. Cf. aussi : **coger del brazo**.

12. **no me gustan sus dientes** : m. à m., *vos dents ne me plaisent pas* (**gustarle a uno una cosa**).

13. **seguía sonriendo** : *il continuait à sourire*.

14. **a mí tampoco** : réplique timorée de « l'homme content de lui » qui déclenche la réaction violente de Damaso.

Antes de que la muchacha pudiera impedirlo[1], Dámaso le descargó un puñetazo[2] en la cara y el hombre cayó sentado en el centro de la pista. Ningún cliente intervino. Las tres mujeres abrazaron a Dámaso por la cintura, gritando, mientras su compañera lo empujaba hacia el fondo del salón. El hombre se incorporaba con la cara descompuesta por la impresión. Saltó como un mono en el centro de la pista y gritó:

—¡Que siga la música[3]!

Hacia la dos, el salón estaba casi vacío, y las mujeres sin clientes empezaron a comer. Hacía calor. La muchacha llevó a la mesa un plato de arroz con fríjoles[4] y carne frita, y comió todo con una cuchara. Dámaso la miraba con una especie de estupor. Ella tendió hacia él una cucharada de arroz.

—Abre la boca.

Dámaso apoyó el mentón en el pecho y sacudió la cabeza.

—Eso es para las mujeres —dijo—. Los machos no comemos[5].

Tuvo que apoyar las manos en la mesa para levantarse. Cuando recobró el equilibrio[6] el cantinero estaba cruzado de brazos[7] frente a él.

—Son nueve con ochenta —dijo—. Este convento no es del gobierno.

Dámaso lo apartó.

—No me gustan los maricas[8] —dijo.

---

1. **antes de que la muchacha pudiera impedirlo** : *avant que la fille n'ait pu l'en empêcher*. **Pudiera** : imparfait du subjonctif de **poder**.

2. **un puñetazo** : **-azo** suffixe signifiant ici *un coup de* ; de **puño**, *poing*. Cf. page 84, note 4.

3. **que siga la música** : m. à m., *que la musique continue*. **Siga**, subjonctif présent de **seguir**.

4. **fríjoles** : ou **fréjoles**, des *haricots* en Amérique ; en Espagne, on les appelle aussi **judías**.

5. **los machos no comemos** : phrase caricaturale qui montre bien le caractère primaire du personnage et son besoin d'affirmer sa virilité.

Sans laisser à la fille le temps d'intervenir, Damaso lui envoya un coup de poing dans la figure et l'homme tomba assis au milieu de la piste. Aucun client ne s'en mêla. Les trois filles agrippèrent Damaso par la taille, en hurlant, tandis que sa compagne le poussait au fond de la salle. L'homme enfin se releva, le visage décomposé par l'émotion. Puis il bondit comme un singe au centre de la piste et s'écria :

« En avant la musique ! »

Vers deux heures du matin, la salle s'était presque vidée et les filles sans clients s'installèrent pour souper. Il faisait chaud. L'amie de Damaso posa sur la table une assiette de riz avec des haricots et de la viande grillée et se mit à manger avec une cuillère. Il la regardait avec une sorte de stupeur. Elle lui tendit une cuillerée de riz.

« Ouvre la bouche. »

Damaso appuya son menton contre sa poitrine et dit en secouant la tête :

« C'est bon pour les femmes. Nous les hommes, nous ne mangeons pas. »

Il dut appuyer les mains sur la table pour pouvoir se lever. Quand il retrouva son équilibre, le serveur se tenait devant lui, les bras croisés :

« Ça fait neuf pesos quatre-vingts. Ici, ce n'est pas l'Armée du Salut. »

Damaso le repoussa.

« Je n'aime pas les pédés », fit-il.

_____

6. **cuando recobró el equilibrio :** son état d'ébriété ne lui permet pas de se mettre debout facilement.

7. **estaba cruzado de brazos :** _avait les bras croisés._

8. **no me gustan los maricas :** cf. note 5. Damaso a une mentalité très fruste. Il se sent agressé par la seule présence d'un homme efféminé ; attitude révélatrice de celui que l'homosexualité dérange.

El cantinero lo agarró por la manga, pero a una señal[1] de la muchacha lo dejó pasar, diciendo:

—Pues no sabes lo que te pierdes[2].

Dámaso salió dando tumbos[3]. El brillo misterioso del río bajo la luna abrió una hendija[4] de lucidez en su cerebro. Pero se cerró en seguida[5]. Cuando vio la puerta de su cuarto, al otro lado del pueblo, Dámaso tuvo la certidumbre de haber dormido caminando. Sacudió la cabeza. De un modo confuso pero urgente se dio cuenta de que a partir de ese instante tenía que vigilar cada uno de sus movimientos[6]. Empujó la puerta con cuidado para impedir que crujieran los goznes[7].

Ana lo sintió registrando el baúl. Se volteó contra la pared para evitar la luz de la lámpara, pero luego se dio cuenta de que su marido no se estaba desvistiendo[8]. Un golpe de clarividencia la sentó en la cama. Dámaso estaba junto al baúl, con el envoltorio de las bolas y la linterna en la mano.

Se puso el índice en los labios.

Ana saltó de la cama. «Estás loco», susurró corriendo hacia la puerta. Rápidamente pasó la tranca. Dámaso se guardó la linterna en el bolsillo del pantalón junto con el cuchillito y la lima afilada, y avanzó hacia ella con el envoltorio apretado bajo el brazo. Ana apoyó la espalda contra la puerta.

—De aquí no sales mientras yo esté viva[9] —murmuró.

Dámaso trató de apartarla.

---

1. **a una señal**: *sur un signe.*
2. **no sabes lo que te pierdes**: cf. p. 86, le serveur défend ses options.
3. **dando tumbos**: exactement, *en cahotant.*
4. **hendija**: (Amérique): *fente, crevasse.* En Espagne: **rendija**.
5. **en seguida**: *aussitôt, tout de suite.*
6. **tenía que vigilar cada uno de sus movimientos**: Damaso doit faire des efforts pour garder le contrôle de lui-même, étant donné son état d'ébriété.

Le serveur le saisit par la manche mais la fille lui ayant fait signe de le laisser partir, il ajouta :

« Tu ne sais pas ce que tu perds ! »

Damaso sortit en titubant. L'éclat mystérieux du fleuve sous la lune ouvrit une brèche de lucidité dans son cerveau. Mais elle se referma vite. Au moment d'ouvrir la porte de sa chambre, là-bas, à l'autre bout du village, Damaso eut la certitude qu'il avait dormi en marchant. Il secoua la tête. D'une manière confuse mais urgente, il s'aperçut qu'à partir de cet instant il devait surveiller chacun de ses mouvements. Il poussa la porte délicatement sans la faire grincer.

Ana sentit qu'il fouillait dans la malle. Elle se retourna du côté du mur afin d'éviter la lumière de la lampe mais se rendit vite compte que son mari ne se déshabillait pas. Un éclair de perspicacité la fit s'asseoir sur son lit. Damaso était devant la malle, avec le paquet de boules et la lampe de poche à la main.

Il porta un doigt à ses lèvres.

Ana sauta hors du lit. « Tu es fou », murmura-t-elle en courant vers la porte. Elle mit rapidement la barre de sécurité. Damaso rangea la lampe dans la poche de son pantalon avec le couteau et la lime pointue, puis il s'avança vers elle, le paquet de boules bien serré sous le bras. Ana s'adossa à la porte.

« Tu ne sortiras pas d'ici tant que je serai vivante ! »

Damaso essaya de l'écarter.

---

7. **para impedir que crujieran los goznes** : *pour empêcher que les gonds ne grincent.* **Crujieran** est à l'imparfait du subjonctif pour concorder avec le passé simple de **empujó.**

8. **no se estaba desvistiendo** : *n'était pas en train de se déshabiller.* Forme progressive : **estar** + gérondif de **desvestirse.**

9. **mientras yo esté viva** : cf. p. 42, note 1 et p. 101, note 6.

—Quítate —dijo.

Ana se agarró[1] con las dos manos al marco de la puerta. Se miraron a los ojos sin parpadear.

—Eres un burro —murmuró Ana—. Lo que Dios te dio en ojos[2] te lo quitó en sesos.

Dámaso la agarró por el cabello, torció la muñeca y le hizo bajar la cabeza, diciendo con los dientes apretados:

—Te dije que te quitaras[3].

Ana lo miró de lado con el ojo torcido como el de un buey bajo el yugo. Por un momento se sintió invulnerable al dolor, y más fuerte que su marido, pero él siguió torciéndole el cabello[4] hasta que se le atragantaron las lágrimas.

—Me vas a matar el muchacho en la barriga —dijo.

Dámaso la llevó casi en vilo hasta la cama. Al sentirse libre, ella le saltó por la espalda, lo trabó con las piernas y los brazos, y ambos cayeron en la cama. Habían empezado a perder fuerzas por la sofocación.

—Grito —susurró Ana contra su oído—. Si te mueves me pongo a gritar.

Dámaso bufó en una cólera sorda, golpeándole las rodillas con el envoltorio de las bolas. Ana lanzó un quejido[5] y aflojó las piernas, pero volvió a abrazarse a su cintura para impedirle que llegara a la puerta. Entonces empezó a suplicar.

—Te prometo que yo misma las llevo mañana —decía—. Las pondré sin que nadie se dé cuenta[6].

---

1. **se agarró**: de *garras* qui veut dire *griffes*.

2. **lo que Dios te dio en ojos**: nouvelle référence au regard irrésistible de Damaso.

3. **te dije que te quitaras**: **dije,** passé simple irrégulier de **decir** à la 1re pers. La subordonnée qui suit un verbe d'ordre est introduite par **que** et est au subjonctif, imparfait ici pour la concordance.

4. **él siguió torciéndole el cabello**: seguir + gérondif: action continue. Damaso, tel qu'en lui-même, violent et sans égards pour sa femme enceinte. La scène est digne d'un film mélo où les personnages sont typés de la même façon: le voyou-beau-garçon-sans-cœur et la faible-femme-sans-défense-dominée et éperdument amoureuse.

116

« Va-t'en de là ! » dit-il.

Ana se cramponna aux montants de la porte, ils se regardèrent droit dans les yeux.

« Tu es une brute, murmura Ana. Ce que Dieu t'a mis dans les yeux, il te l'a enlevé du cerveau. »

Damaso l'agrippa par les cheveux, lui tordit le poignet et l'obligea à baisser la tête, en lui disant, les dents serrées :

« Je t'ai demandé de t'ôter de là. »

Ana le regarda du coin de l'œil, comme le fait un bœuf sous le joug. Pendant un instant elle se crut invulnérable à la douleur et plus forte que son mari, mais il tira si fort sur ses cheveux qu'elle suffoqua en avalant ses larmes.

« Tu vas tuer le petit que j'ai dans mon ventre », dit-elle.

Damaso la souleva et la jeta sur le lit. Se sentant libre, elle se rua sur son dos, l'enserra entre ses bras et ses jambes, et tous deux tombèrent sur le lit. Ils commencèrent à perdre leurs forces par manque de souffle.

« Je vais crier, lui murmura-t-elle à l'oreille. Si tu bouges, je crie. »

Tout haletant de colère sourde, Damaso la frappa aux genoux avec le paquet de boules. Ana gémit et relâcha les jambes mais elle le rattrapa par la taille pour l'empêcher d'atteindre la porte. Elle se mit à supplier :

« Je te promets que demain matin, j'irai moi-même les porter. Je les déposerai sans que personne ne s'en aperçoive. »

---

5. **un quejido** : *une plainte ;* de **quejarse** : *se plaindre.*

6. **las pondré sin que nadie se dé cuenta : pondré,** futur irrégulier de **poner,** 1re personne. Ana veut à tout prix empêcher son mari de se rendre au billard dans cet état.

Cada vez más cerca de la puerta, Dámaso le golpeaba las manos con las bolas. Ella lo soltaba por momentos mientras pasaba el dolor. Después lo abrazaba de nuevo y seguía suplicando[1].

—Puedo decir que fui yo —decía—. Así como estoy no pueden meterme en el cepo[2].

Dámaso se liberó.

—Te va a ver todo el pueblo —dijo Ana—. Eres tan bruto que no te das cuenta de que hay luna clara[3]. —Volvió a abrazarlo antes de que acabara de quitar la tranca. Entonces, con los ojos cerrados, lo golpeó en el cuello y en la cara, casi gritando : « Animal, animal ». Dámaso trató de protegerse, y ella se abrazó a la tranca y se la arrebató de las manos. Le lanzó un golpe a la cabeza. Dámaso lo esquivó, y la tranca sonó en el hueso de su hombro como un cristal.

—Puta[4] —gritó.

En ese momento no se preocupaba por no hacer ruido. La golpeó en la oreja[5] con el revés del puño, y sintió el quejido profundo y el denso impacto del cuerpo contra la pared, pero no miró. Salió del cuarto sin cerrar la puerta.

Ana permaneció en el suelo[6], aturdida por el dolor, y esperó a que algo ocurriera[7] en su vientre. Del otro lado de la pared la llamaron[8] con una voz que parecía de una persona enterrada. Se mordió los labios para no llorar. Después se puso en pie[9] y se vistió.

---

1. **seguía suplicando** : *elle continuait à supplier.*

2. **meterme en el cepo** : pourrait être traduit par : *m'envoyer au trou* ; **el cepo** : *le piège* (une torture).

3. **luna clara** : ou **luna llena**. La pleine lune est un élément non négligeable à ce moment du récit : elle a sans doute sa part de responsabilité dans la crise de violence non maîtrisée de Damaso (cf. p. 114). La lune par ailleurs sera présente jusqu'à la fin de la nouvelle.

4. **puta** : la violence de cette scène sordide complète le portrait de Damaso, voyou sans envergure.

5. **... la golpeó en la oreja...** : dans la plus pure tradition réaliste,

118

S'étant rapproché de la porte, Damaso lui donnait des coups sur les mains avec les boules. Elle le relâchait par à-coups, le temps de laisser passer la douleur. Puis elle l'enlaçait à nouveau, et le suppliait :

« Je dirai que c'est moi. Dans mon état, ils ne pourront rien me faire. »

Damaso se libéra.

« Tout le monde va te voir, dit Ana. Tu es tellement bête que tu ne t'es pas aperçu que c'est la pleine lune. »

Elle l'emprisonna dans ses bras avant qu'il pût enlever la barre. Soudain, les yeux fermés, elle le frappa au cou et au visage en criant : « Imbécile ! Imbécile ! » Damaso essaya de se protéger. Elle lui arracha la barre des mains et voulut lui en donner un coup sur la tête. Damaso put l'éviter mais la barre retentit sur son épaule avec un bruit de cristal.

« Putain ! » cria-t-il.

Il ne se souciait plus de ne pas faire de bruit. Il la frappa à l'oreille d'un revers du poing et entendit la plainte profonde et la lourde masse du corps cognant contre le mur. Mais il ne regarda pas. Il sortit de la chambre sans fermer la porte.

Ana, restée sur le sol, abasourdie par la douleur, pensait que quelque chose allait se produire dans son ventre. De l'autre côté du mur une voix l'appelait, qui paraissait surgir d'outre-tombe. Elle se mordit les lèvres pour ne pas pleurer. Puis elle se releva et s'habilla.

Márquez fait une description pointilleuse de la bagarre entre Damaso et sa femme.

6. **permaneció en el suelo** : *elle resta par terre.* Syn. : **se quedó**.

7. **a que algo ocurriera** : *que quelque chose se produise ;* **ocurrir** : syn. : **pasar, suceder, acontecer**.

8. **la llamaron** : *on l'appela ;* 3e personne du pluriel à valeur impersonnelle.

9. **se puso en pie** : m. à m., *elle se mit debout.*

No pensó —como no lo había pensado la primera vez[1]— que Dámaso estaba aún frente al cuarto, diciéndose que el plan había fracasado, y en espera de que ella saliera dando gritos[2]. Pero Ana cometió el mismo error por segunda vez: en lugar de[3] perseguir a su marido, se puso los zapatos[4], ajustó la puerta y se sentó en la cama a esperar[5].

Sólo cuando se ajustó la puerta comprendió Dámaso que no podía retroceder. Un alboroto de perros lo persiguió hasta el final de la calle, pero después hubo un silencio espectral. Eludió los andenes[6], tratando de escapar a sus propios pasos, que sonaban grandes y ajenos en el pueblo dormido. No tuvo ninguna precaución mientras no estuvo en el solar baldío, frente a la puerta falsa del salón de billar.

Este vez no tuvo que servirse de la linterna. La puerta sólo había sido reforzada[7] en el sitio de la argolla violada. Habían sacado un pedazo de madera del tamaño y la forma de un ladrillo, lo habían reemplazado por madera nueva, y habían vuelto a poner la misma argolla. El resto era igual. Dámaso tiró del candado[8] con la mano izquierda, metió el cabo de la lima en la raíz de la argolla que no había sido reforzada, y movió la lima varias veces como una barra de automóvil, con fuerza pero sin violencia, hasta cuando la madera cedió en una quejumbrosa explosión de migajas[9] podridas. Antes de empujar la puerta levantó la hoja desnivelada para amortiguar el rozamiento en los ladrillos del piso.

1. **como no lo había pensado la primera vez:** toute la fin du récit tend à suggérer que la scène du retour des boules au billard est la répétition à quelques différences près du vol de ces mêmes boules. Damaso attend une nouvelle intervention de sa femme pour renoncer à son projet, pour qu'elle le prenne en charge.

2. **en espera de que ella saliera dando gritos:** m. à m., *dans l'attente qu'elle sortît en poussant des cris.*

3. **en lugar de:** en vez de.

4. **se puso los zapatos:** le rapport de possession est exprimé par le pronom *se* au lieu du possessif français.

Elle ne pensa pas — pas plus qu'elle n'y avait pensé la première fois — que Damaso était encore devant la porte de la chambre, lui disant que le plan avait échoué, attendant de la voir sortir en poussant des cris. Elle commit donc la même erreur : au lieu de s'élancer à la poursuite de son mari, elle enfila ses chaussures, ferma la porte et se mit à attendre, assise sur le lit.

Quand il entendit le bruit de la porte, Damaso comprit qu'il ne pouvait plus revenir en arrière. Un vacarme de chiens le suivit jusqu'au bout de la rue, puis un silence lugubre retomba. Il évita les trottoirs, tâchant d'échapper à ses propres pas, qui résonnaient lourds et lointains dans le village endormi. Il ne prit aucune précaution avant d'arriver au terrain vague, devant la petite porte de la salle de billard.

Il n'eut pas, cette fois, à utiliser la lampe de poche. La porte avait été réparée seulement au niveau du piton arraché. On avait découpé un morceau de bois de la taille et de la forme d'une brique que l'on avait remplacé par du bois neuf et on avait revissé le piton. Le reste n'avait pas changé. Damaso, de la main gauche, tira sur le cadenas, introduisit la pointe de la lime dans l'extrémité du piton qui n'avait pas été renforcé, puis remua la lime à plusieurs reprises comme un cric de voiture, avec force mais sans violence, jusqu'au moment où le bois céda en une explosion plaintive d'esquilles pourries. Avant de pousser la porte il en souleva le battant affaissé afin d'amortir le frôlement sur le carrelage.

---

5. **se sentó en la cama a esperar :** cf. p. 49, note 9.

6. **los andenes :** *trottoirs* en Amérique ; *quais (de gare)* en Espagne où *trottoir* se dit **accra.**

7. **había sido reforzada :** passive avec **ser** cf. p. 102, note 6.

8. **tiró del candado :** le v. **tirar** s'emploie avec **de.**

9. **migajas :** m. à m., *miettes* (**migas**) ; pour le bois, les *éclats* ou *échardes* se disent **astillas.**

La entreabrió apenas. Por último[1] se quitó los zapatos[2], los deslizó[3] en el interior junto con el paquete de las bolas, y entró santiguándose en el salón anegado[4] de luna.

En primer término había un callejón[5] oscuro atiborrado[6] de botellas y cajones vacíos. Más allá, bajo el chorro de luna de la claraboya vidriada, estaba la mesa de billar, y luego el revés de los armarios, y al final las mesitas y las sillas parapetadas contra el revés de la puerta principal. Todo era igual a la primera vez[7], salvo el chorro de luna y la nitidez del silencio. Dámaso, que hasta ese momento había tenido que sobreponerse a la tensión de los nervios[8], experimentó una rara fascinación[9].

Esta vez no se cuidó de los ladrillos[10] sueltos. Ajustó la puerta con los zapatos, y después de atravesar[11] el chorro de luna encendió la linterna para buscar la cajita de las bolas detrás del mostrador. Actuaba sin prevención. Moviendo la linterna de izquierda a derecha vio un montón de frascos polvorientos, un par de estribos con espuelas, una camisa enrollada y sucia de aceite de motor, y luego la cajita de las bolas en el mismo lugar en que la había dejado. Pero no detuvo el haz de luz hasta el final. Allí estaba el gato[12].

El animal lo miró sin misterio a través de la luz. Dámaso lo siguió enfocando hasta que recordó con un ligero escalofrío que nunca lo había visto[13] en el salón durante el día.

---

1. **por último**: *en dernier lieu, enfin, finalement.*
2. **se quitó los zapatos**: cf. page 120, note 4.
3. **los deslizó**: synonyme, **los coló.**
4. **anegado**: a aussi le sens de *noyé.* **Anegar**, syn.: **ahogar.**
5. **callejón**: formé à partir de **calleja,** ce mot traduit généralement *ruelle, passage.* Cf. **un callejón sin salida,** *une impasse. Couloir* se dit **pasillo.**
6. **atiborrado**: *rempli, bourré.* Synonyme, **atestado.** *Plein* se dit **lleno.**
7. **todo era igual a la primera vez, salvo...**: cf. p. 120, note 1.

Il l'entrouvrit à peine. Puis il enleva ses chaussures, les glissa à l'intérieur avec le paquet de boules et pénétra en faisant le signe de croix dans le salon baigné de lune.

Au premier plan, il y avait un couloir obscur rempli de bouteilles et de cartons vides. Plus loin, sous le jet lunaire qui tombait de la verrière, se trouvaient le billard, puis les armoires retournées, puis les tables et les chaises barricadant la porte principale. Tout était comme la première fois, hormis le faisceau de lune et la limpidité du silence. Damaso, qui jusqu'alors avait dû contrôler ses nerfs, se sentit tout d'un coup la proie d'une étrange fascination.

Cette fois-ci, il ne fit pas attention au carrelage disjoint. Il coinça la porte avec ses chaussures et, après avoir traversé le jet de lune, alluma sa lampe de poche pour chercher la boîte à boules derrière le comptoir. Il agissait sans aucune précaution. En promenant sa lampe de droite à gauche, il vit un tas de bouteilles poussiéreuses, une paire d'étriers avec leurs éperons, une chemise enroulée et tachée de cambouis et, enfin, la boîte de boules au même endroit où il l'avait laissée. Mais il n'éteignit pas la lampe : le chat était là.

L'animal le regardait tranquillement à travers le faisceau de lumière. Damaso braqua sa lampe sur lui tout en se souvenant qu'il ne l'avait jamais aperçu dans le salon pendant la journée.

---

8. **sobreponerse a la tensión de los nervios :** littéralement **sobreponerse,** *surmonter.*

9. **experimentó una rara fascinación :** il se crée dans ce passage une atmosphère étrange qui s'apparente au fantastique : la pleine lune, le lieu rempli d'objets hétéroclites, la présence du chat (cf. page 52), la démarche même du personnage sont autant d'éléments qui rompent avec l'écriture réaliste des pages précédentes.

10. **no se cuidó de los ladrillos :** no se preocupó por los ladrillos.

11. **después de atravesar :** l'infinitif présent a la valeur d'un infinitif passé : **después de haber atravesado.**

12. **allí estaba el gato :** Damaso l'avait déjà vu la première fois. Cf. page 52.

13. **nunca lo había visto :** no lo había visto nunca.

Movió la linterna hacia adelante, diciendo: «Zape[1]», pero el animal permaneció impasible. Entonces hubo una especie de detonación silenciosa dentro de su cabeza y el gato desapareció por completo de su memoria[2]. Cuando comprendió lo que estaba pasando, ya había soltado la linterna y apretaba el paquete de las bolas contra el pecho. El salón estaba iluminado.

—¡Epa[3]!

Reconoció la voz de don Roque. Se enderezó lentamente, sintiendo un cansancio terrible en los riñones. Don Roque avanzaba desde el fondo del salón, en calzoncillos y con una barra de hierro en la mano, todavía ofuscado por la claridad. Había una hamaca colgada detrás de las botellas y los cajones vacíos, muy cerca de donde había pasado Dámaso al entrar[4]. También eso era distinto a la primera vez.

Cuando estuvo a menos de diez metros, don Roque dio un saltito[5] y se puso en guardia. Dámaso escondió la mano con el paquete. Don Roque frunció la nariz, avanzando la cabeza, para reconocerlo sin los anteojos.

—Muchacho —exclamó.

Dámaso sintió como si algo infinito hubiera por fin terminado[6]. Don Roque bajó la barra y se acercó con la boca abierta. Sin lentes y sin la dentadura postiza parecía una mujer.

—¿Qué haces aquí?

—Nada —dijo Dámaso. –

---

1. **zape** : interjection destinée à chasser un chat.

2. **el gato desapareció por completo de su memoria** : cf. p. 123, note 9 ; cette phrase participe aussi du climat fantastique : le chat est chassé hors de la mémoire de Damaso par « une détonation silencieuse » qui se produit à l'intérieur de son cerveau. Il faut signaler, par ailleurs, que la mémoire est une des préoccupations essentielles des romans de García Márquez.

3. **¡epa!** : *hé!* Cette interjection s'utilise en Amérique ; elle marque plutôt la surprise.

4. **al entrar** : *en entrant ; * **al** + infinitif exprime la simultanéité de deux actions.

Il le menaça en approchant la lampe : « Pschtt ! », dit-il, mais l'animal restait impassible. C'est alors qu'il se produisit une sorte de détonation silencieuse dans son cerveau et le chat disparut complètement de sa mémoire. Quand il comprit ce qui lui arrivait, il avait lâché la lampe et serrait le paquet de boules contre sa poitrine. La salle de billard était illuminée.

« Hep ! là-bas ! »

Il reconnut la voix de don Roque. Il se redressa lentement et sentit une douleur pénible dans les reins. Don Roque s'avançait du fond de la salle, en caleçon, une barre de fer à la main, encore tout ébloui par la lumière. Il y avait un hamac accroché derrière les bouteilles et les cartons vides, non loin de là où Damaso était passé en entrant. Ceci aussi était différent de la première fois.

Quand il se trouva à moins de dix mètres de distance, don Roque fit un petit saut et se mit en garde. Damaso cacha sa main avec le paquet. Don Roque fronça les narines et avança la tête pour tâcher de reconnaître sans ses lunettes le visiteur.

« Toi ! » s'écria-t-il.

Damaso sentit que quelque chose d'infini venait d'arriver à son terme. Don Roque laissa retomber la barre et s'approcha, la bouche ouverte. Sans ses lunettes et sans dentier, il ressemblait à une femme.

« Qu'est-ce que tu fais là ?

— Rien », répondit Damaso.

---

5. **dio un saltito :** *il fit un petit saut.* **Salto** s'emploie aussi avec le verbe **dar,** cf. page 59, note 10.

6. **como si algo infinito hubiera por fin terminado :** m. à m., *comme si quelque chose d'infini s'était enfin terminé ;* **como si** est suivi du subjonctif (imparfait ou plus-que-parfait).

Cambió de posición con un imperceptible movimiento del cuerpo.

—¿Qué llevas ahí? —preguntó don Roque.

Dámaso retrocedió.

—Nada —dijo.

Don Roque se puso rojo[1] y empezó a temblar.

—¿Qué llevas ahí? —gritó, dando un paso hacia adelante con la barra levantada. Dámaso le dio el paquete. Don Roque lo recibió con la mano izquierda, sin descuidar la guardia[2], y lo examinó con los dedos. Sólo entonces comprendió.

—No puede ser[3] —dijo.

Estaba tan perplejo, que puso la barra sobre el mostrador y pareció olvidarse[4] de Dámaso mientras abría el paquete. Contempló las bolas en silencio.

—Venía a ponerlas otra vez —dijo Dámaso.

—Por supuesto[5] —dijo don Roque.

Dámaso estaba lívido. El alcohol lo había abandonado por completo, y sólo le quedaba un sedimento terroso en la lengua y una confusa sensación de soledad[6].

—Así que éste era el milagro[7] —dijo don Roque, cerrando el paquete—. No puedo creer que seas tan bruto.

Cuando levantó la cabeza había cambiado de expresión.

—¿Y los doscientos pesos?

—No había nada en la gaveta[8] —dijo Dámaso.

---

1. **se puso rojo**: **ponerse** est une traduction du verbe *devenir*. Il est utilisé avec des adjectifs qui indiquent un état physique ou psychologique pour exprimer un changement rapide et passager subi par le sujet: **ponerse nervioso, pálido, furioso**. Cf. page 110, note 3.

2. **sin descuidar la guardia**: m. à m., *sans abandonner la garde*. **Descuidar**, *négliger*.

3. **no puede ser**: *ce n'est pas possible*.

4. **olvidarse de Dámaso**: le verbe a une double construction: **olvidar a Dámaso** est possible aussi.

5. **por supuesto**: synonymes: **desde luego, claro**.

6. **sólo le quedaba un sedimento terroso en la lengua y una confusa**

Il changea de position en remuant légèrement le corps.

« Qu'est-ce que tu tiens là ? » demanda don Roque.

Damaso recula.

« Rien », répondit-il.

Don Roque devint tout rouge et se mit à trembler.

« Qu'est-ce que tu tiens là ? » cria-t-il en s'avançant d'un pas, la barre levée.

Damaso lui remit le paquet. Don Roque le prit de la main gauche, toujours sur ses gardes, et le palpa. Tout à coup, il comprit.

« Ce n'est pas vrai », s'exclama-t-il.

Il était si étonné qu'il posa la barre sur le comptoir ; il paraissait avoir oublié Damaso pendant qu'il ouvrait le paquet. Il contempla les boules en silence.

« Je venais les remettre, dit Damaso.

— Bien sûr », fit don Roque.

Damaso était blanc comme un linge. La sensation de l'alcool avait complètement disparu et seules demeuraient une espèce de dépôt terreux sur la langue et une impression confuse de solitude.

« Donc, c'était ça, le miracle, dit don Roque en refermant le paquet. Je ne peux pas croire que tu sois aussi con. »

Quand il releva la tête, il avait changé d'expression.

« Et les deux cents pesos ?

— Il n'y avait rien dans le tiroir-caisse », répondit Damaso.

---

sensación de soledad : effet de style qui consiste à mettre dans la même phrase et sur le même plan une notion concrète (le relent d'alcool) et une notion abstraite (le sentiment de solitude). Cette figure s'appelle un zeugme.

7. **así que éste era el milagro :** cf. p. 106, Damaso avait en effet évoqué une réapparition miraculeuse des boules mais le « miracle » a été interrompu par l'intervention de don Roque.

8. **no había nada en la gaveta :** cf. pp. 50, 52, 64.

Don Roque lo miró pensativo, masticando en el vacío, y después sonrió[1].

—No había nada —repitió varias veces—. De manera que no había nada[2].

Volvió a agarrar la barra, diciendo:

—Pues ahora mismo le vamos a echar ese cuento[3] al alcalde.

Dámaso se secó en los pantalones el sudor de las manos.

—Usted sabe que no había nada.

Don Roque siguió sonriendo[4].

—Había doscientos pesos —dijo—. Y ahora te los van a sacar del pellejo[5], no tanto por ratero como por bruto[6].

---

1. **sonrió** : passé simple de **sonreír,** sur le modèle de **reír.**
2. **de manera que no había nada** : *alors comme ça, il n'y avait rien.* Don Roque a un ton très sceptique.
3. **echar ese cuento** : **echar** est parfois synonyme de **decir** ou **contar.**
4. **siguió sonriendo** : **seguir** + gérondif = *continuer à...*
5. **te los van a sacar del pellejo** : m. à m., *on va te les sortir de la peau.* **El pellejo** désigne la peau des animaux ou celle de certains fruits ; ce

Don Roque le regarda, pensif, tout en mâchonnant le vide. Puis il sourit.

« Ah! il n'y avait rien, répéta-t-il plusieurs fois. Non, vraiment, il n'y avait rien. »

Il empoigna à nouveau la barre en disant :

« Eh bien, nous allons immédiatement raconter cette histoire au maire! »

Damaso essuya la sueur de ses mains à son pantalon.

« Vous le savez bien qu'il n'y avait rien. »

Don Roque souriait toujours.

« Il y avait deux cents pesos, insista-t-il. Et on va te les sortir coûte que coûte, non parce que tu es un voleur mais parce que tu n'es qu'un pauvre con! »

---

mot s'emploie pour les personnes dans des expressions où elle a toujours un sens figuré : par ex., **salvar el pellejo, dejar el pellejo, defender el pellejo**...

6. **no tanto por ratero como por bruto** : m. à m., *non pas tant parce que tu es un voleur que parce que tu es un imbécile.* **Tanto... como** est la corrélation du comparatif d'égalité. **Por** a une valeur causale et peut introduire directement un adjectif.

LA PRODIGIOSA TARDE DE
BALTAZAR

LE MERVEILLEUX APRÈS-MIDI DE BALTHAZAR

La jaula estaba terminada[1]. Baltazar la colgó en el alero, por la fuerza de la costumbre, y cuando acabó de almorzar ya se decía por todos lados que era la jaula más bella del mundo[2]. Tanta gente vino a verla, que se formó un tumulto frente a la casa, y Baltazar tuvo que descolgarla y cerrar la carpintería.

—Tienes que afeitarte —le dijo Úrsula[3], su mujer—. Pareces un capuchino.

—Es malo afeitarse[4] después del almuerzo —dijo Baltazar.

Tenía una barba de dos semanas, un cabello corto, duro y rapado como las crines de un mulo, y una expresión general de muchacho asustado. Pero era una expresión falsa. En febrero había cumplido 30 años, vivía con Úrsula desde hacía cuatro, sin casarse y sin tener hijos, y la vida le había dado muchos motivos para estar alerta[5], pero ninguno para estar asustado. Ni siquiera[6] sabía que para algunas personas, la jaula que acababa de hacer[7] era la más bella del mundo. Para él, acostumbrado a hacer jaulas desde niño[8], aquel había sido apenas un trabajo más arduo que los otros.

—Entonces repósate[9] un rato —dijo la mujer—. Con esa barba no puedes presentarte en ninguna parte[10].

Mientras reposaba tuvo que abandonar la hamaca[11] varias veces para mostrar la jaula a los vecinos. Úrsula no le había prestado atención hasta entonces.

---

1. **estaba terminada**: **terminado, acabado** ne s'emploient qu'avec **estar**.

2. **la jaula más bella del mundo**: le superlatif absolu en position d'épithète ne répète pas l'article ; par contre, cf. plus bas : **la jaula... era la más bella del mundo.** La nouvelle démarre sur un ton de conte de fées ou de conte pour enfants.

3. **Úrsula**: prénom de la protagoniste de *Cien años de soledad.*

4. **es malo afeitarse...**: **es** + adjectif + infinitif construit directement sans **de.**

5. **alerta**: (adverbe) = *sur ses gardes.*

6. **ni siquiera**: *même pas ;* devant le verbe supprime la négation.

La cage était terminée. Balthazar la suspendit à l'auvent, machinalement, et quand il eut fini de déjeuner on racontait déjà partout que c'était la cage la plus belle du monde. Tant de gens étaient venus la voir qu'il s'était formé un beau charivari devant la maison ; aussi Balthazar dut-il décrocher son œuvre et fermer la menuiserie.

« Tu ferais bien de te raser, lui dit Ursula, sa femme. Tu ressembles à un capucin.

— Il n'est pas bon de se raser après déjeuner », dit Balthazar.

Il avait une barbe de deux semaines, les cheveux courts, durs et raides comme les crins d'un mulet, et avec cela un air de garçon apeuré. Mais c'était une fausse apparence. Il avait fêté ses trente ans en février, vivait avec Ursula depuis quatre ans, librement et sans enfants, et la vie lui avait apporté bien des raisons d'être vigilant mais non d'avoir peur. Il ne savait même pas que pour certaines personnes la cage qu'il venait de construire était la plus belle du monde. Pour lui, habitué à en fabriquer depuis son enfance, il s'était simplement agi d'un travail un peu plus difficile que les autres.

« Alors, repose-toi un moment, dit la femme. Avec cette barbe, tu ne peux aller nulle part. »

Pendant qu'il faisait la sieste il dut à plusieurs reprises se lever de son hamac pour aller montrer la cage aux voisins. Ursula, jusqu'alors, ne l'avait pas regardée.

---

7. **que acababa de hacer :** *qu'il venait de faire ;* **acabar de :** *venir de /* **acabar :** *finir, terminer.*

8. **desde niño :** m. à m., *depuis qu'il était enfant.*

9. **repósate :** syn. : *descansa.*

10. **en ninguna parte :** ou **en ningún sitio ;** la préposition change selon le verbe. Ex. : **no voy a ningún sitio.**

11. **la hamaca :** mot féminin en espagnol.

Estaba disgustada[1] porque su marido había descuidado el trabajo de la carpintería para dedicarse por entero a la jaula[2], y durante dos semanas había dormido mal, dando tumbos y hablando disparates, y no había vuelto a pensar en afeitarse. Pero el disgusto se disipó ante la jaula terminada. Cuando Baltazar despertó de la siesta, ella le había planchado los pantalones y una camisa, los había puesto en un asiento junto a la hamaca, y había llevado la jaula a la mesa del comedor. La contemplaba en silencio.

—¿Cuánto vas a cobrar[3]? —preguntó.

—No sé —contestó Baltazar—. Voy a pedir treinta pesos para ver si me dan veinte.

—Pide cincuenta —dijo Úrsula—. Te has trasnochado mucho[4] en estos quince días. Además, es bien grande. Creo que es la jaula más grande que he visto en mi vida.

Baltazar empezó a afeitarse.

—¿Crees que me darán los cincuenta pesos?

—Eso no es nada para don Chepe Montiel[5], y la jaula los vale —dijo Úrsula—. Debías pedir sesenta[6].

La casa yacía en una penumbra sofocante. Era la primera semana de abril y el calor parecía menos soportable[7] por el pito de las chicharras. Cuando acabó de vestirse, Baltazar abrió la puerta del patio para refrescar la casa, y un grupo de niños entró en el comedor.

---

1. **estaba disgustada** : *elle était contrariée ; **el disgusto / el asco** : le dégoût.*

2. **para dedicarse por entero a la jaula...** : la cage est une véritable œuvre d'art et comme telle, elle exige de son créateur qu'il s'y consacre pleinement, le temps de sa construction.

3. **¿cuánto vas a cobrar?** : m. à m., *combien vas-tu toucher ou en demander?*

4. **te has trasnochado mucho** : *tu t'es couché très tard.*

5. **eso no es nada para don Chepe Montiel** : c'est le riche du village qui a accumulé une immense fortune en s'alliant au pouvoir et en dépossédant ses concitoyens. cf. *La viuda de Montiel,* p. 168 et 170.

6. **debías pedir sesenta** : imparfait de l'indicatif à valeur de conditionnel. Ursula représente le personnage féminin tel que le conçoit

Elle n'était pas contente de voir son mari négliger le travail de la menuiserie pour se consacrer à cette cage. Pendant deux semaines, il avait mal dormi, faisant des bonds et débitant des sornettes, et ne pensant même plus à se raser. Mais elle oublia ses griefs une fois la cage terminée. Lorsque Balthazar se réveilla, elle lui avait repassé son pantalon et une chemise qu'elle avait posés sur une chaise près du hamac ; elle avait aussi emporté la cage sur la table de la salle à manger. Elle la contemplait en silence :

« Combien vas-tu la vendre ?

— Je ne sais pas, répondit Balthazar. Je pense demander trente pesos pour voir si on m'en donnera vingt.

— Demandes-en cinquante. Tu as travaillé très tard ces quinze derniers jours. Et puis, la cage est grande. Je crois que c'est la plus grande que j'ai jamais vue de ma vie. »

Balthazar se mit à se raser.

« Tu crois qu'on m'en donnera cinquante ?

— Pour don Chepe Montiel, c'est une broutille. Et la cage les vaut. Tu devrais en demander soixante. »

La maison gisait dans une étouffante pénombre. C'était la première semaine d'avril et le sifflet des cigales rendait la chaleur moins supportable. Une fois habillé, Balthazar ouvrit la porte de la cour pour rafraîchir un peu la maison et, aussitôt, un groupe d'enfants entra dans la salle à manger.

Márquez : solide et du côté de la réalité, en opposition avec l'homme inconsistant et rêveur.

7. **el calor parecía menos soportable** : référence à la chaleur oppressante, thème constant chez Márquez.

La noticia se había extendido. El doctor Octavio Giraldo[1], un médico viejo, contento de la vida pero cansado de la profesión, pensaba en la jaula[2] de Baltazar mientras almorzaba con su esposa inválida. En la terraza interior donde ponían la mesa en los días de calor, había muchas macetas con flores y dos jaulas con canarios.

A su esposa le gustaban los pájaros[3], y le gustaban tanto que odiaba a los gatos porque eran capaces de comérselos[4]. Pensando en ella, el doctor Giraldo fue esa tarde a visitar a un enfermo, y al regresó pasó por la casa de Baltazar a conocer la jaula[5].

Había mucha gente en el comedor. Puesta en exhibición sobre la mesa, la enorme cúpula de alambre con tres pisos interiores, con pasadizos y compartimientos especiales para comer y dormir, y trapecios en el espacio reservado al recreo de los pájaros, parecía el modelo reducido de una gigantesca fábrica de hielo[6]. El médico la examinó cuidadosamente, sin tocarla, pensando que en efecto aquella jaula era superior a su propio prestigio, y mucho más bella de lo que había soñado[7] jamás para su mujer.

—Esto es una aventura de la imaginación —dijo. Buscó a Baltazar en el grupo, y agregó, fijos en él sus ojos maternales—: Hubieras sido[8] un extraordinario arquitecto.

Baltazar se ruborizó.

—Gracias —dijo.

---

1. **el doctor Octavio Giraldo**: en lui donnant un nom, Márquez lui donne une consistance humaine, bien qu'il ne joue pas un grand rôle dans la nouvelle. C'est aussi le médecin de ***La Mala hora***.

2. **pensaba en la jaula**: pensar se construit toujours avec la préposition **en**; cf. plus bas: **pensaba en ella.**

3. **a su esposa le gustaban los pájaros**: construction du verbe **gustar.**

4. **comérselos**: les deux pronoms sont soudés après l'infinitif.

5. **conocer la jaula**: la cage se visite et se décrit comme un monument.

La nouvelle s'était répandue. Le docteur Octavio Giraldo, un vieux médecin, heureux de vivre mais fatigué de diagnostiquer, pensait à la cage de Balthazar tout en déjeunant avec son épouse impotente. Sur la terrasse intérieure où ils dressaient la table les jours de chaleur, se trouvaient de nombreux pots de fleurs et deux cages avec des serins.

Sa femme aimait les oiseaux, à tel point qu'elle détestait les chats qui pouvaient venir les croquer. En pensant toujours à la cage, le docteur Giraldo fit une visite, cet après-midi-là, à un malade et, au retour, passa la voir chez Balthazar.

Il y avait beaucoup de monde dans la salle à manger. En exposition sur la table, l'énorme coupole de fil de fer avec ses trois étages, ses corridors et ses compartiments spéciaux pour dormir et pour manger, avec aussi ses trapèzes dans l'espace réservé aux réjouissances des oiseaux, ressemblait à une énorme usine à glace en miniature. Le médecin la détailla, sans la toucher, et pensa qu'en effet cette cage dépassait et de loin sa propre renommée ; elle était beaucoup plus belle qu'il ne l'avait rêvé pour son épouse.

« C'est un chef-d'œuvre de l'imagination », dit-il. Il chercha Balthazar dans le groupe et ajouta, en le couvant d'un regard maternel : « Tu aurais fait un architecte extraordinaire.

— Merci, dit Balthazar en rougissant.

---

6. **una gigantesca fábrica de hielo** : la glace appartient au monde narratif de l'auteur. C'est d'abord un souvenir d'enfance : son grand-père fit ouvrir une boîte de daurades congelées pour lui montrer la glace ; elle apparaît aussi dans la première phrase de *Cien años de soledad*.

7. **mucho más bella de lo que había soñado** : *plus belle qu'il ne l'avait rêvée. Plus (moins)... que...* se traduit par **más (menos)... de lo que...**

8. **hubieras sido...** : **habrías sido** : *tu aurais été.*

—Es verdad —dijo el médico. Tenía una gordura lisa y tierna como la de una mujer[1] que fue hermosa en su juventud, y unas manos delicadas. Su voz parecía la de un cura hablando en latín—. Ni siquiera será necesario ponerle pájaros[2] —dijo, haciendo girar la jaula frente a los ojos del público, como si la estuviera vendiendo[3]—. Bastará con colgarla[4] entre los árboles para que cante sola. —Volvió a ponerla en la mesa, pensó un momento, mirando la jaula, y dijo:

—Bueno, pues me la llevo[5].

—Está vendida —dijo Úrsula.

—Es del hijo de don Chepe Montiel —dijo Baltazar—. La mandó a hacer[6] expresamente.

El médico asumió una actitud respetable.

—¿Te dio el modelo?

—No —dijo Baltazar—. Dijo que quería una jaula grande, como esa, para una pareja de turpiales.

El médico miró la jaula.

—Pero esta no es para turpiales[7].

—Claro que sí, doctor —dijo Baltazar, acercándose a la mesa[8]. Los niños lo rodearon—. Las medidas están bien calculadas —dijo, señalando con el índice los diferentes compartimientos. Luego golpeó la cúpula con los nudillos, y la jaula se llenó de acordes profundos[9].

---

1. **tenía una gordura lisa... como la de una mujer**: *il avait une rondeur lisse comme celle d'une femme.*

2. **ni siquiera será necesario ponerle pájaros**: *on n'aura même pas besoin d'y mettre des oiseaux.* Construction de **es necesario** + infinitif.

3. **como si la estuviera vendiendo**: **como si** est suivi de l'imparfait du subjonctif. Le médecin, après avoir flatté Balthazar, fait maintenant l'article de la cage qu'il souhaite lui-même acheter.

4. **bastará con colgarla**: **bastar** se construit avec **con**.

5. **me la llevo**: le pronom réfléchi intensifie l'action.

6. **la mandó a hacer**: ou **la mandó hacer** (plus fréquent), m. à m. *il me l'a fait faire.*

7. **esta no es para turpiales**: avec une certaine mauvaise foi, le médecin essaie de persuader Balthazar qu'il n'a aucun engagement par

— C'est la vérité », dit le médecin. Il avait une rondeur douce et lisse comme une femme qui a été belle dans sa jeunesse. Ses mains étaient délicates. Sa voix ressemblait à celle d'un curé parlant en latin :

« Ce ne sera même pas la peine d'y mettre des oiseaux, ajouta-t-il, en faisant tourner la cage sous les yeux du public, comme s'il était en train de la vendre. Il suffira de l'accrocher parmi les arbres pour qu'elle chante toute seule. » Il la reposa sur la table, réfléchit durant un moment, la regarda à nouveau et dit :

« Bon, eh bien je l'emporte.

— Elle est vendue, dit Ursula.

— C'est pour le fils de don Chepe Montiel, dit Balthazar. Une commande spéciale. »

Le médecin prit un air important.

« Il t'avait fourni le modèle ?

— Non. Il m'a dit qu'il voulait une grande cage pour un couple de troupiales. »

Le médecin regarda la cage.

« Mais celle-ci n'est pas faite pour des troupiales.

— Bien sûr que si, docteur », dit Balthazar, en s'approchant de la table. — Les enfants l'entourèrent. — « Les mesures sont bonnes », dit-il en montrant de l'index les différents compartiments. — Puis il frappa la coupole avec ses jointures et la cage se remplit de profonds accords.

---

rapport à cette cage. Le troupiale est un oiseau exotique *qui vit en troupes et bâtit des nids aussi remarquables que ceux du tisserin* (définition du Robert).

8. **acercándose a la mesa : acercarse** s'emploie avec **a.**
9. **de acordes profundos :** la cage est un instrument de musique.

—Es el alambre más resistente que se puede encontrar, y cada juntura está soldada por dentro y por fuera[1] —dijo.

—Sirve hasta para un loro[2] —intervino uno de los niños.

—Así es[3] —dijo Baltazar.

El médico movió la cabeza.

—Bueno, pero no te dio el modelo —dijo—. No te hizo ningún encargo preciso, aparte de que fuera una jaula grande[4] para turpiales. ¿No es así?

—Así es —dijo Baltazar.

—Entonces no hay problema —dijo el médico—. Una cosa es una jaula grande para turpiales y otra cosa es esta jaula. No hay pruebas de que sea esta la que te mandaron hacer[5].

—Es esta misma —dijo Baltazar, ofuscado—. Por eso[6] la hice.

El médico hizo un gesto de impaciencia.

—Podrías hacer otra —dijo Úrsula, mirando a su marido. Y después, hacia el médico—: Usted no tiene apuro[7].

—Se la prometí a mi mujer para esta tarde —dijo el médico.

—Lo siento mucho[8], doctor —dijo Baltazar—, pero no se puede vender una cosa que ya está vendida.

El médico se encogió de hombros. Secándose el sudor del cuello con un pañuelo, contempló la jaula en silencio, sin mover la mirada de un mismo punto indefinido, como se mira un barco que se va.

---

1. **cada juntura está soldada por dentro y por fuera**: m. à m. *chaque jointure est soudée à l'intérieur et à l'extérieur.* L'artisan est fier de la qualité exceptionnelle de son ouvrage.

2. **sirve hasta para un loro**: servir s'emploie avec **para.**

3. **así es**: m. à m. *c'est ainsi, c'est cela même.*

4. **no te hizo ningún encargo... aparte de que fuera una jaula grande**: m. à m., *il ne t'a fait aucune commande précise si ce n'est que ce soit une grande cage.* **Fuera** est l'imparfait du subjonctif de **ser,** en concordance avec le passé simple **hizo** de la principale.

« C'est le fil de fer le plus résistant que l'on puisse trouver, et chaque barreau est soudé à l'intérieur et à l'extérieur, dit-il.

— Elle pourrait même servir à un perroquet, intervint un des enfants.

— C'est juste », dit Balthazar.

Le médecin remua la tête :

« Bon, mais il ne t'a pas donné de modèle. Il ne t'a rien demandé de précis si ce n'est qu'elle ait la grandeur voulue pour abriter des troupiales, c'est ça ?

— C'est ça, dit Balthazar.

— Donc il n'y a aucun problème, dit le médecin. Une grande cage pour des troupiales est une chose et cette cage en est une autre. Rien ne prouve que c'est bien celle-ci qu'il t'a commandée.

— C'est celle-ci, affirma Balthazar, choqué. C'est pour cette raison que je l'ai faite. »

Le médecin eut un geste d'impatience.

« Tu pourrais en faire une autre », dit Ursula en regardant son mari. — Puis elle s'adressa au médecin : — « Vous n'êtes pas pressé.

— Je l'ai promise à ma femme pour cet après-midi, dit le médecin.

— Je regrette beaucoup, docteur, dit Balthazar. Mais on ne peut pas vendre une chose qui est déjà vendue. »

Le médecin haussa les épaules. Il éponga la sueur de son cou avec un mouchoir, contempla la cage en silence, sans écarter les yeux d'un vague point, comme quelqu'un qui regarde un bateau qui s'éloigne.

---

5. **no hay pruebas de que sea esta la que te mandaron hacer** : dans la tournure redondante, le sujet est repris sous la forme d'un pronom relatif : **es esta la que** ; **fui yo quien**, etc.

6. **por eso** : *c'est pour cela, c'est pourquoi.*

7. **no tiene apuro** : (Amér.), en Esp. **tener prisa.**

8. **lo siento mucho** : Balthazar a un grand sens de la parole donnée, malgré l'insistance du médecin.

—¿Cuánto te dieron por ella[1]?

Baltazar buscó a Úrsula sin responder.

—Sesenta pesos —dijo ella.

El médico siguió mirando[2] la jaula.

—Es muy bonita —suspiró—. Sumamente bonita.

Luego, moviéndose hacia la puerta, empezó a abanicarse con energía, sonriente, y el recuerdo de aquel episodio desapareció para siempre de su memoria[3].

—Montiel es muy rico —dijo.

En verdad, José Montiel no era tan rico como parecía[4], pero había sido capaz de todo por llegar a serlo[5]. A pocas cuadras[6] de allí, en una casa atiborrada de arneses donde nunca se había sentido un olor que no se pudiera vender[7], permanecía indiferente a la novedad de la jaula. Su esposa, torturada por la obsesión de la muerte[8], cerró puertas y ventanas después del almuerzo y yació dos horas con los ojos abiertos en la penumbra del cuarto, mientras José Montiel hacía la siesta. Así la sorprendió un alboroto de muchas voces. Entonces abrió la puerta de la sala y vio un tumulto frente a la casa, y a Baltazar con la jaula en medio del tumulto, vestido de blanco y acabado de afeitar, con esa expresión de decoroso candor[9] con que los pobres llegan a la casa de los ricos.

—Qué cosa tan maravillosa[10] —exclamó la esposa de José Montiel, con una expresión radiante, conduciendo a Baltazar hacia el interior—.

---

1. **¿cuánto te dieron por ella?**: m. à m. *combien t'ont-ils donné pour elle?* **Por** s'emploie pour le prix.

2. **siguió mirando**: seguir + gérondif, action continue.

3. **el recuerdo de aquel episodio desapareció para siempre de su memoria**: phénomène curieux que celui de la mémoire des personnages de Márquez; préoccupation constante de l'auteur en relation avec sa conception du temps et de l'histoire.

4. **tan rico como parecía**: **tan** (+ adjectif ou adverbe)... **como** sont les éléments pour former le comparatif d'égalité.

5. **por llegar a serlo**: **por** peut remplacer **para** pour exprimer la finalité.

142

« Combien t'ont-ils donné ? »

Balthazar ne répondit pas et chercha Ursula.

« Soixante pesos », dit-elle.

Le médecin regardait toujours la cage.

« Elle est très belle, soupira-t-il. Extrêmement belle. »

Puis il alla vers la porte, s'éventa avec vigueur, sourit, et le souvenir de cet épisode disparut à jamais de son esprit.

« Montiel est très riche », dit-il.

En vérité, José Montiel n'était pas aussi riche qu'il le paraissait, mais il avait été capable de tout pour le devenir. A quelques trottoirs de là, dans une maison bourrée de tout un attirail et où on n'avait jamais respiré aucune odeur qui ne pût être commercialisée, il restait indifférent à la nouveauté de la cage. Sa femme, torturée par l'idée fixe de la mort, avait fermé portes et fenêtres après le déjeuner et s'était étendue pendant deux heures, les yeux ouverts, dans la pénombre de la chambre pendant que José Montiel faisait sa sieste. C'est ainsi que le brouhaha la surprit. Elle ouvrit alors la porte de la salle, aperçut la cohue devant son domicile et Balthazar avec sa cage au beau milieu, vêtu de blanc, rasé de frais, montrant cet air de candeur exquise que prennent les pauvres pour entrer chez les gens riches.

« Quelle merveille ! » s'écria la femme de José Montiel qui, radieuse, entraîna Balthazar vers l'intérieur de la maison.

---

6. **cuadras** : (Amér.) *pâtés de maisons ;* en Espagne : **manzanas de casas.**

7. **nunca se había sentido un olor que no se pudiera vender** : image forte pour évoquer le sens mercantile très développé de José Montiel.

8. **torturada por la obsesión de la muerte** : cf. *La viuda de Montiel.*

9. **decoroso candor** : *candeur digne,* de **el decoro** : *respect, dignité retenue.* À ne pas confondre avec **el decorado** : *le décor.*

10. **qué cosa tan maravillosa** : dans la phrase exclamative on emploie **tan** ou **más** devant l'adjectif.

No había visto nada igual en mi vida —dijo, y agregó, indignada con la multitud que se agolpaba en la puerta—: Pero llévesela[1] para adentro que nos van a convertir[2] la sala en una gallera[3].

Baltazar no era un extraño en la casa de José Montiel. En distintas ocasiones, por su eficacia y buen cumplimiento[4], había sido llamado para hacer trabajos de carpintería menor. Pero nunca se sintió bien entre los ricos. Solía pensar en ellos[5], en sus mujeres feas y conflictivas, en sus tremendas operaciones quirúrgicas, y experimentaba siempre un sentimiento de piedad[6]. Cuando entraba en sus casas no podía moverse sin arrastrar los pies.

—¿Está Pepe? —preguntó.

Había puesto la jaula en la mesa del comedor.

—Está en la escuela —dijo la mujer de José Montiel—. Pero ya no debe demorar[7]. —Y agregó—: Montiel se está bañando.

En realidad José Montiel no había tenido tiempo de bañarse. Se estaba dando una urgente fricción de alcohol alcanforado para salir a ver lo que pasaba. Era un hombre tan prevenido, que dormía sin ventilador eléctrico para vigilar durante el sueño los rumores de la casa.

—Ven a ver qué cosa tan maravillosa[8] —gritó su mujer.

José Montiel —corpulento y peludo, la toalla colgada en la nuca— se asomó[9] por la ventana del dormitorio.

---

1. **llévesela**: *apportez-la*; impératif de **usted,** avec les deux pronoms personnels soudés.

2. **convertir**: *transformer*; **convertirse** est une des traductions du verbe *devenir*.

3. **una gallera**: l'enceinte ou local où se déroulent les combats de coqs. Spectacle populaire en Colombie. Cf.: *El coronel no tiene quien le escriba*.

4. **por su eficacia y buen cumplimiento**: *pour son efficacité et son sérieux*; **por** a une valeur causale.

« Je n'avais jamais rien vu de pareil. » — Et elle ajouta, indignée par cette multitude qui s'agglutinait devant sa porte : — « Apportez-la vite ici. Sinon, ils vont transformer ma salle en gallodrome. »

Balthazar n'était pas un étranger chez José Montiel. On connaissait son efficacité et son exactitude et à différentes occasions on l'avait appelé pour lui confier de petits travaux de menuiserie. Mais jamais il ne se sentait à l'aise chez les riches. Il pensait souvent à eux, à leurs femmes laides et mal léchées, à leurs horribles opérations de chirurgie esthétique, et il éprouvait toujours un sentiment de pitié à leur égard. Quand il entrait chez eux il ne pouvait marcher sans traîner les pieds.

« Pepe est là ? » demanda-t-il.

Il avait posé la cage sur la table de la salle à manger.

« Il est à l'école, répondit la femme de José Montiel. Mais il ne va pas tarder à rentrer. » Et elle ajouta : « Montiel est en train de prendre un bain. »

En réalité José Montiel n'avait pas eu le temps de se laver. Il se frictionnait rapidement à l'alcool camphré pour aller aux nouvelles. C'était un homme prudent, qui dormait sans ventilateur afin d'écouter jusque dans son sommeil les bruits de la maison.

« Viens voir cette merveille ! » s'écria sa femme.

José Montiel — corpulent et velu, la serviette de toilette posée sur la nuque — se montra à la fenêtre de la chambre à coucher.

---

5. **solía pensar en ellos** : m. à m., *il avait l'habitude de penser à eux.* **Soler** suivi d'un infinitif marque l'idée d'habitude ; il se traduit aussi par *généralement, souvent, d'ordinaire.*

6. **experimentaba siempre un sentimiento de piedad** : Balthazar, l'humble artisan, éprouve un sentiment de pitié pour les riches. Paradoxe qui introduit la suite.

7. **demorar** : (Amér.) ; en Espagne on dit **tardar.**

8. **qué cosa tan maravillosa** : cf. p. 143, n. 10.

9. **se asomó** : de **asomarse,** *se montrer, se pencher.*

—¿Qué es eso?

—La jaula de Pepe —dijo Baltazar.

La mujer lo miró perpleja.

—¿De quién?

—De Pepe —confirmó Baltazar. Y después, dirigiéndose a José Montiel—: Pepe me la mandó a hacer[1].

Nada ocurrió[2] en aquel instante, pero Baltazar se sintió como si le hubieran abierto la puerta del baño[3]. José Montiel salió en calzoncillos del dormitorio.

—Pepe —gritó.

—No ha llegado[4] —murmuró su esposa, inmóvil.

Pepe apareció en el vano de la puerta. Tenía unos doce años y las mismas pestañas rizadas y el quieto patetismo de su madre[5].

—Ven acá —le dijo José Montiel—. ¿Tú mandaste a hacer esto?

El niño bajó la cabeza. Agarrándolo por el cabello, José Montiel lo obligó a mirarlo a los ojos.

—Contesta.

El niño se mordió los labios sin responder.

—Montiel —susurró la esposa.

José Montiel soltó al niño y se volvió hacia Baltazar con una expresión exaltada.

—Lo siento mucho, Baltazar —dijo—. Pero has debido consultarlo conmigo[6] antes de proceder. Sólo a ti se te ocurre contratar con un menor[7].

---

1. **me la mandó a hacer**: cf. p. 138, n. 6.

2. **nada ocurrió**: *rien ne se passa*. Lorsque **nada** est placé devant le verbe, il exclut toute autre négation. Syn. de **ocurrir: pasar, suceder, acontecer.**

3. **como si le hubieran abierto la puerta del baño**: *comme si on lui avait ouvert la porte des toilettes*. **Como si** est suivi du plus-que-parfait du subjonctif; la comparaison suggère efficacement la surprise gênée de Balthazar.

4. **no ha llegado**: *il n'est pas arrivé*. **Haber** est le seul auxiliaire pour former les temps composés.

5. **las mismas pestañas y el quieto patetismo de su madre**: *les mêmes*

« Qu'est-ce que c'est ?

— La cage de Pepe », dit Balthazar.

La femme le regarda, perplexe.

« De qui ?

— De Pepe », renchérit Balthazar. — Et se tournant vers José Montiel : — « Pepe me l'a commandée. »

Il ne se passa rien alors, mais Balthazar eut l'impression qu'on lui avait ouvert la porte des toilettes. José Montiel sortit en caleçon de la chambre à coucher.

« Pepe ! cria-t-il.

— Il n'est pas encore rentré », murmura sa femme, immobile.

Pepe fit son apparition dans l'embrasure de la porte. Il devait avoir douze ans ; les mêmes cils recourbés et le même pathétisme tranquille que sa mère.

« Viens ici, lui dit José Montiel. C'est toi qui as commandé ça ? »

L'enfant baissa la tête. L'attrapant par les cheveux, José Montiel l'obligea à le regarder dans les yeux.

« Réponds. »

L'enfant se mordit les lèvres sans dire un mot.

« Montiel », murmura sa femme.

José Montiel lâcha l'enfant et se tourna vers Balthazar, exalté :

« Je regrette beaucoup, Balthazar. Mais tu aurais dû me consulter avant de commencer. Il n'y a que toi qui acceptes de t'engager avec un enfant. »

---

cils. **Las cejas,** *les sourcils ;* **los párpados :** *les paupières.* La ressemblance avec la mère est physique et morale.

6. **has debido consultarlo conmigo :** passé composé à valeur de conditionnel.

7. **sólo a ti se te ocurre contratar con un menor :** m. à m., *il n'y a que toi pour avoir l'idée de traiter avec un enfant ;* **ocurrírsele a uno :** *venir à l'esprit, avoir l'idée, penser à, y penser.*

—A medida que hablaba, su rostro fue recobrando la serenidad[1]. Levantó la jaula sin mirarla y se la dio a Baltazar—. Llévatela en seguida y trata de vendérsela a quien puedas[2] —dijo—. Sobre todo, te ruego que no me discutas[3]. —Le dio una palmadita en la espalda, y explicó —: El médico me ha prohibido coger rabia.

El niño había permanecido inmóvil, sin parpadear, hasta que Baltazar lo miró perplejo con la jaula en la mano. Entonces emitió un sonido gutural, como el ronquido de un perro, y se lanzó al suelo dando gritos.

José Montiel lo miraba impasible[4], mientras la madre trataba de apaciguarlo.

—No lo levantes[5] —dijo—. Déjalo que se rompa la cabeza contra el suelo y después le echas sal y limón para que rabie con gusto.

El niño chillaba sin lágrimas, mientras su madre lo sostenía por las muñecas.

—Déjalo —insistió José Montiel.

Baltazar observó al niño como hubiera observado la agonía de un animal contagioso. Eran casi las cuatro.

A esa hora, en su casa, Úrsula cantaba una canción muy antigua, mientras cortaba rebanadas de cebolla.

—Pepe —dijo Baltazar.

Se acercó al niño, sonriendo, y le tendió la jaula[6]. El niño se incorporo de un salto, abrazó la jaula, que era casi tan grande como él[7], y se quedó mirando a Baltazar a través del tejido metálico, sin saber qué decir. No había derramado una lágrima.

---

1. **su rostro fue recobrando la serenidad** : la tournure **ir** + gérondif marque l'idée de progression ; elle est appelée par **a medida que**.

2. **trata de vendérsela a quien puedas** : *essaie de la vendre à qui tu pourras.* Le futur est impossible dans une relative lorsque l'action est hypothétique.

3. **te ruego que no me discutas** : *je te supplie de ne pas contester ma décision.* **Rogar** est suivi d'une subordonnée au subjonctif.

4. **José Montiel lo miraba impasible** : il est tout aussi insensible à la

Au fur et à mesure qu'il parlait, son visage retrouvait sa sérénité. Il prit la cage sans la regarder et la tendit à Balthazar :

« Allons ! Emporte-la et tâche de la vendre à qui tu pourras. Et surtout, je t'en supplie, ne discutons pas, toi et moi. — Il lui donna une petite tape dans le dos et expliqua : — « Le médecin m'a interdit tout accès de colère. »

L'enfant était resté immobile, impassible. Mais quand Balthazar le regarda, indécis, la cage à la main, il émit un son guttural, semblable au ronflement d'un chien, et se jeta à terre en criant.

José Montiel le regardait, sans broncher, pendant que la mère s'efforçait de le calmer.

« Laisse-le faire, dit-il. Qu'il se cogne la tête à même le sol et tu lui mettras ensuite du sel et du citron pour qu'il chante sa rogne à sa guise. »

L'enfant criait sans larmes, tandis que sa mère le tenait par les poignets.

« Laisse-le », insista José Montiel.

Balthazar observa l'enfant comme s'il assistait à l'agonie d'un animal contagieux. Il était presque quatre heures.

Au même instant, chez elle, Ursula chantonnait un air ancien tout en coupant des rondelles d'oignons.

« Pepe », dit Balthazar.

Il s'approcha en souriant de l'enfant et lui tendit la cage. Le gamin se leva d'un bond, saisit la cage qui était presque aussi grande que lui et regarda Balthazar à travers le grillage sans savoir que dire. Il n'avait pas versé une larme.

---

déception de son fils qu'à la qualité artistique de la cage qu'il est le seul à ne pas reconnaître.

5. **no lo levantes** : *ne le relève pas.* Impératif négatif de **levantarse** à la 2e personne du singulier.

6. **le tendió la jaula** : geste généreux de Balthazar en contraste avec l'attitude de José Montiel.

7. **tan grande como él** : comparatif d'égalité. Cf., page 82, note 4.

—Baltazar —dijo Montiel, suavemente—. Ya te dije que te la lleves[1].

—Devuélvela —ordenó la mujer al niño.

—Quédate con ella[2] —dijo Baltazar. Y luego, a José Montiel—: Al fin y al cabo, para eso la hice.

José Montiel lo persiguió hasta la sala.

—No seas tonto, Baltazar —decía, cerrándole el paso—. Llévate tu trasto para la casa y no hagas más tonterías[3]. No pienso pagarte ni un centavo.

—No importa —dijo Baltazar—. La hice expresamente para regalársela a Pepe[4]. No pensaba cobrar nada.

Cuando Baltazar se abrió paso a través de los curiosos que bloqueaban la puerta, José Montiel daba gritos en el centro de la sala. Estaba muy pálido y sus ojos empezaban a enrojecer.

—Estúpido —gritaba—. Llévate tu cacharro. Lo último que faltaba[5] es que un cualquiera[6] venga a dar órdenes en mi casa. ¡Carajo!

En el salón de billar recibieron a Baltazar con una ovación. Hasta ese momento, pensaba que había hecho una jaula mejor que las otras, que había tenido que regalársela al hijo de José Montiel para que no siguiera llorando[7], y que ninguna de esas cosas tenía nada de particular.

Pero luego se dio cuenta de que todo eso tenía una cierta importancia para muchas personas, y se sintió un poco excitado.

---

1. **ya te dije que te la lleves**: construction de la langue parlée; on attend **ya te he dicho que te la lleves** ou **ya te dije que te la llevaras**. L'emploi du passé simple à la place du passé composé est un américanisme.

2. **quédate con ella**: quedarse con = **guardar**.

3. **no seas tonto..., no hagas más tonterías**: impératif négatif de la 2e pers. du sing. de **ser** et **hacer**.

4. **la hice expresamente para regalársela a Pepe**: Balthazar retourne la situation et se place au-dessus de Montiel, du côté de la morale désintéressée.

« Balthazar, murmura Montiel, je t'ai déjà dit de l'emporter.

— Rends-la-lui, ordonna la femme à l'enfant.

— Garde-la », dit Balthazar. — Puis il s'adressa à José Montiel : — « Après tout, c'est pour lui que je l'ai faite. »

José Montiel le poursuivit jusqu'au salon.

« Ne sois pas stupide, Balthazar, disait-il en lui barrant la route. Emmène ce bazar chez toi et arrête tes conneries. Je ne pense pas t'en donner un centavo.

— Ça ne fait rien, dit Balthazar. Je l'ai construite exprès pour l'offrir à Pepe. Je ne voulais rien vous prendre. »

Quand Balthazar se fraya un chemin parmi les curieux qui bloquaient la porte, José Montiel hurlait au milieu de la pièce. Il était livide et ses yeux s'injectaient de rouge.

« Imbécile ! criait-il. Emporte ton machin. Il ne manquerait plus maintenant qu'un étranger vienne faire la loi chez moi. Merde alors ! »

Au billard Balthazar fut reçu par des ovations. A ce moment-là, il pensait encore qu'il avait construit une cage plus belle que les autres, qu'il avait dû en faire cadeau au fils de José Montiel pour qu'il cesse de pleurer, et qu'il n'y avait pas là de quoi fouetter un chat.

Mais par la suite il se rendit compte que tout ça avait eu une certaine importance pour beaucoup de gens, et il se sentit un peu excité.

---

5. **lo último que faltaba** : m. à m., *la dernière chose qui manquait*. Cf. p. 34, note 1.

6. **un cualquiera** : *le premier venu*. Montiel ne supporte pas de recevoir une leçon ; il reconnaît implicitement la supériorité morale de Balthazar.

7. **para que no siguiera llorando : seguir** + gérondif ; à l'imparfait du subj. pour la concordance des temps. Mû par sa seule générosité, Balthazar a la modestie de celui qui est naturellement bon.

—De manera que te dieron cincuenta pesos por la jaula.

—Sesenta —dijo Baltazar.

—Hay que hacer una raya en el cielo[1] —dijo alguien—. Eres el único que ha logrado sacarle ese montón de plata[2] a don Chepe Montiel. Esto hay que celebrarlo[3].

Le ofrecieron una cerveza, y Baltazar correspondió con una tanda para todos. Como era la primera vez que bebía[4], al anochecer estaba completamente borracho, y hablaba de un fabuloso proyecto[5] de mil jaulas de a sesenta pesos, y después de un millón de jaulas hasta completar sesenta millones de pesos.

—Hay que hacer muchas cosas para vendérselas a los ricos antes que se mueran —decía, ciego de la borrachera—. Todos están enfermos y se van a morir. Cómo estarán de jodidos[6] que ya ni siquiera pueden coger rabia[7].

Durante dos horas el tocadiscos automático estuvo por su cuenta tocando sin parar. Todos brindaron por la salud de Baltazar, por su suerte y su fortuna, y por la muerte de los ricos, pero a la hora de la comida lo dejaron solo en el salón.

Úrsula lo había esperado hasta las ocho, con un plato de carne frita cubierto de rebanadas de cebolla. Alguien le dijo que su marido estaba en el salón de billar, loco de felicidad, brindando cerveza a todo el mundo, pero no lo creyó porque Baltazar no se había emborrachado jamás.

---

1. **hay que hacer una raya en el cielo**: le quiproquo s'installe et Balthazar va l'entretenir. Son geste généreux est interprété comme un exploit astucieux. Il est le seul à avoir fait payer le riche avare.

2. **que ha logrado sacarle ese montón de plata**: m. à m., *qui a réussi à lui soutirer ce tas d'argent.*

3. **esto hay que celebrarlo**: m. à m., *il faut fêter ça* (obligation impersonnelle sans sujet exprimé).

4. **era la primera vez que bebía**: ce trait parachève le portrait de Balthazar: pauvre, bon, innocent, honnête et sobre.

5. **un fabuloso proyecto**: la fable de Perrette et le pot au lait *(el cuento de la lechera)* se retrouve transcrite dans ce rêve de richesse.

« Ainsi, il t'a donné cinquante pesos pour la cage.

— Soixante, corrigea Balthazar.

— Il faut marquer ce jour d'une croix blanche, dit quelqu'un. Tu es le seul qui a pu tirer autant d'argent à don Chepe Montiel. Ça s'arrose ! »

Ils lui offrirent une bière et Balthazar offrit une tournée générale. Comme c'était la première fois qu'il buvait, quand la nuit tomba il était complètement pompette et parlait d'un fabuleux projet de mille cages à soixante pesos et, plus tard, d'un million de cages pour compléter soixante millions de pesos.

« Il faut faire beaucoup de choses pour les vendre aux riches avant qu'ils ne meurent, disait-il, aveuglé par sa soûlographie. Ils sont tous malades et vont bientôt crever. Ils seront tellement gâteux qu'ils ne pourront même plus se mettre en colère. »

Pendant deux heures le juke-box joua à ses frais sans interruption. Ils trinquèrent tous à la santé de Balthazar, à sa bonne chance et à sa fortune, à la mort des riches. Mais à l'heure du dîner, ils le laissèrent seul dans la salle.

Ursula l'avait attendu jusqu'à huit heures avec un plat de viande frite recouverte de rondelles d'oignons. Quelqu'un lui dit que son mari était au billard, fou de joie, offrant de la bière à tout le monde mais elle n'en crut pas un mot car Balthazar, jamais, ne s'était soûlé.

---

6. **cómo estarán de jodidos** : *ils doivent être bien foutus.* **Estarán** : futur d'hypothèse.

7. **ni siquiera pueden coger rabia** : cf. p. 148 et la nouvelle suivante, *La viuda de Montiel,* p. 157. Les riches sont des « fins de race », fragiles et maladifs. Il y a dans cette page une atmosphère de révolution...

Cuando se acostó, casi a la medianoche, Baltazar estaba en un salón iluminado[1], donde había mesitas de cuatro puestos con sillas alrededor, y una pista de baile al aire libre, por donde se paseaban los alcaravanes. Tenía la cara embadurnada de colorete, y como no podía dar un paso más, pensaba que quería acostarse con dos mujeres en la misma cama[2]. Había gastado tanto, que tuvo que dejar el reloj como garantía[3], con el compromiso de pagar al día siguiente[4]. Un momento después, despatarrado por la calle, se dio cuenta de que le estaban quitando los zapatos, pero no quiso[5] abandonar el sueño más feliz de su vida[6]. Las mujeres que pasaron para la misa de cinco no se atrevieron a mirarlo[7], creyendo que estaba muerto.

---

1. **Baltazar estaba en un salón iluminado**: final onirique; le rêve de Balthazar est représenté comme une réalité, d'où la difficulté de distinguer ce qui est le fruit de son imagination et ce qui est aventure vécue.

2. **quería acostarse con dos mujeres en la misma cama**: une manière originale de retrouver son équilibre, peut-être à interpréter en rappelant les propos de l'auteur : « *Je sens qu'il ne peut rien m'arriver de mal lorsque je suis entouré de femmes. Elles me donnent un sentiment de sécurité.* » (*Une odeur de goyave*).

Quand elle fut couchée, vers minuit, Balthazar était dans un salon illuminé, plein de petites tables à quatre places entourées de chaises, avec une piste de danse en plein air, où les butors se promenaient. Il avait le visage barbouillé de rouge à lèvres, et comme il ne pouvait pas mettre un pied devant l'autre, il pensait qu'il aurait bien voulu se coucher avec deux femmes dans le même lit. Il avait tellement dépensé qu'il dut laisser sa montre en gage, avec la promesse de payer le lendemain. Un instant plus tard, les quatre fers en l'air dans la rue, il sentit qu'on lui enlevait ses chaussures mais il ne voulut pas rompre le rêve le plus heureux de sa vie. Les femmes qui passèrent par là pour se rendre à la première messe n'osèrent pas le regarder : toutes crurent qu'il était mort.

---

3. **tuvo que dejar el reloj como garantía :** élément de réel ; l'addition est lourde.

4. **al día siguiente :** *le jour suivant, le lendemain.*

5. **quiso :** passé simple irrégulier de **querer.**

6. **el sueño más feliz de su vida :** superlatif absolu cf. p. 132, note 2. Le rêve de voir tous les riches mourir ?

7. **no se atrevieron a mirarlo :** atreverse a = *oser.*

LA VIUDA DE MONTIEL

LA VEUVE MONTIEL

Cuando murió[1] don José Montiel, todo el mundo se sintió vengado[2], menos su viuda; pero se necesitaron varias horas para que todo el mundo creyera[3] que en verdad había muerto[4]. Muchos lo seguían poniendo en duda después de ver el cadáver en cámara ardiente, embutido con almohadas y sábanas de lino dentro de una caja amarilla y abombada como un melón. Estaba muy bien afeitado, vestido de blanco y con botas de charol, y tenía tan buen semblante que nunca pareció tan vivo como entonces. Era el mismo don Chepe Montiel de los domingos, oyendo misa de ocho, sólo que en lugar de la fusta tenía un crucifijo entre las manos. Fue preciso[5] que atornillaran la tapa del ataúd y que lo emparedaran en el aparatoso mausoleo familiar, para que el pueblo entero se convenciera de que no se estaba haciendo el muerto[6].

Después del entierro, lo único[7] que a todos pareció increíble, menos a su viuda, fue que José Montiel hubiera muerto de muerte natural[8]. Mientras todo el mundo esperaba que lo acribillaran por la espalda en una emboscada, su viuda estaba segura de verlo morir de viejo[9] en su cama, confesado y sin agonía, como un santo moderno. Se equivocó apenas en algunos detalles. José Montiel murió en su hamaca, un miércoles a las dos de la tarde, a consecuencia de la rabieta[10] que el médico le había prohibido.

---

1. **murió**: passé simple de **morir**, 3e personne du singulier.

2. **todo el mundo se sintió vengado**: cf. la nouvelle précédente: *La prodigiosa tarde de Baltazar;* Montiel fait l'unanimité contre lui.

3. **para que todo el mundo creyera**: imparfait du subjonctif de **creer** en concordance avec le passé simple: **se necesitaron**. Le village a du mal à croire qu'il est enfin libéré de ce tyran.

4. **había muerto**: plus-que-parfait de **morir**.

5. **fue preciso**: *il fallut*. Expressions équivalentes de **es preciso**: **es necesario, es menester** (plus littéraire), **hace falta**.

6. **no se estaba haciendo el muerto**: Montiel était à ce point machiavélique qu'il aurait même pu faire le mort.

7. **lo único**: *la seule chose,* cf. p. 34, note 1, et p. 151, note 5.

Quand mourut don José Montiel, tout le monde se sentit vengé à l'exception de sa veuve ; mais il fallut plusieurs heures pour que tout le monde crût qu'il était réellement mort. Beaucoup en doutaient encore après avoir vu le cadavre dans la chapelle ardente, engoncé dans des oreillers et des draps de lin, à l'intérieur d'un cercueil jaune, bombé comme un melon. Il était parfaitement rasé, vêtu de blanc avec des chaussures vernies et paraissait tellement en forme qu'on l'eût dit plus vivant que jamais. C'était bien le don Chepe Montiel des dimanches, celui qui assistait à la messe de huit heures, seulement cette fois-ci il tenait entre les mains un crucifix à la place du fouet habituel. Ce fut seulement quand on eut vissé le couvercle du cercueil et qu'on eut enfermé don Chepe dans le pompeux mausolée de famille que tout le village comprit qu'il ne jouait pas la comédie.

Après l'enterrement, ce que tout le monde trouvait incroyable, à l'exception de sa veuve, c'était que José Montiel avait pu mourir de mort naturelle. Alors que tout le monde espérait qu'il mourrait criblé de balles dans le dos au cours d'une embuscade, elle était certaine de le voir s'éteindre de vieillesse dans son lit, sans agonie, confessé comme un saint moderne. Elle ne se trompa que dans quelques détails. José Montiel mourut dans son hamac, un mercredi à deux heures de l'après-midi, à la suite d'une rogne que le médecin lui avait pourtant défendue.

---

8. **de muerte natural** : dans le climat de violence qui caractérise le village, la mort naturelle étonne (cf. *El coronel*...).

9. **morir de viejo** : *mourir de vieillesse*. La veuve a une vision tout à fait idéalisée de son mari.

10. **a consecuencia de la rabieta** : cf. *La prodigiosa tarde de Baltazar,* p. 148.

Pero su esposa esperaba también que todo el pueblo asistiera al entierro[1] y que la casa fuera pequeña para recibir tantas flores. Sin embargo, sólo asistieron sus copartidarios y las congregaciones religiosas, y no se recibieron más coronas que las de la administración municipal. Su hijo —desde su puesto consular de Alemania— y sus dos hijas, desde París, mandaron telegramas de tres páginas. Se veía que los habían redactado de pie, con la tinta multitudinaria de la oficina de correos, y que habían roto[2] muchos formularios antes de encontrar 20 dólares de palabras. Ninguno prometía regresar. Aquella noche, a los 62 años, mientras lloraba contra la almohada en que recostó la cabeza el hombre que la había hecho feliz[3], la viuda de Montiel conoció por primera vez el sabor de un resentimiento. «Me encerraré para siempre», pensaba. «Para mí, es como si me hubieran metido[4] en el mismo cajón de José Montiel. No quiero saber nada más de este mundo.» Era sincera.

Aquella mujer frágil, lacerada por la superstición, casada a los 20 años por voluntad de sus padres con el único pretendiente que le permitieron ver a menos de 10 metros de distancia, no había estado nunca en contacto directo con la realidad[5]. Tres días después de que sacaron de la casa el cadáver de su marido, comprendió a través de las lágrimas que debía reaccionar, pero no pudo encontrar el rumbo[6] de su nueva vida. Era necesario empezar[7] por el principio.

---

1. **que todo el pueblo asistiera al entierro :** à l'imparfait du subjonctif de **asistir,** en concordance avec l'imparfait de l'indicatif : **esperaba ;** idem pour **fuera** de **ser.** Ce début souligne le décalage entre la projection idéale de la veuve et la réalité que lui renvoie le village qui exprime sa haine à l'égard de Montiel.

2. **habían roto :** plus-que-parfait de **romper.**

3. **que la había hecho feliz :** *qui l'avait rendue heureuse ;* **hacer** = *rendre ;* **volver** peut prendre ce sens.

4. **como si me hubieran metido : como si** est suivi du plus-que-parfait du subjonctif.

5. **no había estado nunca en contacto directo con la realidad :** cf. n. 1.

Mais sa femme espérait également que tout le village assisterait à l'enterrement et que la maison serait trop petite pour contenir tant de fleurs. Or seuls vinrent les membres du parti et les congrégations religieuses, et il ne reçut pour toutes couronnes que celles de l'administration municipale. Son fils, de son poste consulaire en Allemagne, et ses deux filles, de Paris, envoyèrent des télégrammes longs de trois pages. On voyait bien qu'ils les avaient rédigés debout, avec l'encre mise à la disposition de la collectivité dans les bureaux de poste, et qu'ils avaient déchiré de nombreux formulaires avant de trouver vingt dollars de mots. Aucun ne promettait de revenir. Cette nuit-là, à soixante-deux ans, tandis qu'elle pleurait contre l'oreiller où avait reposé la tête de l'homme qui l'avait rendue heureuse, la Veuve Montiel sentit pour la première fois de la rancœur. « Je vais m'enfermer pour toujours, pensa-t-elle. J'ai vraiment l'impression qu'on m'a mise dans le même cercueil que José Montiel. Je ne veux plus entendre parler de ce monde. » Elle était sincère.

Cette femme d'apparence fragile, déchirée par la superstition, mariée à vingt ans selon la volonté de ses parents au seul prétendant qu'on lui permît de voir à moins de dix mètres de distance, n'avait jamais eu de contact avec la réalité. Trois jours après qu'on eut sorti de la maison le cadavre de son mari, elle comprit à travers les larmes qu'elle devait réagir, mais elle n'arriva pas à trouver un but à sa nouvelle vie. Il fallait donc commencer par le commencement.

Pratique traditionnelle du mariage selon la volonté de la famille qui maintient la femme dans une dépendance totale à l'égard de son mari.

6. **el rumbo** : *le cap, la direction* ; **rumbo a** : *vers, en direction de.*

7. **era necesario empezar** : l'infinitif se construit directement.

Entre los innumerables secretos que José Montiel se había llevado a la tumba, se fue enredada la combinación de la caja fuerte[1]. El alcalde se ocupó del problema. Hizo poner la caja en el patio, apoyada al paredón, y dos agentes de la policía dispararon sus fusiles[2] contra la cerradura. Durante toda una mañana, la viuda oyó desde el dormitorio las descargas cerradas y sucesivas ordenadas a gritos por el alcalde. «Esto era lo último que faltaba[3]», pensó. «Cinco años rogando a Dios que se acaben los tiros[4], y ahora tengo que agradecer[5] que disparen dentro de mi casa.» Aquel día hizo un esfuerzo de concentración, llamando a la muerte[6], pero nadie le respondió. Empezaba a dormirse cuando una tremenda explosión sacudió los cimientos de la casa. Habían tenido que dinamitar la caja fuerte.

La viuda de Montiel lanzó un suspiro. Octubre se eternizaba con sus lluvias pantanosas[7] y ella se sentía perdida, navegando sin rumbo en la desordenada y fabulosa hacienda de José Montiel. El señor Carmichael, antiguo y diligente servidor de la familia, se había encargado de la administración. Cuando por fin se enfrentó al hecho concreto de que su marido había muerto, la viuda de Montiel salió del dormitorio para ocuparse de la casa. La despojó de todo ornamento, hizo forrar los muebles en colores luctuosos, y puso lazos fúnebres en los retratos del muerto que colgaban de las paredes.

---

1. **se fue enredada la combinación de la caja fuerte** : Montiel tenait sa femme à l'écart de tout, en homme dominateur et méfiant qu'il était.

2. **dispararon sus fusiles : disparar** est transitif.

3. **esto era lo último que faltaba** : m. à m., *c'était la dernière chose qui manquait,* cf. : p. 151, note 5 et p. 34, note 1.

4. **que se acaben los tiros** : subjonctif présent dans une subordonnée qui suit le verbe **rogar.** Allusion aux multiples guerres civiles qui ont secoué le pays.

5. **tengo que agradecer** : exactement *je dois les remercier* ou *être reconnaissante.*

6. **llamando a la muerte** : cf. *La prodigiosa tarde de Baltazar,* p. 142

Parmi les innombrables secrets que José Montiel avait emportés avec lui dans la tombe se trouvait celui de la combinaison du coffre-fort. Le maire se chargea du problème. Il fit transporter le coffre dans la cour, contre le mur, et deux agents de police tirèrent avec leurs fusils sur la serrure. Pendant toute la matinée la veuve entendit de sa chambre les décharges nourries et répétées, ordonnées ou plutôt braillées par le maire. « Il ne manquait plus que ça, pensa-t-elle. Depuis cinq ans je demande à Dieu de faire taire les fusils et les voilà qui tirent jusque chez moi ! » Ce jour-là, se concentrant de toutes ses forces, elle appela la mort. Mais personne ne lui répondit. Elle commençait à s'endormir quand une terrible explosion secoua les fondations de la maison. On avait dû dynamiter le coffre-fort.

La Veuve Montiel soupira. Octobre n'en finissait pas avec ses pluies boueuses et elle se sentait perdue, naviguant sans savoir où se diriger dans l'hacienda fabuleuse et chaotique de José Montiel. Carmichaël, un vieil et actif serviteur de la famille, s'était chargé de l'administration. Quand enfin elle réalisa que son mari était bien mort, la Veuve Montiel sortit de sa chambre pour s'occuper de la maison. Elle fit disparaître tous les ornements, commanda des housses aux couleurs lugubres pour les meubles et mit des rubans noirs aux portraits du mort accrochés aux murs.

---

où cette femme est présentée comme étant **« torturada por la obsesión de la muerte »**.

7. **con sus lluvias pantanosas :** dans la plupart des nouvelles, il règne une chaleur étouffante, ici, c'est la pluie incessante, en accord avec l'âme sombre et morbide de la veuve qui s'enferme dans le deuil. Les références au temps qu'il fait, si fréquentes dans ce recueil, pénètrent le récit et deviennent matière romanesque à laquelle le lecteur, comme les personnages, est sensible.

En dos meses de encierro había adquirido la costumbre de morderse las uñas. Un día —los ojos enrojecidos e hinchados de tanto llorar— se dio cuenta de que el señor Carmichael entraba a la casa[1] con el paraguas abierto.

—Cierre ese paraguas[2], señor Carmichael —le dijo—. Después de todas las desgracias que tenemos, sólo nos faltaba que usted entrara a la casa con el paraguas abierto[3].

El señor Carmichael puso el paraguas en el rincón. Era un negro viejo, de piel lustrosa, vestido de blanco y con pequeñas aberturas hechas a navaja en los zapatos para aliviar la presión de los callos[4].

—Es sólo mientras se seca.

Por primera vez desde que murió su esposo, la viuda abrió la ventana.

—Tantas desgracias, y además este invierno —murmuró, mordiéndose las uñas—. Parece que no va a escampar[5] nunca.

—No escampará ni hoy ni mañana —dijo el administrador—. Anoche no me dejaron dormir los callos.

Ella confiaba en las predicciones atmosféricas de los callos del señor Carmichael. Contempló la placita desolada, las casas silenciosas cuyas puertas no se abrieron[6] para ver el entierro de José Montiel, y entonces se sintió desesperada con sus uñas[7], con sus tierras sin límites, y con los infinitos compromisos que heredó de su esposo y que nunca lograría comprender.

---

1. **entraba a la casa**: américanisme; en Espagne, on dit: **entrar en casa**.

2. **cierre ese paraguas**: *fermez ce parapluie.* Impératif de **cerrar**, subjonctif présent à la 3e personne du singulier, vouvoiement.

3. **que usted entrara... con el paraguas abierto**: subjonctif imparfait de **entrar** en concordance avec l'imparfait de **faltaba**. Nous constatons que la superstition selon laquelle un parapluie ouvert dans les maisons porte malheur est aussi vivace dans les Caraïbes. *Le parapluie a quelque chose à voir avec la mort,* dit un personnage de *El coronel no tiene quien le escriba.*

Durant ces deux mois de claustration elle avait acquis l'habitude de ronger ses ongles. Un jour, les yeux rouges et gonflés de tant pleurer, elle aperçut Carmichaël qui entrait en tenant son parapluie grand ouvert.

« Fermez ça, Carmichaël, lui dit-elle. Après tous ces malheurs qui me tombent dessus, il ne manquait plus que vous entriez chez moi avec un parapluie ouvert. »

Carmichaël déposa le riflard dans un coin. C'était un vieux nègre à la peau brillante, vêtu de blanc, et dont les souliers laissaient voir de petites entailles qu'il avait faites à coups de lame de rasoir pour soulager ses cors.

« C'est seulement le temps qu'il sèche. »

Pour la première fois depuis la mort de son mari, la veuve ouvrit la fenêtre.

« Tant de malheurs et en plus, cet hiver qui n'en finit pas ! murmura-t-elle en se rongeant les ongles. On dirait que cette pluie ne va jamais cesser.

— Ce n'est ni pour aujourd'hui ni pour demain, dit l'administrateur. Cette nuit, mes cors ne m'ont pas laissé dormir. »

Elle croyait aux prédictions atmosphériques des cors de Carmichaël. Elle regarda la petite place déserte, les maisons silencieuses dont les portes ne s'étaient pas ouvertes pour voir passer l'enterrement de José Montiel et, brusquement, se sentit désespérée à cause des ongles rongés, de ses terres sans fin, des obligations innombrables que son mari lui avait laissées et qu'elle n'arriverait jamais à comprendre.

---

4. **los callos** : *les cors aux pieds* mais aussi, en cuisine, *les tripes* ou *gras-double*.

5. **escampar** : *cesser de pleuvoir ;* verbe impersonnel.

6. **cuyas puertas no se abrieron** : *dont les portes ne s'ouvrirent pas.* Cf. p. 21, note 6.

7. **se sintió desesperada con sus uñas...** : sont mis sur un même plan le tic récent des ongles rongés et les responsabilités nouvelles et écrasantes pour elle.

—El mundo está mal hecho —sollozó.

Quienes la visitaron[1] por esos días tuvieron motivos para pensar que había perdido el juicio. Pero nunca fue más lúcida que entonces. Desde antes de que empezara la matanza política[2] ella pasaba las lúgubres mañanas de octubre frente a la ventana de su cuarto, compadeciendo a los muertos[3] y pensando que si Dios no hubiera descansado el domingo habría tenido tiempo de terminar[4] el mundo.

—Ha debido aprovechar ese día para que no le quedaran tantas cosas mal hechas —decía—. Al fin y al cabo, le quedaba toda la eternidad para descansar.

La única diferencia, después de la muerte de su esposo, era que entonces tenía un motivo concreto para concebir pensamientos sombríos[5].

Así, mientras la viuda de Montiel se consumía en la desesperación, el señor Carmichael trataba de impedir el naufragio. Las cosas no marchaban bien. Libre de la amenaza de José Montiel, que monopolizaba el comercio local por el terror, el pueblo tomaba represalias[6]. En espera de clientes[7] que no llegaron, la leche se cortó[7] en los cántaros amontonados en el patio, y se fermentó la miel en sus cueros, y el queso engordó gusanos en los oscuros armarios del depósito. En su mausoleo adornado con bombillas eléctricas y arcángeles en imitación de mármol, José Montiel pagaba seis años de asesinatos y tropelías. Nadie en la historia del país se había enriquecido tanto en tan poco tiempo.

---

1. **quienes la visitaron:** *ceux qui lui rendirent visite;* **quienes = los que.**

2. **la matanza política:** en arrière-plan, un climat de guerre civile, de dictature sans référence précise à un moment historique donné.

3. **pasaba las lugubres mañanas de octubre compadeciendo a los muertos:** *elle passait les lugubres matinées d'octobre à plaindre les morts.* **Pasar** + durée + gérondif. **Compadecer** s'emploie aussi à la forme pronominale: **compadecerse de.**

4. **si Dios no hubiera descansado... habría tenido tiempo de terminar:** la condition non réalisée dans le passé est exprimée par le plus-que-

« Le monde est mal fait », dit-elle en sanglotant.

Ceux qui lui rendirent visite ce jour-là eurent leurs raisons de croire qu'elle avait perdu la tête. En réalité, jamais elle n'avait été aussi lucide. Depuis que le massacre politique avait commencé elle passait ces tristes matinées d'octobre devant la fenêtre de sa chambre, à plaindre les morts et à penser que si Dieu ne s'était pas reposé le dimanche il aurait eu le temps de terminer le monde.

« Il aurait dû profiter de ce jour-là pour ne pas laisser tant de choses en plan ! disait-elle. Après tout, il avait l'éternité pour se reposer. »

La seule différence depuis la mort de son mari était qu'elle avait désormais des motifs concrets de concevoir de sombres pensées.

Pendant que la Veuve Montiel se consumait ainsi en lamentations, Carmichaël essayait d'empêcher le naufrage. La situation n'était guère reluisante. Libéré de la terreur qu'avait imposée José Montiel pour monopoliser le commerce local, le village usait de représailles. Dans l'attente de clients qui ne venaient pas, le lait caillait dans les bidons empilés dans la cour, le miel fermentait dans les outres et le fromage gavait les vers dans les armoires obscures de la réserve. Dans son mausolée orné d'ampoules électriques et d'archanges en marbre d'imitation, José Montiel payait six années de crimes et d'atrocités. Personne, dans l'histoire du pays, ne s'était enrichi autant et en si peu de temps.

---

parfait du subjonctif après **si** et le conditionnel passé dans la principale.

5. **para concebir pensamientos sombríos :** cf. p. 142 et p. 162.

6. **el pueblo tomaba represalias :** la vengeance du village consiste à boycotter les marchandises du commerce de feu Montiel.

7. **en espera de clientes... la leche se cortó... :** le thème de la ruine d'une famille ou d'une maison apparaît à différentes reprises chez Márquez.

Cuando llegó al pueblo el primer alcalde de la dictadura, José Montiel era un discreto partidario de todos los regímenes[1], que se había pasado la mitad de la vida en calzoncillos sentado a la puerta de su piladora de arroz. En un tiempo disfrutó de una cierta reputación[2] de afortunado y buen creyente, porque prometió en voz alta regalar[3] al templo un San José de tamaño natural si se ganaba la lotería, y dos semanas después se ganó seis fracciones y cumplió su promesa[4]. La primera vez que se le vio usar zapatos fue cuando llegó el nuevo alcalde[5], un sargento de la policía, zurdo y montaraz, que tenía órdenes expresas de liquidar la oposición. José Montiel empezó por ser su informador confidencial. Aquel comerciante modesto cuyo tranquilo humor[6] de hombre gordo no despertaba la menor inquietud, discriminó a sus adversarios políticos en ricos y pobres[7]. A los pobres los acribilló la policía en la plaza pública. A los ricos les dieron un plazo de 24 horas para abandonar el pueblo. Planificando la masacre, José Montiel se encerraba días enteros con el alcalde en su oficina sofocante, mientras su esposa se compadecía de los muertos[8]. Cuando el alcalde abandonaba la oficina, ella le cerraba el paso a su marido.

—Ese hombre es un criminal —le decía—. Aprovecha tus influencias[9] en el gobierno para que se lleven a esa bestia que no va a dejar un ser humano en el pueblo.

---

1. **José Montiel era un discreto partidario de todos los regímenes**: retour en arrière sur la vie de Montiel; l'opportunisme du personnage apparaît tout de suite.

2. **disfrutó de una cierta reputación**: *il jouit d'une certaine réputation*. **Disfrutar** s'emploie aussi sans **de,** avec le sens de *profiter de*.

3. **prometió... regalar**: **prometer** se construit directement avec un infinitif.

4. **cumplió su promesa**: *il tint parole*.

5. **cuando llegó el nuevo alcalde**: le maire n'est pas un élu local mais une autorité politique nommée. Cf. *Un día de estos*.

6. **cuyo tranquilo humor**: cf. p. 21, note 6.

Quand le premier maire de la dictature était arrivé au village, José Montiel n'était encore qu'un discret partisan de tous les régimes, qui avait passé la moitié de sa vie en caleçon, assis sur le seuil de son moulin à riz. Un temps, il avait eu la réputation d'être fortuné et bon chrétien parce qu'il avait promis un jour à haute voix d'offrir à l'église un saint Joseph grandeur nature s'il gagnait à la loterie ; deux semaines plus tard il avait gagné six fois et tenu parole. La première fois qu'on le vit mettre des souliers fut quand le nouveau maire débarqua, un sergent gaucher et primitif, qui avait reçu des ordres précis de liquider l'opposition. José Montiel avait commencé par être son indicateur confidentiel. Ce commerçant modeste, dont la bonne humeur tranquille d'homme rondouillard n'éveillait pas la moindre inquiétude, s'était mis à étiqueter ses adversaires politiques en riches et en pauvres. Les pauvres étaient fusillés par la police sur la place du village. Les riches disposaient d'un délai de vingt-quatre heures pour quitter les lieux. Afin de planifier le massacre, José Montiel s'enfermait des jours entiers avec le maire dans son bureau étouffant pendant que sa femme s'affligeait sur les morts. Un jour où le maire était déjà sorti du bureau, elle avait barré la route à son mari :

« Cet homme est un criminel. Profite de tes relations au gouvernement pour qu'ils rappellent cet animal qui ne va pas laisser vivant un être humain dans ce village. »

---

7. **discriminó a sus adversarios políticos en ricos y pobres :** deux poids et deux mesures ; le pouvoir conserve des égards pour les riches.

8. **se compadecía de los muertos :** cf. p. 166, n. 3.

9. **aprovecha tus influencias... :** la femme de Montiel ignore le rôle que celui-ci joue dans la répression. Elle est d'une rare ingénuité, à l'inverse des autres personnages féminins de Márquez.

Y José Montiel, tan atareado[1] en esos días, la apartaba sin mirarla, diciendo: «No seas pendeja[2]». En realidad, su negocio no era la muerte de los pobres sino la expulsión[3] de los ricos. Después de que el alcalde les perforaba las puertas a tiros y les ponía el plazo[4] para abandonar el pueblo, José Montiel les compraba sus tierras[5] y ganados por un precio que él mismo se encargaba de fijar.

—No seas tonto —le decía su mujer—. Te arruinarás ayudándolos para que no se mueran de hambre[6] en otra parte, y ellos no te lo agradecerán nunca.

Y José Montiel, que ya ni siquiera tenía tiempo de sonreír, la apartaba de su camino, diciendo:

—Vete para tu cocina y no me friegues tanto[7].

A ese ritmo, en menos de un año estaba liquidada la oposición, y José Montiel era el hombre más rico y poderoso del pueblo. Mandó a sus hijas para París, consiguió[8] a su hijo un puesto consular en Alemania, y se dedicó a consolidar su imperio. Pero no alcanzó a disfrutar seis años de su desaforada riqueza.

Después de que se cumplió el primer aniversario de su muerte, la viuda no oyó crujir la escalera sino bajo el peso de una mala noticia[9]. Alguien llegaba siempre al atardecer. «Otra vez los bandoleros», decían. «Ayer cargaron con un lote de 50 novillos.» Inmóvil en el mecedor[10], mordiéndose las uñas, la viuda de Montiel sólo se alimentaba de su resentimiento.

---

1. **atareado**: *occupé;* de **tarea**: *tâche, travail.*

2. **no seas pendeja**: *ne sois pas si bête;* **pendejo**: familier, employé en Amérique.

3. **no era la muerte de los pobres sino la expulsión...**: no... sino cf. p. 58, note 3.

4. **el plazo**: *le délai, l'échéance.*

5. **les compraba sus tierras...**: donne un tour légal à un vol manifeste.

6. **te arruinarás ayudándolos para que no se mueran de hambre**: le fait que son mari orchestre les massacres et les expulsions ne l'effleure

José Montiel, très affairé, l'avait écartée, sans même la regarder : « Ne sois pas si conne ! » lui avait-il dit. En fait, son activité ne concernait pas la mort des pauvres mais bien l'expulsion des riches. Car une fois que le maire avait troué leurs portes à coups de revolver en leur donnant le délai d'un jour pour décamper, José Montiel leur achetait leurs terres et leurs troupeaux à un prix qu'il fixait lui-même.

« Ne sois pas si bête ! lui disait sa femme. Tu te ruineras en voulant les aider à ne pas mourir de faim en d'autres lieux et ils ne t'en seront jamais reconnaissants. »

José Montiel, qui n'avait même plus le temps de sourire, la repoussait en lui disant :

« Va à ta cuisine et ne me les casse pas avec tes sornettes ! »

A cette allure, en moins d'un an l'opposition avait été liquidée et José Montiel était devenu l'homme le plus riche et le plus puissant du village. Il avait envoyé ses filles à Paris, déniché pour son fils un poste consulaire en Allemagne et s'était consacré à consolider son empire. Pourtant, il n'avait pu profiter que six années de sa richesse sans mesure.

Après le premier anniversaire de sa mort, la veuve n'entendit plus craquer l'escalier que sous le poids d'une mauvaise nouvelle. Chaque soir, quelqu'un arrivait. « Encore les voleurs ! disait-on. Hier ils ont emmené un troupeau de cinquante jeunes taureaux. » Immobile dans son rocking-chair, rongeant ses ongles, la Veuve Montiel se nourrissait de sa rancœur.

---

même pas ; elle projette sur lui des intentions nobles et généreuses qu'il est loin d'avoir.

7. **no me friegues tanto** : (Amér.) *ne m'embête pas.* Premier sens de **fregar** : *faire la vaisselle.*

8. **consiguió** : m. à m., *il réussit à obtenir,* de **conseguir** ; syn. **lograr.**

9. **no oyó crujir la escalera sino bajo el peso de una mala noticia** : figure de style fréquente sous la plume de Márquez (zeugme).

10. **el mecedor** : ou **mecedora,** de **mecer** : *bercer.*

—Yo te lo decía, José Montiel —decía, hablando sola—. Este es un pueblo desagradecido[1]. Aún estás caliente en tu tumba y ya todo el mundo nos volteó la espalda.

Nadie volvió a la casa. El único ser humano que vio en aquellos meses interminables en que no dejó de llover[2], fue el perseverante señor Carmichael, que nunca entró a la casa con el paraguas cerrado. Las cosas no marchaban mejor. El señor Carmichael había escrito varias cartas al hijo de José Montiel. Le sugería la conveniencia de que viniera a ponerse al frente[3] de los negocios, y hasta se permitió hacer algunas consideraciones personales sobre la salud de la viuda. Siempre recibió respuestas evasivas. Por último, el hijo de José Montiel contestó francamente que no se atrevía a regresar[4] por temor de que le dieran un tiro. Entonces el señor Carmichael subió al dormitorio de la viuda y se vio precisado[5] a confesarle que se estaba quedando en la ruina.

—Mejor —dijo ella—. Estoy hasta la coronilla[6] de quesos y de moscas. Si usted quiere, llévese lo que le haga falta[7] y déjeme morir tranquila.

Su único contacto con el mundo, a partir de entonces, fueron las cartas que escribía a sus hijas a fines de cada mes. «Este es un pueblo maldito», les decía. «Quédense allá para siempre y no se preocupen por mí. Yo soy feliz sabiendo que ustedes son felices.» Sus hijas se turnaban[8] para contestarle.

---

1. **es un pueblo desagradecido :** la veuve interprète la réalité à l'envers, partant de la conviction que son mari ne pouvait qu'être bon et honnête.

2. **en aquellos meses interminables en que no dejó de llover :** les pluies tropicales sont aussi dans la démesure. « *Le soleil et la pluie alternent leurs violences avec une délirante émulation* » (Claude Couffon parlant d'Aracataca, village natal de Márquez).

3. **ponerse al frente :** *se mettre à la tête de.*

4. **no se atrevía a regresar :** m. à m., *il n'osait pas rentrer ;* **atreverse a :** *oser.*

5. **se vio precisado :** m. à m., *il se vit obligé à ;* cf. **es preciso :** *il faut.*

Elle parlait seule :

« Je te l'avais bien dit, José Montiel. C'est un village qui n'a aucune reconnaissance. Tu es encore tiède dans ta tombe et tout le monde nous tourne déjà le dos. »

Personne ne revint la voir. Le seul être humain qu'elle reçut pendant ces mois interminables où la pluie tombait sans répit fut le fidèle Carmichaël, qui n'entra plus jamais dans la maison avec son parapluie ouvert. La situation ne s'était guère améliorée. Carmichaël avait envoyé plusieurs lettres au fils de José Montiel en lui suggérant de venir prendre en main les affaires de l'hacienda ; il s'était permis d'ajouter quelques considérations personnelles au sujet de la santé de la veuve. Il ne reçut que des réponses évasives. Finalement, le fils de José Montiel répondit franchement qu'il ne prendrait pas le risque de rentrer, de peur qu'on lui tire dessus. Alors Carmichaël monta dans la chambre de la veuve et se sentit obligé de lui avouer qu'ils allaient à la ruine.

« Tant mieux, dit-elle. J'en ai jusque-là des fromages et des mouches. Si vous voulez, prenez ce dont vous avez besoin et laissez-moi mourir en paix. »

Son seul lien avec le monde fut les lettres qu'elle écrivait à ses filles à la fin de chaque mois. « C'est un village maudit, leur disait-elle. Restez où vous êtes et ne vous souciez pas de moi. Je suis heureuse de savoir que vous êtes heureuses. » Les filles répondaient à tour de rôle.

---

6. **estoy hasta la coronilla :** syn. **estoy harto, harta.**

7. **llévese lo que le haga falta :** *emportez ce dont vous aurez besoin.* On emploie le subjonctif dans une subordonnée relative lorsque l'antécédent n'est pas déterminé. Le thème de la veuve qui se mure dans la solitude se retrouve dans d'autres récits ; cf. le personnage de la señora Rebeca dans *Un día después del sábado* et dans *Cien años de soledad.*

8. **sus hijas se turnaban :** m. à m., *ses filles se relayaient.*

Sus cartas eran siempre alegres[1], y se veía que habían sido escritas[2] en lugares tibios y bien iluminados y que las muchachas se veían repetidas en muchos espejos[3] cuando se detenían a pensar. Tampoco ellas querían volver. «Esto es la civilización», decían. «Allá, en cambio, no es un buen medio para nosotras. Es imposible vivir[4] en un país tan salvaje donde asesinan a la gente por cuestiones políticas[5].» Leyendo las cartas, la viuda de Montiel se sentía mejor y aprobaba cada frase con la cabeza.

En cierta ocasión, sus hijas le hablaron de los mercados de carne de París. Le decían que mataban unos cerdos rosados y los colgaban enteros en la puerta adornados con coronas y guirnaldas de flores. Al final, una letra diferente a la de sus hijas había agregado[6]: «Imagínate, que el clavel más grande y más bonito[7] se lo ponen al cerdo en el culo». Leyendo aquella frase, por primera vez en dos años, la viuda de Montiel sonrió. Subió a su dormitorio sin apagar las luces de la casa, y antes de acostarse volteó el ventilador eléctrico contra la pared. Después extrajo[8] de la gaveta[9] de la mesa de noche unas tijeras, un cilindro de esparadrapo y el rosario, y se vendó[10] la uña del pulgar derecho, irritada por los mordiscos. Luego empezó a rezar[11], pero al segundo misterio cambió el rosario a la mano izquierda, pues no sentía las cuentas a través del esparadrapo. Por un momento oyó la trepidación de los truenos remotos.

---

1. **sus cartas eran siempre alegres : ser** donne une caractéristique qui définit.

2. **habían sido escritas : ser** dans une phrase passive où on envisage l'action dans son déroulement.

3. **espejos :** *miroirs.*

4. **es imposible vivir : es** + adjectif + infinitif construit directement sans **de.**

5. **donde asesinan a la gente por cuestiones políticas :** allusion toujours indirecte au climat de violence.

6. **había agregado :** syn. **había añadido.**

Leurs lettres étaient toujours enjouées et on devinait qu'elles provenaient d'endroits douillets et bien éclairés où les filles se voyaient reflétées dans des quantités de miroirs quand elles s'arrêtaient pour réfléchir. Elles non plus ne voulaient pas revenir. « Ici, c'est la civilisation, disaient-elles. Là-bas, par contre, ce n'est pas un bon endroit pour nous. Il est impossible de vivre dans un pays aussi sauvage où l'on assassine les gens pour des questions politiques. » En lisant les lettres, la Veuve Montiel se sentait beaucoup mieux et approuvait chacune des phrases d'un signe de tête.

Une fois, ses filles lui parlèrent des boucheries de Paris. Elles lui racontèrent que l'on tuait des petits cochons roses et qu'on les suspendait entiers devant les portes, ornés de couronnes et de guirlandes de fleurs. A la fin, une écriture différente de celle de ses filles avait ajouté : « Imagine-toi que l'œillet le plus grand et le plus beau, on le met dans le cul du cochon. » En lisant cette phrase, pour la première fois en deux ans, la Veuve Montiel sourit. Elle monta dans sa chambre sans éteindre les lumières, et, avant de se coucher, tourna le ventilateur électrique face au mur. Ensuite, elle sortit du tiroir de la table de nuit des ciseaux, un rouleau de sparadrap, son chapelet, et banda l'ongle de son pouce droit, irrité par les morsures. Puis elle commença à prier mais, arrivée au second mystère, elle fit passer son chapelet dans sa main gauche, ne pouvant sentir les grains à cause du sparadrap. Elle entendit à un certain moment le grondement du tonnerre au loin.

---

7. **el clavel más grande y más bonito** : cf. p. 132, note 2 ; superlatif absolu. Est-ce un trait de civilisation ?

8. **extrajo** : passé simple irrégulier de **extraer**, sur le modèle de **traer**. Syn. **sacó**.

9. **la gaveta** : *le tiroir ;* syn. : **el cajón**.

10. **se vendó** : *elle se banda ;* de **vendar / vender** : *vendre*.

11. **luego empezó a rezar** : le vide d'une vie dans une solitude au dernier degré. Le moindre détail du quotidien prend la dimension de l'événement (la gêne causée par le sparadrap).

Luego se quedó dormida[1] con la cabeza doblada en el pecho. La mano con el rosario rodó[2] por su costado, y entonces vio a la Mamá Grande[3] en el patio con una sábana blanca y un peine en el regazo, destripando piojos con los pulgares. Le preguntó:

—¿Cuándo me voy a morir?

La Mamá Grande levantó la cabeza.

—Cuando te empiece el cansancio del brazo[4].

---

1. **se quedó dormida**: *elle s'endormit;* cf. **se durmió** mais le semi-auxiliaire **quedarse** indique que c'est involontaire.

2. **rodó**: exactement *roula.*

3. **la Mamá Grande**: cf. *Los funerales de la Mamá Grande,* p. 269. Énorme matriarche qui gouverne le village.

4. **cuando te empiece el cansancio del brazo**: subjonctif présent de

Elle s'endormit bientôt, la tête inclinée sur la poitrine. La main qui tenait le chapelet ayant glissé sur le côté, la veuve vit alors la Grande Mémé dans la cour avec un drap blanc et un peigne sur son sein, qui tuait les poux avec ses pouces. Elle lui demanda :

« Quand vais-je mourir ? »

La Grande Mémé releva la tête :

« Quand ton bras commencera à s'ankyloser. »

---

empezar ; dans une subordonnée de temps, le futur se traduit par un subjonctif présent. La veuve consulte la Mamá Grande comme un oracle qui lui répond, comme il se doit, de manière énigmatique. Cette fin peut surprendre car elle ne « boucle » pas la nouvelle, elle ouvre sur l'attente de la mort et le vide qui déjà occupaient le récit.

UN DÍA DESPUÉS DEL SÁBADO

UN JOUR APRÈS LE SAMEDI

La inquietud empezó en julio, cuando la señora Rebeca[1], una viuda amargada[2] que vivía en una inmensa casa de dos corredores y nueve alcobas, descubrió que sus alambreras estaban rotas[3] como si hubieran sido apedreadas[4] desde la calle. El primer descubrimiento lo hizo en su dormitorio y pensó que debía hablar de eso con Argénida, su sirviente y confidente desde que murió su esposo. Después, removiendo cachivaches (pues desde hacía tiempo la señora Rebeca no hacía nada distinto que remover cachivaches) advirtió que no sólo las alambreras de su dormitorio, sino todas las de la casa[5] estaban deterioradas. La viuda tenía un sentido académico de la autoridad, heredado tal vez de su bisabuelo paterno, un criollo que en la guerra de Independencia[6] peleó al lado de los realistas e hizo después un penoso viaje a España con el propósito exclusivo de visitar el palacio que construyó Carlos III[7] en San Ildefonso[8]. De manera que cuando descubrió el estado de las otras alambreras, no pensó ya en hablar con Argénida sino que se puso el sombrero de paja con minúsculas flores de terciopelo y se dirigió a la alcaldía a dar cuenta del atentado. Pero al llegar allí[9], vio que el mismo alcalde, sin camisa, peludo y con una solidez que a ella le pareció bestial, se ocupaba de reparar las alambradas municipales, deterioradas como las suyas.

La señora Rebeca irrumpió en la sórdida y revuelta[10] oficina y lo primero que vio fue un montón de pájaros muertos sobre el escritorio.

---

1. **la señora Rebeca:** cf. *La siesta del martes.*

2. **una viuda amargada:** la veuve dépressive est un autre thème cher à Márquez (cf. *La viuda de Montiel*).

3. **estaban rotas:** *étaient cassées;* **rotas:** participe passé de **romper:** *casser, déchirer.*

4. **como si hubieran sido apedreadas: como si** est suivi du subjonctif plus-que-parfait. Pour la forme passive avec **ser,** cf. p. 102, note 6.

5. **no sólo las alambreras... sino todas las de la casa: no... sino,** cf. p. 58, note 3.

L'inquiétude commença en juillet, quand Mme Rébecca, une veuve amère qui vivait dans une immense maison à deux galeries et neuf alcôves, découvrit que les grillages de ses fenêtres étaient ébréchés comme si des cailloux avaient été lancés contre eux de la rue. Cette première constatation, elle la fit dans sa chambre et pensa qu'elle devait en parler à Argénida, sa domestique et confidente depuis la mort de son mari. Plus tard, en remuant des bricoles (car depuis longtemps Mme Rébecca ne faisait plus que remuer des bricoles), elle constata que non seulement le grillage de sa chambre mais tous ceux de la maison étaient détériorés. La veuve avait un sens académique de l'autorité, hérité peut-être de son arrière-grand-père paternel, un homme du pays qui, pendant la guerre d'Indépendance, s'était battu dans les rangs du roi d'Espagne et avait fait ensuite un pénible voyage dans la péninsule avec l'intention exclusive de visiter le palais construit par Charles III à San Ildefonso. A tel point qu'ayant découvert l'état des autres grillages, elle ne pensa plus à parler avec Argénida mais planta sur sa tête son chapeau de paille à minuscules fleurs de velours et se dirigea vers la mairie pour dénoncer l'attentat. A peine arrivée, elle vit que le maire, torse nu, velu, exhibant une musculature qui lui parut bestiale, s'occupait à réparer les grillages municipaux, abîmés comme les siens.

Mme Rébecca fit irruption dans le bureau sordide et pêle-mêle et la première chose qu'elle aperçut fut une pyramide d'oiseaux morts sur l'écritoire.

---

6. **la guerra de Independencia** : elle commença en 1810 et se termina le 7 août 1819 par la victoire de Bolivar sur les Espagnols à Boyaca ; la Nouvelle-Grenade devint la Colombie.

7. **Carlos III** : roi d'Èspagne de 1759 à 1788, monarque illustre.

8. **San Ildefonso** : résidence royale située à la Granja, dans la province de Ségovie (Espagne).

9. **al llegar allí** : *en arrivant là*. **Al** + infinitif indique la simultanéité de deux actions.

10. **revuelta** : *en désordre ;* de **revolver** : *mettre sens dessus dessous*.

Pero estaba ofuscada, en parte por el calor y en parte por la indignación que le produjo[1] la ruina de las alambreras. De manera que no tuvo tiempo[2] de estremecerse ante el inusitado espectáculo de los pájaros muertos sobre el escritorio. Ni siquiera[3] le escandalizó la evidencia de la autoridad degradada a lo alto[4] de una escalera, reparando las redes metálicas de la ventana con un rollo de alambre y un destornillador. Ella no pensaba ahora en otra dignidad que en la suya propia, escarnecida[5] en sus alambreras, y su ofuscación le impidió[6] incluso relacionar las ventanas de su casa con las de la alcaldía. Se plantó con discreta solemnidad a dos pasos de la puerta, en el interior de la oficina, y apoyada en el largo y guarnecido mango de su sombrilla, dijo:

—Necesito poner una queja[7].

Desde el tope de la escalera, el alcalde volvió el rostro congestionado por el calor. No manifestó emoción alguna[8] ante la presencia insólita de la viuda en su despacho. Con sombría negligencia siguió desprendiendo[9] la red estropeada y preguntó desde arriba[10]:

—¿Qué es la cosa[11]?

—Que los muchachos del vecindario rompieron las alambreras.

Entonces el alcalde volvió a mirarla[12]. La examinó laboriosamente desde las primorosas florecillas de terciopelo[13] hasta los zapatos color de plata antigua, y fue como si la hubiera visto por la primera vez[14] en su vida.

---

1. **le produjo**: passé simple irrégulier de **producir**.
2. **no tuvo tiempo**: *elle n'eut pas le temps* (sans article).
3. **ni siquiera**: *pas même*.
4. **a lo alto**: **lo** + adj. cf. p. 34, note 1.
5. **escarnecida**: *bafouée*.
6. **le impidió**: *l'empêcha*; passé simple de **impedir**.
7. **necesito poner una queja**: m. à m., *j'ai besoin de porter plainte*; en Espagne on dit **poner una denuncia**.
8. **no manifestó emoción alguna**: **alguno** placé après le nom dans une

Mais elle était si offusquée, en partie à cause de la chaleur et en partie sous l'effet de l'indignation provoquée par un tel vandalisme, qu'elle n'eut pas le temps de frémir devant le spectacle inhabituel des oiseaux morts. Elle ne se scandalisa même pas à la vue de l'autorité déshonorée, perchée au sommet d'une échelle, en train de réparer le treillis de la fenêtre avec un rouleau de fil de fer et un tournevis. Elle ne pensait pour l'instant qu'à une dignité : la sienne ; obsédée par les dégâts causés à sa maison, son indignation l'empêchait même de les rapprocher de ceux causés à la mairie. Elle s'arrêta avec une solennité discrète à deux pas de la porte, à l'intérieur du bâtiment, et, appuyée sur le long manche à fioritures de son ombrelle, elle dit :

« Je viens porter plainte. »

Du haut de son échelle, le maire tourna vers elle son visage congestionné par la chaleur. Il ne manifesta aucune émotion devant la présence insolite de la veuve dans son bureau. Morose et nonchalant, il continua de dévisser le treillis endommagé et demanda :

« Qu'est-ce qui vous arrive ?

— Il m'arrive que les gamins du quartier ont crevé mes grillages. »

Le maire à nouveau la regarda. Il l'examina minutieusement, des pimpantes petites fleurs de velours de son chapeau jusqu'à ses souliers couleur vieil argent, et sembla l'apercevoir pour la première fois de sa vie.

---

phrase négative équivaut à **ninguno** placé devant le nom ; ici : **ninguna emoción.**

9. **siguió desprendiendo :** cf. passim.

10. **desde arriba :** *d'en haut* ≠ **desde abajo.**

11. **¿ qué es la cosa ? :** *de quoi s'agit-il ?*

12. **volvió a mirarla : volver a** + infinitif marque la répétition d'une action.

13. **terciopelo :** *velours ;* **la pana :** *le velours côtelé.*

14. **como si la hubiera visto por la primera vez : como si** + plus-que-parfait du subjonctif de **ver.**

Descendió parsimoniosamente, sin dejar de mirarla[1], y cuando pisó tierra firme[2] apoyó una mano en la cintura y movió el destornillador hasta el escritorio. Dijo:

—No son los muchachos, señora. Son los pájaros.

Y entonces fue cuando ella relacionó los pájaros muertos sobre el escritorio con el hombre subido a la escalera y con las estropeadas redes de sus alcobas. Se estremeció, al imaginar[3] que todos los dormitorios de su casa estaban llenos de pájaros muertos.

—Los pájaros —exclamó.

—Los pájaros[4] —confirmó el alcalde—. Es extraño que no se haya dado cuenta[5] si hace tres días[6] que estamos con este problema de los pájaros rompiendo ventanas para morirse dentro de las casas.

Cuando abandonó la alcaldía, la señora Rebeca se sentía avergonzada[7]. Y un poco resentida con Argénida que arrastraba hasta su casa todos los rumores del pueblo y que sin embargo no le había hablado de los pájaros. Desplegó la sombrilla, deslumbrada por el brillo de un agosto inminente, y mientras caminaba por la calle abrasante y desierta, tuvo la impresión de que las alcobas de todas las casas exhalaban un fuerte y penetrante tufo de pájaros muertos.

Esto era en los últimos días de julio, y nunca en la vida del pueblo había hecho tanto calor[8]. Pero sus habitantes no se dieron cuenta de eso, impresionados por la mortandad de los pájaros.

---

1. **sin dejar de mirarla**: *sans la quitter des yeux*. **Dejar de**: *cesser de*; dejar: *laisser*.

2. **pisó tierra firme**: m. à m., *il foula la terre ferme*. Cf. **una pisada**: *un pas*.

3. **al imaginar**: **al** + infinitif indique la simultanéité et aussi la cause.

4. **los pájaros**: le récit bascule peu à peu dans le fantastique par la mention répétée des oiseaux qui, après avoir causé de nombreux dégâts, viennent mourir à l'intérieur des maisons. Le climat est digne du film d'Alfred Hitchcock.

Il descendit avec prudence, sans cesser de la regarder ; ayant retrouvé la terre ferme, il appuya une main sur la hanche et agita le tournevis en direction de l'écritoire :

« Ce ne sont pas les gamins, madame. Ce sont les oiseaux. »

C'est alors qu'elle se mit à établir une relation entre les oiseaux morts sur l'écritoire, l'homme grimpé sur l'échelle et les grillages détériorés de ses alcôves. Elle trembla à l'idée que toutes les chambres de sa maison étaient remplies d'oiseaux morts.

« Les oiseaux ! s'écria-t-elle.

— Les oiseaux, confirma le maire. Il est étrange que vous n'ayez rien vu alors que depuis trois jours nous vivons avec ce problème d'oiseaux qui enfoncent les fenêtres pour venir mourir dans les maisons. »

Quand elle abandonna le maire, Mme Rébecca se sentit humiliée. Et un peu courroucée à l'égard d'Argénida, qui rapportait tous les ragots du pays et qui, pourtant, ne lui avait pas parlé d'oiseaux. Elle ouvrit son ombrelle, éblouie par un flot de lumière qui annonçait la grande clarté d'août, et tout en marchant dans la rue brûlante et déserte elle eut l'impression que les chambres de toutes les maisons exhalaient un fort relent d'oiseaux morts.

On était dans les derniers jours de juillet et jamais la chaleur n'avait été aussi forte. Cependant, les gens du village ne s'y arrêtèrent pas, impressionnés qu'ils étaient par la mort de tant d'oiseaux.

---

5. **es extraño que no se haya dado cuenta** : le subjonctif passé de **darse cuenta** marque l'antériorité par rapport au présent de **es extraño**.

6. **si hace tres días : si...**, *et pourtant...*

7. **se sentía avergonzada** : *elle se sentait honteuse*. De **vergüenza** : *la honte*. Elle est vexée de ne pas être au courant et en veut à sa servante de ne pas l'avoir informée. Le fantastique est évincé.

8. **nunca en la vida del pueblo había hecho tanto calor** : la chaleur est un leitmotiv, un élément omniprésent dans les récits de Márquez.

Aunque el extraño fenómeno no había influido[1] seriamente en las actividades del pueblo, la mayoría estaba pendiente[2] de él a principios de agosto. Una mayoría en la que no se contaba su reverencia, Antonio Isabel del Santísimo Sacramento[3] del Altar Castañeda y Montero, el manso pastor de la parroquia que a los noventa y cuatro años de edad aseguraba haber visto al diablo en tres ocasiones, y que sin embargo sólo había visto dos pájaros muertos sin atribuirles la menor importancia. El primero lo encontró un martes en la sacristía, después de la misa, y pensó que había llegado hasta ese lugar arrastrado por algún gato del vecindario. El otro lo encontró el miércoles en el corredor de la casa cural y lo empujó con la punta de la bota hasta la calle, pensando: «No debían existir los gatos[4]».

Pero el viernes, al llegar[5] a la estación del ferrocarril, encontró un tercer pájaro[6] muerto en el escaño[7] que eligió[8] para sentarse. Fue como un relámpago en su interior, cuando agarró el cadáver por las patitas, lo alzó hasta el nivel de sus ojos, lo volteó, lo examinó, y pensó sobresaltado: «Caramba, es el tercero que encuentro en esta semana». Desde ese instante empezó a darse cuenta de lo que estaba ocurriendo[9] en el pueblo, pero de una manera muy imprecisa, pues el padre Antonio Isabel, en parte por la edad[10] y en parte también porque aseguraba haber visto al diablo en tres ocasiones (cosa que al pueblo le parecía un tanto dislocada), era considerado por sus feligreses como un buen hombre, pacífico y servicial, pero que andaba habitualmente por las nebulosas.

---

1. **aunque el extraño fenómeno no había influido**: **aunque** suivi de l'indicatif indique un fait réel: *même si*.

2. **estaba pendiente**: m. à m., *était suspendu*.

3. **Antonio Isabel del Santísimo Sacramento...**: le récit change de point de vue; il abandonne Rebecca pour s'intéresser désormais au curé.

4. **no debían existir los gatos**: l'imparfait **debían** a une valeur de conditionnel. Ce transfert n'est possible qu'avec **deber** et **poder**.

Si l'étrange phénomène ne perturba pas sérieusement au début les activités locales, il finit par obséder, dans les premiers jours du mois d'août, la plupart des habitants. Quelqu'un, toutefois, gardait la tête froide : le vénérable Antonio Isabel du Très Saint Sacrement de l'Autel Castañeda y Montero, le doux pasteur de la paroisse qui, à quatre-vingt-quatorze ans, affirmait avoir vu le diable à trois reprises et qui, pourtant, n'avait vu que deux oiseaux morts sans y attacher la moindre importance. Le premier, il l'avait trouvé un mardi dans la sacristie, après la messe, et avait pensé qu'il était arrivé là dans la gueule d'un chat. Il avait découvert l'autre le mercredi dans le couloir du presbytère et l'avait poussé avec le bout de sa chaussure jusqu'à la rue, en pensant : *Les chats ne devraient pas exister.*

Mais le vendredi, en arrivant à la gare, il aperçut un troisième oiseau mort sur le banc qu'il choisit pour s'asseoir. Une sorte d'éclair intérieur le traversa quand il attrapa le petit cadavre par les pattes, le leva à hauteur des yeux, le retourna, l'examina et pensa, effrayé : *Sapristi ! C'est le troisième que je trouve cette semaine.* Dès lors il commença à comprendre l'émoi du village, mais d'une manière très imprécise, car le père Antonio Isabel, en partie à cause de son grand âge et en partie aussi parce qu'il affirmait avoir vu le diable à trois reprises (visions que le village jugeait bien farfelues), était considéré par ses paroissiens comme un brave homme, pacifique et dévoué, mais qui vivait généralement dans les nuages.

---

5. **al llegar** : *en arrivant* (simultanéité).

6. **un tercer pájaro** : la dernière syllabe de **tercero** tombe devant un nom masculin, idem pour **primero**, etc.

7. **el escaño** : *le banc* (à dossier) ; *le siège* (au Parlement).

8. **eligió** : passé simple de **elegir**.

9. **lo que estaba ocurriendo** : m. à m., *ce qui était en train de se passer.* **Ocurrir**, cf. p. 119, note 7.

10. **por la edad** : por = *à cause de.*

Pues se dio cuenta de que algo ocurría a los pájaros, pero incluso[1] entonces no creyó que aquello fuera tan importante como para[2] que mereciera un sermón. Él fue el primero que sintió el olor. Lo sintió en la noche del viernes, cuando despertó alarmado, interrumpido su liviano sueño por una tufarada nauseabunda[3], pero no supo[4] si atribuirlo a una pesadilla[5] o a un nuevo y original recurso satánico para perturbar su sueño. Olfateó a su alrededor y se dio vuelta en la cama, pensando que aquella experiencia podría servirle para un sermón. Podría ser, pensó, un dramático sermón sobre la habilidad de Satán para filtrarse en el corazón humano por cualquiera de los cinco sentidos[6].

Cuando se paseaba por el atrio al día siguiente antes de la misa, oyó hablar por primera vez de los pájaros muertos. Estaba pensando en el sermón, en Satanás y en los pecados que pueden cometerse por el sentido del olfato, cuando oyó decir que el mal olor nocturno era de los pájaros recolectados durante la semana; y se le formó en la cabeza un confuso revoltijo de prevenciones evangélicas, de malos olores y de pájaros muertos. De manera que el domingo tuvo que improvisar sobre la caridad una parrafada que él mismo no entendió muy a las claras[7], y se olvidó para siempre[8] de las relaciones entre el diablo y los cinco sentidos.

Sin embargo, en algún sitio muy remoto de su pensamiento debieron de quedar agazapadas aquellas experiencias.

---

1. **incluso**: *même*; syn. **aun, hasta**.
2. **que aquello fuera tan importante como para...**: *que cela fût assez important pour...* **Aquello**: pronom démonstratif neutre. **Fuera**: imparfait du subjonctif de **ser** pour la concordance avec le passé simple **creyó**. **Tan... como**: éléments du comparatif d'égalité.
3. **por una tufarada nauseabunda**: l'odeur pénètre le récit et crée un certain malaise; les références olfactives sont nombreuses en général chez l'auteur.

Donc il comprit que quelque chose arrivait aux oiseaux, sans considérer malgré tout l'affaire assez importante pour qu'on lui consacre un sermon. Il fut pourtant le premier à sentir l'odeur. Il la sentit durant la nuit du vendredi, quand il se réveilla inquiet, interrompu dans son sommeil léger par un relent nauséabond dont il ne savait pas s'il devait l'attribuer à un cauchemar ou à une nouvelle ruse de Satan pour troubler son sommeil. Il huma autour de lui et se retourna dans son lit, pensant que cette expérience pourrait servir de thème à une homélie. Ce pourrait être, pensa-t-il, une homélie dramatique sur l'habileté du diable à s'insinuer dans le cœur de l'homme par l'un des cinq sens.

Comme il se promenait le lendemain sur le parvis avant la messe, il entendit parler pour la première fois des oiseaux morts. Il réfléchissait à son sermon, à Satan et aux péchés que l'on peut commettre par le biais de l'odorat, quand il entendit affirmer que la puanteur nocturne venait des oiseaux ramassés durant la semaine ; aussitôt un embrouillamini de mises en garde évangéliques, de mauvaises odeurs et d'oiseaux morts se forma dans sa tête. A tel point que le dimanche il dut improviser sur la charité un laïus que lui-même ne comprit pas très bien, après quoi il oublia à jamais les rapports entre le diable et les cinq sens.

Sans doute ces expériences restaient-elles blotties dans quelque lointain repli de sa pensée.

---

4. **no supo** : passé simple irrégulier de **saber**.

5. **una pesadilla** : *un cauchemar /* **un sueño** : *un rêve ;* **el sueño** : *le sommeil.*

6. **cualquiera de los cinco sentidos** : *n'importe lequel des cinq sens.*

7. **que él mismo no entendió muy a las claras** : *que lui-même n'entendit pas très clairement.* La religion a un piètre représentant en la personne de ce vieillard à l'esprit confus, familier du diable...

8. **se olvidó para siempre...** : les problèmes de mémoire du prêtre ne sont pas dus à son grand âge mais sont à mettre en relation avec la conception circulaire du temps chez l'auteur ; cf. p. 190.

Eso le ocurría[1] siempre, no sólo en el seminario hacía ya más de 70 años, sino de manera muy particular después de que cumplió los 90[2]. En el seminario, una tarde muy clara en que caía un fuerte aguacero sin tormenta, él leía un trozo de Sófocles en su idioma original. Cuando acabó de llover miró a través de la ventana el campo fatigado, la tarde lavada y nueva, y se olvidó enteramente del teatro griego y de los clásicos que él no diferenciaba sino que llamaba, de manera general, «los ancianitos de antes[3]». Una tarde sin lluvia, acaso treinta, cuarenta años después, atravesaba la plaza empedrada de un pueblo, al que había ido de visita, y sin proponérselo recitó la estrofa de Sófocles que leía en el seminario. Esa misma semana, conversó largamente sobre «los ancianitos de antes» con el vicario apostólico, un anciano locuaz e impresionable, aficionado a unos complejos acertijos[4] para eruditos que él debía haber inventado y que se popularizaron años después con el nombre de crucigramas.

Aquella entrevista le permitió recoger de un golpe todo su viejo y entrañable[5] amor por los clásicos griegos. En la Navidad de ese año recibió una carta. Y de no haber sido[6] porque ya para esa época había adquirido el sólido prestigio de ser exageradamente imaginativo, intrépido para la interpretación y un poco disparatado[7] en sus sermones, en esa ocasión lo habrían hecho obispo[8].

1. **eso le ocurría**: m. à m., *cela lui arrivait.*

2. **no sólo en el seminario... sino... después de que cumplió los 90**: *non seulement au séminaire mais depuis qu'il avait eu 90 ans.* Ce personnage, comme bien d'autres de Márquez, a une forme de mémoire particulière : il oublie le passé très proche qui resurgit de façon impromptue 30 ou 40 ans plus tard ; le temps ainsi est aboli dans sa chronologie.

3. **«los ancianitos de antes»**: *les petits vieux d'antan.* À noter le diminutif affectif et familier, inattendu pour désigner les grands classiques grecs.

4. **acertijos**: *des devinettes;* de **acertar**: *deviner, trouver, réussir.*

5. **entrañable**: *intime, cher;* de **entrañas,** *entrailles.*

6. **de no haber sido...**: m. à m., *si cela n'avait pas été.* De + infinitif =

Il était coutumier du fait, non seulement au séminaire, cela faisait plus de soixante-dix ans, mais plus particulièrement depuis qu'il avait eu quatre-vingt-dix ans. Ainsi, au séminaire, un après-midi lumineux, une grosse averse s'était brusquement abattue sans signes d'orage apparents. Il lisait un fragment de Sophocle dans le texte. La pluie ayant cessé, il avait regardé par la fenêtre la campagne fatiguée, le soir lavé et neuf, et tout s'était effacé de sa cervelle, le théâtre grec et les classiques qu'il ne différenciait pas entre eux mais avait baptisés en bloc : « les petits vieux de dans le temps ». Un autre après-midi sans pluie, trente ou quarante ans plus tard, il traversait la place pavée d'un village où il était venu en visiteur, et, sans réfléchir, il s'était mis à réciter la strophe de Sophocle qu'il lisait au séminaire. La même semaine, il avait longuement conversé sur « les petits vieux de dans le temps » avec le vicaire apostolique, un vieillard jacasseur et impressionnable, amateur de devinettes compliquées pour érudits qu'il avait probablement inventées et que le temps allait populariser sous le nom de mots croisés.

L'entrevue lui avait permis de retrouver d'un coup son lointain et intime amour pour les classiques grecs. La même année, à Noël, il avait reçu une lettre. On l'aurait à cette occasion nommé évêque si déjà à cette époque il n'avait acquis la solide réputation d'être exagérément imaginatif, intrépide dans l'interprétation et un peu maboul dans ses sermons.

---

si + imparfait du subjonctif ; de + infinitif passé = si + plus-que-parfait du subjonctif ; ici : si no hubiera sido.

7. disparatado : *extravagant* ; de un disparate : *sottise.*

8. lo habrían hecho obispo : m. à m., *on l'aurait nommé évêque.* Conditionnel passé de hacer.

Pero se enterró en el pueblo[1], desde mucho antes de la guerra del 85[2], y en la época en que los pájaros venían a morir en los dormitorios hacía años que habían pedido su reemplazo por un sacerdote más joven, especialmente cuando dijo haber visto al diablo. Desde entonces comenzaron a no tenerlo en cuenta[3], cosa que él no advirtió[4] de una manera muy clara a pesar de que[5] todavía podía descifrar los menudos caracteres de su breviario sin necesidad de anteojos.

Siempre había sido un hombre de costumbres regulares. Pequeño, insignificante, de huesos pronunciados[6] y sólidos y ademanes[7] reposados y una voz sedante para la conversación pero demasiado sedante para el púlpito. Permanecía hasta la hora del almuerzo echando globos[8] en su alcoba, tirado a la bartola[9] en una silla de lona y sin otras prendas de vestir que unos largos pantaloncillos de sarga con las bocapiernas amarradas a los tobillos.

No hacía nada, salvo decir la misa. Dos veces a la semana[10] se sentaba en el confesionario, pero hacía años que no se confesaba nadie. Él creía sencillamente que sus feligreses estaban perdiendo la fe a causa de las costumbres modernas, de ahí que hubiera considerado como un acontecimiento muy oportuno haber visto al diablo en tres ocasiones, aunque sabía[11] que la gente daba muy poco crédito a sus palabras a pesar de que[12] tenía conciencia de no ser muy convincente cuando hablaba de esas experiencias.

---

1. **se enterró en el pueblo** : ne pas confondre **enterrarse** : *s'enterrer* avec **enterarse** : *s'informer, être au courant.*

2. **la guerra del 85** : sans référence historique précise ; une des multiples guerres civiles du siècle dernier.

3. **comenzaron a no tenerle en cuenta** : m. à m., *on commença à ne pas le prendre en considération.*

4. **no advirtió** : *il ne remarqua pas.* Passé simple de **advertir.**

5. **a pesar de que** : *malgré le fait que ;* suivi de l'indicatif.

6. **de huesos pronunciados** : le **de** introduit un complément de relation.

Mais il s'enterra dans le village bien avant la guerre de 85, et à l'époque où les oiseaux venaient mourir dans les chambres il y avait longtemps qu'on avait demandé son remplacement par un prêtre plus jeune, spécialement quand il prétendit avoir vu le diable. On se mit à bouder l'église, mais il n'y vit que du bleu, lui qui pourtant pouvait encore déchiffrer sans lunettes les signes si menus de son bréviaire.

Il avait toujours été un homme aux mœurs tranquilles. Petit, insignifiant, solidement charpenté, le geste calme et la voix reposante pour la conversation mais trop reposante pour la chaire. Il restait jusqu'à l'heure du déjeuner à rêvasser dans sa chambre, allongé comme un veau sur une chaise longue et sans autres vêtements qu'un long pantalon de serge dont le bas était ficelé aux chevilles.

Son seul travail était de dire la messe. Deux fois par semaine il s'asseyait dans le confessionnal, mais il y avait belle lurette que personne ne se confessait plus. Il croyait naïvement que ses paroissiens avaient perdu la foi, corrompus par les mœurs modernes ; c'est pourquoi il considérait comme un événement très opportun d'avoir vu le diable à trois reprises, même s'il savait que les gens accordaient peu de crédit à ses paroles et s'il avait conscience de n'être pas très convaincant lorsqu'il parlait de ces expériences.

---

7. **ademanes :** *les gestes ;* aussi, au singulier, *l'expression.*
8. **permanecía... echando globos :** *il restait... à réfléchir* (Amér.).
9. **a la bartola :** *tout à son aise.*
10. **dos veces a la semana :** *deux fois par semaine.*
11. **aunque sabía :** *bien qu'il sache.* **Aunque** est suivi de l'indicatif lorsqu'il introduit un fait réel.
12. **a pesar de que :** *malgré le fait que ;* s'emploie avec l'indicatif.

Para él mismo no habría sido una sorpresa descubrir que estaba muerto[1], no sólo a lo largo de los últimos cinco años, sino también en esos momentos extraordinarios en que encontró los dos primeros pájaros. Cuando encontró el tercero, sin embargo, se asomó un poco a la vida[2], de manera que en los últimos días estuvo pensando con apreciable frecuencia en el pájaro muerto sobre el escaño de la estación.

Vivía a diez pasos del templo, en una casa pequeña, sin alambreras, con un corredor hacia la calle y dos cuartos que le servían de despacho y dormitorio. Consideraba, tal vez en sus momentos de menor lucidez, que es posible lograr la felicidad[3] en la tierra cuando no hace mucho calor, y esa idea le producía un poco de desconcierto[4]. Le gustaba extraviarse por vericuetos metafísicos. Era eso lo que hacía cuando se sentaba en el corredor todas las mañanas, con la puerta entreabierta, cerrados los ojos y los músculos distendidos. Sin embargo, él mismo no cayó en la cuenta[5] de que se había vuelto tan sutil[6] en sus pensamientos, que hacía por lo menos tres años que en sus momentos de meditación ya no pensaba en nada.

A las doce en punto, un muchacho atravesaba el corredor con un portacomidas de cuatro secciones que contenía lo mismo[7] todos los días: sopa de hueso con un pedazo de yuca, arroz blanco, carne guisada sin cebolla, plátano frito o bollo de maíz y un poco de lentejas que el padre Antonio Isabel del Santísimo Sacramento del Altar no había probado jamás.

---

1. **no habría sido una sorpresa descubrir que estaba muerto**: m. à m., *ce n'aurait pas été une surprise de découvrir qu'il était mort.* Le prêtre ne fait plus guère de différence entre sa vie et la mort.

2. **se asomó un poco a la vida**: métaphore qui suggère que le curé reprend goût à la vie par la mort des oiseaux; aurait-il là son mot à dire?

3. **es posible lograr la felicidad**: m. à m., *il est possible d'atteindre le bonheur.* **Es** + adjectif + infinitif construit directement sans **de**. Synonyme de **lograr**: **conseguir**. La chaleur interdit le bonheur.

Il n'aurait eu, quant à lui, aucune surprise à découvrir qu'il était mort non seulement depuis cinq ans mais aussi en ces moments extraordinaires où il avait trouvé les deux premiers oiseaux. Pourtant, quand il découvrit le troisième, il se pencha un peu sur la vie et, les derniers jours, pensa même fréquemment à l'oiseau mort sur le banc de la gare.

Il vivait à deux pas de l'église, dans une petite maison sans fenêtres grillagées, avec une galerie donnant sur la rue et deux pièces qui lui servaient de chambre et de bureau. Il considérait, peut-être à ses moments de moindre lucidité, que le bonheur sur la terre est possible pourvu qu'il ne fasse pas trop chaud, et cette idée le laissait perplexe. Il aimait s'égarer dans les méandres métaphysiques. C'était ce qu'il faisait tous les matins quand il s'asseyait dans la galerie en laissant sa porte entrouverte, les yeux fermés et les muscles au repos. Mais il ne soupçonna pas qu'il était devenu si subtil dans ses pensées que depuis trois ans au moins il ne pensait plus à rien au cours de ses méditations.

A midi juste un garçon traversait la galerie avec sur un plateau les quatre raviers qui contenaient la même chose tous les jours : un bouillon d'os avec un morceau de manioc, du riz blanc, de la viande préparée sans oignons, une banane frite ou une galette de maïs et une petite ration de lentilles auxquelles le père Antonio Isabel du Très Saint Sacrement de l'Autel n'avait jamais goûté.

---

4. **desconcierto** : *désordre, confusion, désarroi.*

5. **no cayó en la cuenta** : **no se dió cuenta.**

6. **se había vuelto tan sutil** : **volverse** avec un adjectif traduit *devenir* lorsqu'il s'agit d'un changement radical. **Sutil** veut dire *subtil,* mais aussi *mince, léger,* au point de « *ne plus penser à rien au cours de ses méditations* ».

7. **lo mismo** : *la même chose ;* cf. p. 34, note 1. La routine touche aussi le menu invariable.

El muchacho ponía el portacomidas junto a la silla donde yacía el sacerdote, pero éste no abría los ojos mientras no escuchaba otra vez las pisadas[1] en el corredor. Por eso en el pueblo creían que el padre dormía la siesta antes del almuerzo (cosa que parecía igualmente dislocada) cuando la verdad era que ni siquiera de noche[2] dormía normalmente.

Para esa época sus hábitos[3] se habían descomplicado hasta el primitivismo. Almorzaba[4] sin moverse de su silla de lona, sin sacar los alimentos del portacomidas, sin usar los platos ni el tenedor ni el cuchillo, sino apenas la misma cuchara con que tomaba la sopa. Después se levantaba, se echaba un poco de agua en la cabeza, se ponía la sotana blanca y averaguada con grandes remiendos cuadrados, y se dirigía a la estación del ferrocarril, precisamente a la hora en que el resto del pueblo se acostaba a dormir la siesta[5]. Desde hacía varios meses[6] recorría ese trayecto murmurando la oración que él mismo inventó[7] la última vez que se le apareció el diablo.

Un sábado —nueve días después de que empezaron a caer pájaros muertos— el padre Antonio Isabel del Santísimo Sacramento del Altar se dirigía a la estación cuando cayó un pájaro agonizante a sus pies, precisamente frente a la casa de la señora Rebeca[8]. Un resplandor de lucidez estalló en su cabeza y se dio cuenta de que aquel pájaro, a diferencia de los otros, podía ser salvado.

---

1. **mientras no escuchaba otra vez las pisadas**: m. à m., *tant qu'il n'entendait pas de nouveau les pas.*

2. **ni siquiera de noche**: *même pas la nuit*. De noche / de día: *la nuit, le jour.*

3. **sus hábitos**: *ses habitudes*, syn. **sus costumbres** (*l'habit*: **el traje**).

4. **almorzaba**: *il déjeunait*. El almuerzo: *le déjeuner*. La comida: *le repas de midi* en Espagne mais *le dîner* dans certains pays d'Amérique dont la Colombie. **La cena**: *le dîner* en Espagne, *le repas de midi* dans ces mêmes pays.

5. **precisamente a la hora en que el resto del pueblo se acostaba a**

Le garçon posait le plateau près de la chaise où gisait le prêtre, mais celui-ci n'ouvrait pas les yeux avant d'avoir entendu les pas s'éloigner dans la galerie. C'est pourquoi le village croyait que le père faisait la sieste avant le déjeuner (ce qu'il jugeait aussi bien farfelu) alors qu'en vérité il n'arrivait pas à dormir comme tout le monde, même la nuit.

A cette époque ses habitudes s'étaient simplifiées pour devenir franchement primitives. Il déjeunait sans bouger de sa chaise longue, sans retirer les aliments de leur plateau, sans utiliser ni assiette, ni fourchette, ni couteau, tout au plus cette cuillère avec laquelle il avalait sa soupe. Puis il se levait, se versait un peu d'eau sur la tête, enfilait sa soutane blanche et rapiécée avec de grands bouts de tissu, et se dirigeait vers la gare, précisément à l'heure où le reste du village se couchait pour faire la sieste. Depuis plusieurs mois, il parcourait cet itinéraire en murmurant la prière qu'il avait lui-même inventée depuis la dernière apparition du diable.

Un samedi — neuf jours après la chute des premiers oiseaux morts — le père Antonio Isabel du Très Saint Sacrement de l'Autel se dirigeait vers la gare quand il vit s'abattre à ses pieds un oiseau mourant, devant le domicile de Mme Rébecca. Une lueur de lucidité flamba dans sa tête et il se rendit compte que l'oiseau, à la différence des autres, pouvait être sauvé.

dormir la siesta : les habitudes du curé sont contraires à celles du village ; le non-respect de la sieste est un scandale.

6. **desde hacía varios meses :** *depuis plusieurs mois ;* dans une phrase au passé, **hacía** est indispensable lorsqu'on envisage l'événement dans sa durée.

7. **que él mismo inventó :** la dérive du curé.

8. **frente a la casa de la señora Rebeca :** la rencontre des deux protagonistes de la nouvelle autour d'un oiseau blessé.

Lo tomó en sus manos y llamó a la puerta de la señora Rebeca, en el instante en que ella se desabrochaba el corpiño[1] para dormir la siesta.

En su alcoba, la viuda oyó los golpes e instintivamente[2] desvió la vista hacia las alambreras. No había penetrado ningún pájaro a esa alcoba desde hacía dos días. Pero la red continuaba desflecada[3]. Había considerado un gasto inútil hacerla reparar mientras no cesara aquella invasión[4] de pájaros que la mantenía con los nervios irritados. Por encima del zumbido del ventilador eléctrico oyó los golpes a la puerta y recordó con impaciencia que Argénida hacía la siesta en la última alcoba del corredor. Ni siquiera se le ocurrió[5] preguntarse quién podía importunarla a esas horas. Volvió a abotonarse el corpiño, traspuso[6] la puerta alambrada, caminó derecho y afectada a lo largo del corredor, atravesó la sala recargada de muebles y objetos decorativos, y antes de abrir la puerta vio a través de la red metálica que allí estaba el padre Antonio Isabel, taciturno, con los ojos apagados y un pájaro en las manos (antes de que ella abriera la puerta) diciendo: «Si le echamos un poco de agua y después lo metemos debajo de una totuma[7], estoy seguro de que se pondrá bien[8]». Y al abrir la puerta[9], la señora Rebeca sintió que desfallecía de terror.

No permaneció allí más de cinco minutos[10]. La señora Rebeca creía que era ella quien había abreviado[11] el incidente. Pero en realidad había sido el padre.

---

1. **se desabrochaba el corpiño** : *elle dégrafait son corset* ou *son soutien-gorge*.

2. **e instíntivamente** : on écrit **e** au lieu de **y** devant un nom qui commence par un **i**.

3. **desflecada** : exactement, *effrangée*; de **fleco** : *frange*.

4. **mientras no cesara aquella invasión** : m. à m., *tant que ne cesserait pas cette invasion*; le subjonctif imparfait correspond à un conditionnel en français (le futur dans le passé).

5. **ni siquiera se le ocurrió** : cf. p. 147, note 7.

6. **traspuso** : *elle traversa*; passé simple irrégulier de **trasponer** ou **transponer** sur le modèle de **poner**.

Il le prit dans ses mains et frappa chez Mme Rébecca, à l'instant où elle déboutonnait son corsage pour faire la sieste.

Dans sa chambre, la veuve entendit les coups et instinctivement tourna les yeux vers ses fenêtres. Aucun oiseau n'était entré dans la chambre depuis deux jours. Mais les grillages restaient ébréchés. Réparer avant que ne cesse cette invasion d'oiseaux qui lui hérissait les nerfs lui paraissait constituer une dépense inutile. A travers le ronflement du ventilateur électrique elle perçut les coups frappés à la porte et se rappela avec impatience qu'Argénida se reposait dans la dernière chambre de la galerie. Elle ne songea même pas à se demander qui pouvait l'importuner à une heure pareille. Elle reboutonna son corsage, franchit la porte grillagée, emprunta raide et guindée le corridor, traversa la salle encombrée de meubles et de bibelots, et avant d'ouvrir la porte vit par le treillis du guichet le père Antonio Isabel, taciturne, l'œil éteint, qui tenait un oiseau dans les mains et disait : « Si nous le baignons un peu et si nous le mettons sous une calebasse, je suis certain qu'il se rétablira. » Et en ouvrant la porte, Mme Rébecca se sentit défaillir de terreur.

Le curé ne resta pas plus de cinq minutes chez la veuve. Mme Rébecca crut à tort que c'était elle qui avait abrégé l'incident. En réalité c'était le curé.

---

7. **una totuma** : (Amér.) *calebasse ;* **calabaza** en Espagne.

8. **se pondrá bien** : *il guérira,* futur irrégulier de **ponerse ; ponerse malo** : *tomber malade.* Le curé a des accents de saint François d'Assise.

9. **al abrir la puerta** : *en ouvrant la porte.* **Al** + infinitif indique la simultanéité.

10. **no permaneció allí más de cinco minutos** : le prêtre ressent un certain malaise en présence de la veuve, il y a incompatibilité entre les deux.

11. **era ella quien había abreviado** : pour la tournure redondante cf. p. 141, note 5.

Si la viuda hubiera reflexionado[1] en ese instante, se habría dado cuenta[2] de que el sacerdote, en los 30 años que llevaba de vivir en el pueblo[3], no había permanecido nunca más de cinco minutos en su casa. Le parecía que en la profusa utilería de la sala se manifestaba claramente el espíritu concupiscente[4] de la dueña, a pesar de su parentesco con el obispo, muy remoto, pero reconocido. Además, había una leyenda (o una historia) sobre la familia de la señora Rebeca[5], que seguramente, pensaba el padre, no había llegado hasta el palacio episcopal, con todo y que el coronel Aureliano Buendía, primo hermano de la viuda a quien ella consideraba un descastado, aseguró alguna vez que el obispo no había visitado el pueblo en el nuevo siglo por eludir la visita a su parienta. De cualquier modo, fuera aquello historia o leyenda[6], la verdad era que el padre Antonio Isabel del Santísimo Sacramento del Altar no se sentía bien en esa casa, cuyo único habitante no había dado muestras de piedad y sólo se confesaba una vez al año, pero respondiendo con evasivas cuando él trataba de concretarla acerca de la oscura muerte de su esposo. Si ahora había estado allí, aguardando a que ella trajera[7] un vaso de agua para bañar un pájaro agonizante, era por determinación de una circunstancia que él no hubiera provocado jamás.

---

1. **si la viuda hubiera reflexionado** : plus-que-parfait du subjonctif après **si** dans l'expression d'une condition non réalisée dans le passé.

2. **se habría dado cuenta** : conditionnel passé.

3. **en los 30 años que llevaba de vivir en el pueblo** : *depuis 30 ans qu'il habitait le village.* **Llevar** + adverbe de temps + gérondif (ou **de** + infinitif) : *il y a, depuis.*

4. **el espíritu concupiscente** : c'est-à-dire *attaché aux biens matériels* au sens premier mais s'applique aussi à qui recherche les plaisirs sexuels ; ce deuxième sens n'est pas à exclure.

5. **la familia de la señora Rébeca** : voir *Cien años... de soledad.* Il y a entre cette nouvelle et le roman une grande cohérence narrative. Rébeca réapparaît dans *Cien años...* habillée de la même façon qu'au début de cette nouvelle, elle a une vague parenté avec l'évêque, elle

Or, si elle y avait réfléchi un seul instant, elle se serait aussitôt rendu compte que le prêtre, depuis trente ans qu'il vivait au village, n'était jamais resté plus de cinq minutes chez elle. Il avait l'impression que cette profusion de meubles et de bibelots révélait clairement l'esprit concupiscent de la maîtresse de maison, et cela en dépit de sa parenté, très lointaine mais reconnue, avec Monseigneur. En outre une légende (ou peut-être une histoire) courait au sujet de la famille de Mme Rébecca, qui sûrement, pensait le père, n'était pas arrivée jusqu'au palais épiscopal, et selon laquelle le colonel Aureliano Buendia, cousin germain de la veuve et considéré par elle comme un cœur de pierre, avait affirmé un jour que l'Évêque n'était jamais venu au village depuis le début du siècle pour ne pas rendre visite à sa parente. De toute façon, histoire ou légende, le père Antonio Isabel du Très Saint Sacrement de l'Autel devait avouer qu'il ne se sentait pas à l'aise dans cette maison dont l'unique habitante non seulement ne montrait aucun signe de piété et ne se confessait qu'une fois l'an mais répondait évasivement chaque fois qu'il essayait de l'interroger sur la mort obscure de son mari. Si donc il se trouvait ici, attendant qu'elle apportât un verre d'eau pour baigner un oiseau agonisant, c'était sous la pression des circonstances que, personnellement, il n'aurait jamais provoquées.

---

considère le colonel Aureliano Buendía de la même façon (« **un descastado** »); l'odeur de poudre du cadavre de José Arcadio Buendía est impossible à faire disparaître (cf. p. 204).

6. **fuera aquello historia o leyenda :** m. à m., *que cela fût histoire vraie ou légende.*

7. **que ella trajera :** imparfait du subjonctif irrégulier de **traer.**

Mientras regresaba la viuda, el sacerdote, sentado en un suntuoso mecedor de madera labrada, sentía la extraña humedad[1] de esa casa que no había vuelto a sosegarse desde cuando sonó un pistoletazo, hacía más de cuarenta años, y José Arcadio Buendía[2], hermano del coronel, cayó de bruces[3] entre un ruido de hebillas y espuelas sobre las polainas aún calientes que se acababa de quitar[4].

Cuando la señora Rebeca irrumpió de nuevo en la sala, vio al padre Antonio Isabel, sentado en el mecedor y con ese aire de nebulosidad que a ella le producía terror[5].

—La vida de un animal —dijo el padre— es tan grata a Nuestro Señor como la de un hombre[6].

Al decirlo[7], no se acordó de José Arcadio Buendía[8]. Tampoco lo recordó la viuda. Pero ella estaba acostumbrada a no dar crédito a las palabras del padre, desde cuando habló en el púlpito de las tres veces en que se le apareció el diablo. Sin prestarle atención tomó el pájaro entre las manos, lo sumergió en el vaso y lo sacudió después. El padre observó que había impiedad y negligencia en su manera de actuar, una absoluta falta de consideración por la vida del animal.

—No le gustan los pájaros —dijo, de manera suave pero afirmativa.

La viuda levantó los párpados en un gesto de impaciencia y hostilidad.

---

1. **la extraña humedad**: cf. p. 204, **el insoportable olor a pólvora.** Les odeurs s'imprègnent définitivement et sont la mémoire des lieux, cf. *Cien años de soledad.*

2. **José Arcadio Buendía**: personnage de *Cien años...* L'époux de Rébecca tué par un coup de pistolet: on ne connaîtra jamais la vérité sur sa mort; « *ce fut peut-être le seul mystère qu'on n'éclaircit jamais à Macondo* » (*Cien años de soledad*).

3. **cayó de bruces**: m. à m., *il tomba à plat ventre.* Sa mort est décrite de la même façon, mot pour mot, dans *Cien años...*

4. **que se acababa de quitar**: *qu'il venait d'enlever;* **acabar de,** cf. p. 133, note 7.

5. **vio al padre... con ese aire de nebulosidad que a ella le producía**

En attendant le retour de la veuve, le prêtre, assis dans un somptueux rocking-chair de bois sculpté, surprenait l'étrange humidité de cette maison qui n'avait jamais retrouvé sa tranquillité depuis le jour où, quarante ans plus tôt, un coup de pistolet avait retenti et où José Arcadio Buendia, le frère du colonel, s'était effondré dans un bruit de boucles et d'éperons sur les guêtres encore chaudes qu'il venait de retirer.

Quand Mme Rébecca surgit à nouveau dans la salle, elle vit le père Antonio Isabel, assis dans le rocking-chair et qui présentait cet air égaré qui la terrorisait.

« La vie d'un animal, dit le père, est aussi agréable à Notre Seigneur que celle d'un homme. »

En disant ces mots, il avait oublié José Arcadio Buendia. La veuve ne s'en aperçut pas tant elle était habituée à n'accorder aucune attention aux paroles du curé, depuis l'époque où il avait parlé en chaire des trois apparitions du diable. Elle prit l'oiseau, le plongea dans le verre et ensuite le secoua. Le curé observa qu'il y avait dans ses gestes de l'impiété et de la négligence, un manque absolu de respect pour la vie de l'animal.

« Vous n'aimez pas les oiseaux », dit-il d'un ton doux mais convaincu.

La veuve leva sur lui des paupières impatientes et hostiles :

---

terror : c'est en fait le vieux curé qui participe d'un monde étrange et fantastique.

6. es tan grata... como la de un hombre : comparatif d'égalité, tan + adjectif + como.

7. al decirlo : *en disant cela ;* al + infinitif exprime la simultanéité avec l'action de la principale.

8. no se acordó de José Arcadio Buendía : cf. tampoco lo recordó la viuda. Acordarse de = recordar.

—Aunque me hubieran gustado[1] alguna vez —dijo— los aborrecería ahora que les ha dado por morirse dentro de las casas[2].

—Han muerto muchos[3] —dijo él, implacable. Habría podido pensarse que había mucho de astucia en la uniformidad de su voz.

—Todos —dijo la viuda. Y agregó, mientras exprimía el animal con repugnancia y lo colocaba debajo de una totuma—: Y eso no me importaría, si no me hubieran roto las alambreras[4].

Y a él le pareció que nunca había conocido tanta dureza de corazón. Un instante después, teniéndole en su propia mano, el sacerdote se dio cuenta de que aquel cuerpo minúsculo e indefenso[5] había dejado de latir[6]. Entonces se olvidó de todo[7]: de la humedad de la casa, de la concupiscencia, del insoportable olor a pólvora[8] en el cadáver de José Arcadio Buendía, y se dio cuenta de la prodigiosa verdad que lo rodeaba desde el principio de la semana. Allí mismo, mientras la viuda lo veía abandonar la casa con el pájaro muerto entre las manos y una expresión amenazante, él asistió a la maravillosa revelación de que sobre el pueblo estaba cayendo una lluvia de pájaros muertos[9] y de que él, el ministro de Dios, el predestinado que había conocido la felicidad cuando no hacía calor[10], había olvidado enteramente el Apocalipsis.

---

1. **aunque me hubieran gustado:** **aunque** est suivi du subjonctif lorsqu'il introduit un fait hypothétique.

2. **les ha dado por morirse dentro de las casas:** m. à m., *ils ont la manie de venir mourir dans les maisons.*

3. **han muerto muchos:** le curé semble vouloir mesurer la dureté de Rébecca ou l'obliger à s'apitoyer sur le sort malheureux des oiseaux.

4. **si no me hubieran roto las alambreras:** le plus-que-parfait du subjonctif dans une condition marque que celle-ci ne s'est pas réalisée.

5. **indefenso:** *sans défense,* c'est un adjectif en espagnol.

6. **había dejado de latir:** *avait cessé de battre.*

7. **se olvidó de todo:** ou **lo olvidó todo,** ou encore **se le olvidó todo;** les

204

« Même s'il m'était arrivé de les aimer, je les détesterais maintenant qu'ils ont pris l'habitude de venir mourir dans les maisons.

— Il en est mort des quantités », dit-il, implacable.

On aurait pu penser qu'il y avait pas mal de ruse dans l'uniformité de sa voix.

« Tous », dit la veuve qui ajouta, tandis qu'elle essorait l'animal avec répugnance et le glissait sous une calebasse : « Et je m'en ficherais pas mal s'ils n'avaient défoncé mes grillages. »

Il lui sembla qu'il n'avait jamais connu de cœur aussi sec. Un instant plus tard, en tenant l'oiseau dans ses mains, il comprit que ce cœur minuscule et sans défense avait cessé de battre. Alors il oublia tout : l'humidité de la maison, la concupiscence de la Rébecca, l'insupportable odeur de poudre du cadavre de José Arcadio Buendia, et découvrit la prodigieuse vérité qui l'entourait depuis le début de la semaine. Au moment même où la veuve le voyait abandonner la maison avec l'oiseau mort dans les mains et une expression menaçante, il eut cette merveilleuse révélation : alors que sur le village tombait une pluie d'oiseaux morts, lui, le ministre de Dieu, le prédestiné qui avait connu le bonheur lorsque la chaleur cessait, avait complètement oublié l'Apocalypse.

---

trois constructions sont possibles. L'amnésie brutale correspond à un état d'illumination de visionnaire.

8. **del insoportable olor a pólvora :** cf. p. 200, n. 5 et *Cien años de soledad.*

9. **una lluvia de pájaros muertos :** l'invasion des oiseaux morts est aussi reprise dans *Cien años de soledad.*

10. **que había conocido la felicidad cuando no hacía calor :** cf. p. 194.

Ese día fue a la estación, como siempre, pero no se dio cuenta cabal[1] de sus actos. Sabía confusamente que algo estaba ocurriendo en el mundo, pero se sentía embotado, bruto, indigno del instante. Sentado en el escaño de la estación trataba de recordar si había lluvia de pájaros muertos en el Apocalipsis, pero lo había olvidado por completo[2]. De pronto[3] pensó que el retraso en casa de la señora Rebeca le había hecho perder el tren[4] y estiró la cabeza por encima de los vidrios polvorientos y rotos y vio en el reloj de la administración que aún faltaban doce minutos para la una. Cuando regresó al escaño sintió que se asfixiaba. En ese momento se acordó de que era sábado[5]. Movió por un instante su abanico de palma trenzada, perdido en sus oscuras nebulosas interiores. Y después se desesperó de los botones de su sotana y de los botones de sus botas y de sus largos y ajustados pantaloncillos de sarga y se dio cuenta, alarmado, de que nunca en su vida había sentido tanto calor[6].

Sin moverse del escaño se desabotonó el cuello de la sotana, extrajo de la manga el pañuelo y se enjugó el rostro congestionado, pensando en un instante de iluminado patetismo que tal vez estaba asistiendo a la elaboración de un terremoto[7]. Había leído eso en alguna parte. Sin embargo, el cielo estaba despejado[8]; un cielo transparente y azul del que misteriosamente habían desaparecido todos los pájaros.

---

1. **no se dio cuenta cabal**: m. à m., *il ne se rendit pas exactement compte.* **Cabal**: *exact, total;* **un hombre cabal**: *un homme accompli.*

2. **lo había olvidado por completo**: *il l'avait complètement oublié;* cf. p. 204, n. 7.

3. **de pronto**: *soudain,* syn.: **de repente.**

4. **perder el tren**: *rater le train.* Plus exactement, l'arrivée du train à laquelle il assiste tous les jours pour guetter d'éventuels voyageurs qui descendraient au village. Ce train est le vestige de l'implantation de la compagnie bananière.

5. **se acordó de que era sábado**: recordó que era sábado.

6. **nunca en su vida había sentido tanto calor**: *jamais de sa vie il*

Ce jour-là il se rendit à la gare, comme d'habitude, mais sans contrôler ses faits et gestes. S'il savait confusément que quelque chose arrivait dans le monde, il se sentait engourdi, hébété, indigne de l'instant. Assis sur le banc de la gare, il essayait en vain de se souvenir s'il pleuvait des oiseaux morts dans l'Apocalypse. Il songea soudain que son arrêt chez Mme Rébecca lui avait fait manquer l'arrivée du train ; il tendit le cou au-dessus des carreaux cassés et poussiéreux et vit que la pendule de l'administration indiquait une heure moins douze. Quand il regagna son banc il sentit qu'il étouffait. Il se souvint alors que c'était samedi. Il agita deux ou trois fois son éventail de palmes tressées, perdu dans ses obscures nébulosités intérieures. Puis il se désespéra à cause des boutons de sa soutane, et de ceux de ses bottines, et de son pantalon de serge long et serré, et comprit, alarmé, qu'il n'avait jamais subi une chaleur aussi forte.

Sans bouger de son banc, il dégrafa le col de sa soutane, retira son mouchoir du creux de sa manche et épongea son visage congestionné, en songeant par une illumination soudaine et pathétique qu'il était peut-être en train d'assister à la formation d'un tremblement de terre. Il avait lu cela quelque part. Et pourtant, le ciel était clair ; un ciel limpide et bleu duquel, mystérieusement, tous les oiseaux avaient disparu.

---

n'avait senti une telle chaleur. **Nunca** et **en su vida** sont deux termes négatifs qui, placés devant le verbe, suppriment toute autre négation. Le bonheur est loin d'être atteint. Cette chaleur excessive pourrait être la cause de la mort des oiseaux (explication donnée dans ***Cien años de soledad***).

7. **la elaboración de un terremoto** : vision apocalyptique dans l'oubli total de l'Apocalypse. Le curé semble être possédé : perte du contrôle de ses actes, visions.

8. **el cielo estaba despejado** : *le ciel était dégagé.* Les oiseaux sont-ils tous morts ?

Él se dio cuenta del color y de la transparencia, pero momentáneamente se olvidó de los pájaros muertos. Ahora pensaba en otra cosa, en la posibilidad de que se desatara una tormenta[1]. Sin embargo, el cielo estaba diáfano y tranquilo, como si fuera el cielo de otro pueblo[2] remoto[3] y diferente, donde nunca había sentido calor, y como si no fueran los suyos sino otros los ojos[4] que estuvieran contemplándolo. Después miró hacia el norte, por encima de los techos de palma y cinc oxidado, y vio la lenta, la silenciosa, la equilibrada mancha de gallinazos[5] sobre el muladar.

Por alguna razón misteriosa sintió que en ese instante revivían en él las emociones[6] que experimentó un domingo en el seminario, poco antes de recibir las órdenes menores. El rector lo había autorizado para hacer uso de su biblioteca particular y él permanecía durante horas y horas (especialmente los domingos) sumergido en la lectura de unos libros amarillos, olorosos a madera envejecida, y con anotaciones en latín hechas con los garabatos minúsculos y erizados del rector. Un domingo, después de que había leído durante todo el día, entró el rector a la habitación y se apresuró, azorado[7], a recoger una tarjeta que evidentemente se había caído de entre las páginas del libro que él leía. Presenció[8] la ofuscación de su superior con discreta indiferencia, pero alcanzó a leer[9] la tarjeta. Sólo había una frase[10], escrita a tinta morada con letra nítida y recta: «Madame Ivette est morte cette nuit».

---

1. **en la posibilidad de que se desatara una tormenta**: la subordonnée qui suit un nom est introduite par **de que**. Le verbe est au subjonctif imparfait, en concordance avec l'imparfait **pensaba**. **Una tormenta**: *un orage, une tempête;* **un tormento**: *un tourment*.

2. **como si fuera el cielo de otro pueblo**: **como si** est suivi de l'imparfait du subjonctif.

3. **remoto**: *lointain;* syn.: **lejano**.

4. **como si no fueran los suyos sino otros los ojos**: cf. n. 2; **no... sino**: cf. p. 28, note 5 et p. 58, note 3. Le curé présente des symptômes de schizophrénie.

Il vit la couleur et la diaphanéité de l'espace, mais oublia momentanément les oiseaux morts. Il pensait à autre chose, à la possibilité qu'une tempête éclatât. Et pourtant, le ciel était transparent et serein, comme s'il se fût agi de celui d'un autre village lointain et différent où il n'avait jamais fait chaud, un village que des yeux différents des siens eussent contemplé. Après quoi il regarda vers le nord, par-dessus les toits de palmes et de tôles rouillées, et vit la tache lente, silencieuse, équilibrée, des charognards sur la décharge publique.

Pour une raison demeurée mystérieuse, il sentit revivre en lui au même instant les émotions éprouvées un dimanche au séminaire, peu avant de recevoir les ordres mineurs. Le supérieur l'avait autorisé à faire usage de sa bibliothèque personnelle et il restait des heures entières (le dimanche surtout) plongé dans la lecture de livres jaunis qui sentaient le vieux bois et portaient des annotations en latin griffonnées par le supérieur en lettres minuscules et pointues. Un dimanche où il avait lu toute la journée, le supérieur était entré dans sa chambre et avait ramassé en rougissant et à la hâte une carte postale qui, visiblement, était tombée d'entre les pages du livre qu'il lisait. Il avait observé le trouble du recteur avec une discrète indifférence, mais avait réussi à lire la carte postale. Elle ne contenait qu'une phrase à l'écriture droite et nette, rédigée à l'encre violette : *Madame Yvette est morte cette nuit**.

* En français dans le texte. (N.d.T.)

---

5. **gallinazos** : *urubus,* cf. p. 38, note 7.

6. **revivían en él las emociones...** : expérience proustienne du père Antonio Isabel.

7. **azorado** : cf. *azarado* = *gêné, effrayé.*

8. **presenció** : m. à m., *il fut témoin de, il assista à.*

9. **alcanzó a leer** : **logró** ou **consiguió leer. Alcanzar** : *atteindre.*

10. **sólo había una frase** : le recteur surpris dans son intimité, dans la partie privée et clandestine de sa vie.

Más de medio siglo después[1], viendo una mancha de gallinazos sobre un pueblo olvidado, se acordó de la expresión taciturna del rector, sentado frente a él, malva al crepúsculo y con la respiración imperceptiblemente alterada.

Impresionado por aquella asociación, no sintió entonces calor sino precisamente todo lo contrario[2], un mordisco de hielo[3] en las ingles y la planta de los pies. Sintió pavor[4], sin saber cuál era la causa precisa de ese pavor, enredado en una maraña[5] de ideas confusas, entre las que era imposible diferenciar[6] una sensación nauseabunda y la pezuña de Satanás[7] atascada en el barro y un tropel de pájaros muertos cayendo sobre el mundo, mientras él, Antonio Isabel del Santísimo Sacramento del Altar, permanecía indiferente a ese acontecimiento. Entonces se irguió[8], levantó una mano asombrada como para iniciar un saludo que se perdio en el vacio, y exclamó aterrorizado: «El Judío Errante[9]».

En ese momento pitó el tren. Por primera vez en muchos años él no lo oyó. Lo vio entrar en la estación, envuelto en una densa humareda, y oyó la granizada de cisco contra las láminas de cinc oxidado. Pero eso fue como un sueño remoto e indescifrable, del cual no despertó por completo hasta esa tarde, un poco después de las cuatro, cuando dio los últimos toques al formidable sermón que pronunciaría el domingo. Ocho horas después, fueron a buscarlo para que administrara la extremaunción a una mujer.

---

1. **más de medio siglo después**: le temps n'altère pas les émotions. La tache des urubus déclenche le processus du temps retrouvé...

2. **todo lo contrario**: *tout le contraire.* **Lo** + adjectif, cf. p. 34, note 1. **El contrario**: *l'adversaire* mais **al contrario**: *au contraire.*

3. **un mordisco de hielo**: le froid n'est pas toujours synonyme de bonheur, cf. p. 194.

4. **pavor**: *effroi ;* syn.: **el espanto, el miedo**: *la peur.*

5. **una maraña**: au sens propre, *buisson, broussaille.*

6. **era imposible diferenciar**: l'infinitif se construit directement dans le schéma: **es** + adjectif + infinitif.

Un bon demi-siècle plus tard, apercevant une tache de charognards sur un village oublié, il se souvenait de l'expression taciturne du supérieur, assis devant lui, mauve au crépuscule, et la respiration imperceptiblement altérée.

Impressionné par cette association d'idées, il ne sentit plus la chaleur mais au contraire une morsure de glace à l'aine et à la plante des pieds. Sans raison précise, il se sentit plein de frayeur, enchevêtré dans un fatras de pensées parmi lesquelles il était impossible de distinguer une impression d'odeur fétide, le sabot fourchu de Satan empêtré dans la boue ou une nuée d'oiseaux morts tombant sur le monde, tandis que lui, Antonio Isabel du Très Saint Sacrement de l'Autel, restait indifférent à l'événement. Alors il se mit sur pied, leva une main surprise comme pour amorcer un salut qui se perdit dans le vide et s'écria, terrorisé : « Le Juif errant. »

A cet instant le train siffla. Pour la première fois depuis des années, il ne l'entendit pas. Il le vit entrer dans la gare, entouré d'une épaisse fumée noire, et entendit la grêle du charbon contre les tôles rouillées. Mais tout cela ressemblait à un songe lointain et mystérieux dont il ne sortit complètement qu'un peu après quatre heures, quand il paracheva le sermon hors de pair qu'il prononcerait le dimanche suivant. Huit heures plus tard, on vint le chercher pour administrer l'extrême-onction à une femme du pays.

---

7. **la pezuña de Satanás... y un tropel de pájaros muertos :** le prêtre victime d'hallucinations.

8. **se irguió :** passé simple du verbe **erguirse,** 3ᵉ personne du singulier ; au présent : **se yergue.**

9. **el Judío Errante :** figure folklorique et mythologique du christianisme ; le Juif, ayant injurié le Christ, fut condamné à l'errance éternelle. Ce mythe a été largement exploité par la littérature européenne depuis le Moyen Age jusqu'à l'époque romantique.

De manera que[1] el padre no supo quién llegó esa tarde en el tren. Durante mucho tiempo había visto pasar los cuatro vagones desvencijados[2] y descoloridos, y no recordaba que alguien hubiera descendido de ellos para quedarse, al menos en los últimos años. Antes era distinto, cuando podía estar una tarde entera viendo pasar un tren cargado de banano[3]; ciento cuarenta vagones cargados de frutas, pasando sin parar, hasta cuando pasaba, ya entrada la noche, el último vagón con un hombre colgando una lámpara verde. Entonces veía el pueblo al otro lado de la línea —ya encendidas las luces— y le parecía que, con sólo verlo pasar, el tren lo había llevado a otro pueblo[4]. Tal vez de ahí vino su costumbre de asistir todos los días a la estación, incluso después de que ametrallaron a los trabajadores[5] y se acabaron las plantaciones de bananos y con ellas los trenes de ciento cuarenta vagones, y quedó apenas ese tren amarillo y polvoriento que no traía ni se llevaba a nadie[6].

Pero ese sábado llegó alguien. Cuando el padre Antonio Isabel del Santísimo Sacramento del Altar se alejó de la estación, un muchacho apacible[7], con nada de particular aparte de su hambre, lo vio desde la ventana del último vagón en el preciso instante en que se acordó de que no comía desde el día anterior. Pensó: «Si hay un cura debe haber un hotel». Y descendió del vagón y atravesó la calle abrasada por el metálico sol de agosto y penetró en la fresca penumbra de una casa situada frente a la estación donde sonaba el disco gastado de un gramófono.

---

1. **de manera que**: m. à m., *de sorte que*.
2. **desvencijados**: *déglingués, détraqués, délabrés*.
3. **un tren cargado de banano**: cf. *Cien años de soledad;* allusion à l'époque glorieuse de la Compagnie bananière.
4. **el tren lo había llevado a otro pueblo**: rêve d'évasion, de quitter Macondo, le « village oublié ».
5. **despúes de que ametrallaron a los trabajadores**: arrière-plan social de la nouvelle; cf. *Cien años de soledad* où le massacre de trois mille ouvriers est nié par les autorités de la Compagnie bananière.

Le curé ne sut donc pas qui arrivait par le train cet après-midi-là. Durant très longtemps il avait vu passer les quatre wagons disloqués et écaillés, et il ne se souvenait pas que quelqu'un en fût descendu pour séjourner dans le pays, au moins depuis quelques années. Avant, c'était différent ; il pouvait rester tout un après-midi à regarder passer un train chargé de bananes ; cent quarante wagons chargés de fruits, qui passaient sans s'arrêter, jusqu'au moment où la nuit tombait et où le dernier wagon passait avec un homme brandissant un fanal vert. Il voyait alors le village à l'autre extrémité de la voie, avec ses lumières déjà allumées, et il lui semblait que le train l'avait emporté dans quelque autre village. A cette époque remontait peut-être son habitude de venir tous les jours à la gare, même après qu'on eut mitraillé les travailleurs et fermé les bananeraies et supprimé les trains tirant leurs cent quarante wagons, ne laissant plus que ce train jaune et poussiéreux qui n'apportait ni n'emportait jamais personne.

Pourtant, ce samedi-là, quelqu'un arriva. Quand le père Antonio Isabel du Très Saint Sacrement de l'Autel s'éloigna de la station, un garçon paisible, n'ayant rien de particulier mais seulement la faim au ventre, l'aperçut de la portière du dernier wagon à l'instant précis où il se rappelait qu'il n'avait rien mangé depuis la veille. Il pensa : *S'il y a ici un curé, il doit y avoir un hôtel.* Et il descendit du wagon, traversa la rue embrasée par un soleil d'août métallique et pénétra dans la fraîche pénombre d'une maison située devant la gare et où nasillait le disque usé d'un gramophone.

---

6. **que no traía ni se llevaba a nadie : traer** et **llevar** ou **llevarse** indiquent deux mouvements opposés : *apporter / emporter ; amener / emmener.* Ce train rouillé et inutile est le vestige de la présence de la compagnie américaine.

7. **un muchacho apacible :** de nouveau, le récit change de protagoniste pour s'intéresser à ce jeune voyageur.

El olfato, agudizado[1] por el hambre de dos días, le indicó que ese era el hotel. Y ahí penetró, sin ver la tablilla: Hotel Macondo; un letrero que él no había de leer en su vida[2].

La propietaria estaba encinta[3] con más de cinco meses. Tenía color de mostaza y la apariencia de ser idéntica a su madre cuando su madre estaba encinta de ella. Él pidió[4] «un almuerzo lo más rápido que pueda[5]» y ella, sin tratar de apresurarse, le sirvió[6] un plato de sopa con un hueso pelado y picadillo de plátano verde. En ese instante pitó el tren. Envuelto en el vapor cálido y saludable de la sopa, él calculó la distancia que lo separaba de la estación e inmediatamente después se sintió invadido por esa confusa sensación de pánico que produce la pérdida de un tren[7].

Trató de correr. Llegó hasta la puerta, angustiado, pero aún no había dado un paso fuera del umbral cuando se dio cuenta de que no tenía tiempo de alcanzar el tren. Cuando volvió a la mesa se había olvidado de su hambre; vio, junto al gramófono, una muchacha que lo miraba sin piedad, con una horrible expresión de perro meneando la cola[8]. Por primera vez en todo el día se quitó entonces el sombrero que le había regalado su madre dos meses antes[9], y lo aprisionó entre las rodillas mientras acababa de comer. Cuando se levantó de la mesa no parecía preocupado por la pérdida del tren ni por la perspectiva de pasar un fin de semana en un pueblo cuyo nombre no se ocuparía de averiguar.

---

1. **agudizado**: m. à m., *aiguisé.*
2. **no había de leer en su vida**: m. à m., *qu'il ne lirait jamais;* **haber de** + infinitif exprime à la fois l'obligation et le futur; ici on traduit par un conditionnel qui équivaut au futur dans un contexte passé. Pour la première fois est mentionné le nom de Macondo qui sera celui du village fondé par José Arcadio Buendía dans **Cien años de soledad.**
3. **encinta**: syn. (faux ami): **embarazada.**
4. **pidió**: *il demande;* passé simple de **pedir / preguntar**: *demander (poser une question).*
5. **lo más rápido que pueda**: m. à m., *le plus rapidement qu'elle puisse.*

Son odorat, affiné par deux jours de jeûne, lui indiqua que c'était là l'hôtel. Il en franchit le seuil sans voir la pancarte : "Hôtel Macondo" ; une inscription qu'il n'aurait jamais l'occasion de lire.

Enceinte de cinq mois, la propriétaire avait le teint jaune moutarde et la même dégaine que sa mère lorsqu'elle-même était enceinte de sa fille. L'homme demanda à déjeuner. « Je suis pressé », dit-il, mais elle n'essaya pas de se hâter et lui servit une assiette de soupe avec un os à la moelle et une salade de bananes vertes. Au même moment le train siffla. Enveloppé par la buée chaude et tonique de la soupe, il calcula la distance qui le séparait de la gare et aussitôt après se sentit envahi par cette impression confuse de panique qu'on éprouve quand on manque un train.

Il essaya de courir. Il arriva jusqu'à la porte, anxieux, mais il n'avait pas mis le pied dehors qu'il se rendit compte qu'il n'avait pas le temps de sauter dans le train. Quand il regagna la table, il avait oublié sa faim ; il vit, près du phono, une fille qui le regardait sans pitié, avec une expression horrible de chien remuant la queue. Pour la première fois de la journée il ôta le chapeau que sa mère lui avait offert deux mois plus tôt et l'emprisonna entre ses genoux, tout en finissant de manger. Quand il se leva, il ne semblait plus préoccupé par le train manqué ni par la perspective de passer un week-end dans un village dont il n'avait même pas la curiosité de connaître le nom.

---

6. **le sirvió** : passé simple de **servir,** se conjugue sur le modèle de **pedir.**

7. **la pérdida de un tren** : le jeune homme s'est arrêté à Macondo poussé par sa seule faim et pensait reprendre aussitôt le même train.

8. **una muchacha..., con una horrible expresión de perro meneando la cola** : étrange atmosphère de l'hôtel Macondo.

9. **el sombrero que le había regalado dos meses antes** : cf. p. 222.

Se sentó en un rincón de la sala, con los huesos de la espalda apoyados en una silla dura y recta, y permaneció allí largo rato[1], sin escuchar los discos hasta que la muchacha que los seleccionaba dijo[2]:

—En el corredor hay más fresco[3].

Él se sintió mal. Le costaba trabajo[4] iniciarse con los desconocidos[5]. Le angustiaba mirar a la gente a la cara[6] y cuando no le quedaba otro recurso que hablar, las palabras le salían diferentes a como las pensaba. « Sí », respondío. Y sintío un ligero escalofrío. Trató de mecerse, olvidado de que no estaba en una mecedora.

—Los que vienen aquí ruedan una silla para el corredor que es más fresco —dijo la muchacha. Y él, oyéndola, se dio cuenta con angustia de que ella tenía deseos de conversar. Se arriesgó a mirarla, en el instante en que le daba cuerda[7] al gramófono. Parecía estar sentada allí desde hacía meses[8], años quizás, y no manifestaba el menor interés en moverse de ese lugar. Le daba cuerda al gramófono, pero su vida estaba fija en él. Estaba sonriendo.

—Gracias —dijo él, tratando de levantarse, de dar soltura[9] y espontaneidad a sus movimientos. La muchacha no dejó de mirarlo. Dijo:

—También dejan el sombrero en el percherito.

---

1. **permaneció allí largo rato:** m. à m., *il resta là un long moment.* **Permanecer, quedarse.**

2. **hasta que la muchacha... dijo:** *jusqu'à ce que la jeune fille dise.* **Hasta que** se construit avec l'indicatif lorsqu'il s'agit d'un fait réalisé, comme toutes les subordonnées de temps.

3. **hay más fresco: hace más fresco** est la forme correcte.

4. **le costaba trabajo:** *il avait du mal à...* **Costar trabajo** + infinitif: *coûter, avoir du mal, avoir peine à.*

5. **iniciarse con los desconocidos: entablar conversación** (expression équivalente).

6. **le angustiaba mirar a la gente a la cara:** sa timidité maladive participe de l'atmosphère étrange. La plupart des expressions employées disent son malaise et son angoisse (**se sintió mal, le costaba trabajo... le angustiaba, un ligero escalofrío, se dio cuenta con angustia**).

216

Il s'assit dans un coin de la salle, les omoplates appuyées contre une chaise dure et droite, et il demeura là longtemps, sans écouter les disques que la fille choisissait, jusqu'au moment où elle lui dit :

« Dans le vestibule, il fait plus frais. »

Il se sentit mal à l'aise. Il lui était pénible de lier conversation avec des inconnus. Regarder les gens en face l'affolait et quand il était contraint de parler, les mots qui sortaient de sa bouche n'étaient plus ceux de sa pensée. « Oui », répondit-il. Et un léger frisson le traversa. Il essaya de se balancer, oubliant qu'il n'était pas installé dans un rocking-chair.

« Ceux qui vivent ici roulent une chaise dans le vestibule, où il fait plus frais », répéta la fille.

En l'écoutant, il comprit avec angoisse qu'elle avait envie de bavarder. Il se risqua à la regarder au moment où elle remontait le gramophone. Elle semblait être assise ici depuis des mois, des années peut-être, et ne montrait pas le moindre intérêt à changer d'endroit. Elle remontait le phonographe, près de son lieu de prédilection. Elle souriait.

« Merci », dit-il, en essayant de se lever, de donner grâce et spontanéité à ses mouvements.

La fille ne cessait pas de le regarder :

« Et puis ils laissent leur chapeau au portemanteau », ajouta-t-elle.

---

7. **daba cuerda** : dar cuerda al reloj : *remonter la montre* ; **dar cuerda a algo** : *faire traîner en longueur* ; **dar cuerda a alguien** : *faire parler quelqu'un.*

8. **parecía estar sentada allí desde hacía meses** : le temps s'est arrêté à l'hôtel Macondo.

9. **dar soltura** : *donner de l'aisance.*

Esta vez sintió una brasa en las orejas. Se estremeció pensando en aquella manera de sugerir las cosas[1]. Se sentía incómodo, acorralado, y otra vez sintió el pánico por la pérdida del tren. Pero en ese instante penetró en la sala la propietaria.

—¿Qué hace? —preguntó.

—Está rodando la silla para el corredor, como lo hacen todos —dijo la muchacha.

Él creyó advertir un acento de burla en sus palabras.

—No se preocupe[2] —dijo la propietaria—. Yo le traeré un taburete.

La muchacha se rió[3] y él se sintió desconcertado. Hacía calor. Un calor seco y plano, y estaba sudando. La propietaria rodó hasta el corredor un taburete de madera con fondos de cuero. Se disponía a seguirla cuando la muchacha volvió a hablar.

—Lo malo[4] es que lo van a asustar los pájaros —dijo.

Él alcanzó a ver[5] la mirada dura cuando la propietaria volvió los ojos hacia la muchacha. Fue una mirada rápida pero intensa.

—Lo que debes hacer es callarte[6] —dijo, y se volvió sonriente hacia él[7]. Entonces se sintió menos solo y tuvo deseos de hablar.

—¿Qué es lo que dice? —preguntó.

—Que a esta hora caen pájaros muertos en el corredor[8] —dijo la muchacha.

---

1. **en aquella manera de sugerir las cosas** : sur un ton d'insinuation, la jeune fille lui assène une série de normes d'usage sans lui laisser aucune issue. L'angoisse générée est un autre élément fantastique.

2. **no se preocupe** : impératif négatif, 3ᵉ personne du singulier de **preocuparse,** vouvoiement.

3. **se rió** : passé simple de **reírse,** 3ᵉ pers. du sing.

4. **lo malo** : **lo** + adjectif, cf. p. 34, note 1.

5. **él alcanzó a ver** : m. à m., *il perçut.*

6. **lo que debes hacer es callarte** : m. à m., *ce que tu dois faire, c'est te taire.*

7. **se volvió sonriente hacia él** : m. à m., *elle se tourna souriante vers*

Il crut que des braises lui brûlaient les oreilles. Il frémit en pensant à cette manière de suggérer les choses. Il se sentait gêné, traqué, et la panique provoquée par le train manqué réapparut. La propriétaire revint dans la salle.

« Que faites-vous ? demanda-t-elle.

— Il emporte la chaise dans le vestibule, comme tout le monde », dit la fille.

Il crut deviner une pointe de moquerie dans ses paroles.

« Laissez, dit la propriétaire. Je vais vous apporter un tabouret. »

La fille rit, ce qui le déconcerta. Il faisait chaud. Une chaleur sèche et lisse, et il transpirait. La propriétaire roula jusque dans le vestibule un siège de bois à fond de cuir. Il se préparait à la suivre lorsque la fille se remit à parler.

« L'ennui, c'est que les oiseaux vont lui faire peur », dit-elle.

Il réussit à surprendre le regard dur de la propriétaire quand celle-ci braqua les yeux sur la fille. Ce fut un regard bref mais intense.

« Tu ferais beaucoup mieux de te taire », dit-elle, et elle se tourna vers lui en souriant.

Il se sentit moins seul et eut à son tour envie de parler.

« Qu'est-ce que vous dites ? demanda-t-il.

— Que c'est l'heure où il tombe des oiseaux morts dans le vestibule, dit la fille.

---

lui. À remarquer les différents emplois de **volver** qui apparaissent dans ce passage : **volvió a hablar, volvió los ojos.** La patronne cherche à cacher à l'étranger le phénomène des oiseaux morts ; sa manière même de vouloir le rassurer est inquiétante.

8. **a esta hora caen pájaros muertos en el corredor :** l'heure fatidique de la mort des oiseaux. Le fantastique permet au jeune homme de communiquer.

—Son cosas de ella[1] —dijo la propietaria. Se inclinó a arreglar un ramo de flores artificiales en la mesita de centro. Había un temblor nervioso en sus dedos.

—Cosas mías, no —dijo la muchacha—. Tú misma barriste dos antier[2].

La propietaria la miró exasperada. Tenía una expresión lastimosa y evidentes deseos de explicarlo todo[3], hasta cuando no quedara el menor rastro de duda[4].

—Lo que ocurre, señor, es que antier los muchachos dejaron dos pájaros muertos en el corredor para molestarla, y después le dijeron que estaban cayendo pájaros muertos del cielo. Ella se traga todo lo que le dicen[5].

Él sonrió. La parecía muy divertida aquella explicación; se frotó las manos y se volvió a mirar a la muchacha que lo contemplaba angustiada. El gramófono había dejado de sonar[6]. La propietaria se retiró a la otra pieza y cuando él se dirigía al corredor la muchacha insistió en voz baja:

—Yo los he visto[7] caer. Créamelo. Todo el mundo los ha visto.

Y él creyó comprender entonces su apego al gramófono[8] y la exasperación de la propietaria.

—Sí —dijo compasivamente. Y después, moviéndose hacia el corredor—: Yo también los he visto.

---

1. **son cosas de ella**: *ce sont des idées à elle ;* **cosas mías**: *ce sont mes affaires, ça me regarde.*

2. **antier**: langue familière ; forme correcte : **anteayer.**

3. **evidentes deseos de explicarlo todo**: lorsque **todo** est complément d'objet direct, il est annoncé par **lo.** Cf. : **lo sé todo.**

4. **hasta cuando no quedara el menor rastro de duda**: m. à m., *jusqu'à ce qu'il ne reste pas la moindre trace d'un doute.* La fille ressent le besoin de tout raconter à l'étranger de passage et d'être crue par lui, pour partager le poids de l'inexplicable.

5. **ella se traga todo lo que le dicen**: *elle avale tout ce qu'on lui dit.* La propriétaire, quant à elle, veut donner une explication logique et rationaliser le fantastique ; cette démarche est courante dans la littérature de ce genre.

6. **había dejado de sonar**: m. à m., *avait cessé de résonner.*

— Des idées à elle ! » commenta la propriétaire qui se pencha pour redresser un bouquet de fleurs artificielles sur un guéridon au centre de la pièce. On surprenait un tremblement nerveux dans ses doigts.

« Des idées à moi, non ! dit la fille. Toi-même tu en as balayé deux *avant-hié*. »

La propriétaire la regarda exaspérée. Elle avait un air pitoyable et le désir évident de tout expliquer, de ne pas laisser le moindre doute planer sur l'affaire.

« La vérité, monsieur, c'est qu'*avant-hié* les gamins ont jeté deux oiseaux crevés dans le vestibule pour l'embêter, et après cela ils lui ont dit que les oiseaux morts étaient en train de tomber du ciel. Elle gobe tout ce qu'on lui raconte. »

Il sourit. L'explication lui paraissait très amusante ; il se frotta les mains et regarda à nouveau la fille qui le dévisageait avec angoisse. Le phono s'était tu. La propriétaire se retira dans l'autre pièce. Il se dirigeait vers le corridor quand la fille insista à voix basse :

« Je les ai vus tomber. Croyez-moi. Tout le monde les a vus. »

Il crut comprendre alors sa passion pour le gramophone et l'exaspération de la propriétaire.

« Oui », dit-il charitablement. Puis, en gagnant le vestibule : « Moi aussi, je les ai vus. »

---

7. **los he visto :** passé composé de **ver,** 1ʳᵉ pers. du sing., participe passé irrégulier. À noter la répétition de ce verbe.

8. **su apego al gramófono :** *son attachement au gramophone,* à défaut d'autres attachements.

Hacía menos calor afuera[1], a la sombra de los almendros. Recostó[2] el taburete contra el marco de la puerta, echó la cabeza hacia atrás y pensó en su madre; su madre postrada en el mecedor[3], espantando las gallinas con un largo palo de escoba, mientras[4] sentía que por primera vez él no estaba en la casa.

La semana anterior habría podido pensar que su vida era una cuerda lisa y recta, tendida desde la lluviosa madrugada de la última guerra civil[5] en que vino al mundo entre las cuatro paredes de barro y cañabrava de una escuela rural, hasta esa mañana de junio en que cumplió 22 años[6] y su madre llegó hasta su chinchorro para regalarle un sombrero con una tarjeta: «A mi querido hijo, en su día». En ocasiones se sacudía la herrumbre de la ociosidad[7] y sentía nostalgia de la escuela[8], del pizarrón y del mapa de un país superpoblado por los excrementos de las moscas, y de la larga fila de jarros colgados en la pared debajo del nombre de cada niño. Allí no hacía calor. Era un pueblo verde y plácido con unas gallinas de largas patas cenicientas que atravesaban el salón de clases para echarse a poner debajo del tinajero[9]. Su madre era entonces una mujer triste y hermética. Se sentaba al atardecer[10] a recibir el viento acabado de filtrar en los cafetales, y decía: «Manaure[11] es el pueblo más bello del mundo»; y luego, volviéndose hacia él, viéndolo crecer sordamente en el chinchorro[12]: «Cuando estés grande te darás cuenta de eso». Pero no se dio cuenta de nada.

---

1. **afuera:** ou **fuera** = *dehors*.
2. **recostó:** *il appuya.*
3. **su madre postrada en el mecedor:** il visualise la scène, habituelle.
4. **mientras:** *pendant que;* **mientras que:** *tandis que.*
5. **la última guerra civil:** arrière-plan historique sans date précise.
6. **cumplió 22 años:** il y a deux mois à peine, cf. p. 214 où il est question de son chapeau, et p. 234.
7. **se sacudía la herrumbre de la ociosidad:** métaphore expressive qui allie un terme concret (**herrumbre**) avec un autre abstrait (**ociosidad**).

Il faisait moins chaud au-dehors, à l'ombre des amandiers. Il appuya le tabouret contre le montant de la porte, rejeta la tête en arrière et pensa à sa mère ; sa mère prostrée dans un rocking-chair, effrayant les poules avec un long manche à balai, tandis qu'elle comprenait pour la première fois qu'il n'était pas à la maison.

Une semaine plus tôt, il aurait pu penser que sa vie était une corde lisse et droite, tendue depuis ce pluvieux matin de la dernière guerre civile où il était venu au monde entre les quatre murs d'argile et de bambou d'une école rurale, jusqu'à cette matinée de juin où il avait eu vingt-deux ans et où sa mère s'était approchée de son hamac pour lui offrir un chapeau avec une carte : *A mon fils chéri, pour son anniversaire.* Il lui arrivait de secouer la rouille de l'oisiveté et de regretter l'école, le tableau noir, la carte d'un pays surpeuplé de crottes de mouches et la longue file de godets pendus au mur sous le nom de chaque enfant. Là on ne sentait point la chaleur. C'était un village vert et paisible, avec des poules aux longues pattes cendrées qui traversaient la salle de classe pour aller pondre sous l'armoire du filtre à eau. Sa mère était alors une femme triste et impénétrable. Elle s'asseyait au soir tombant pour recevoir le vent récemment filtré par les caféières et disait : « Manaure est le plus beau village du monde », puis elle se tournait vers lui et le regardait grandir sourdement dans son hamac. « Quand tu seras grand, tu t'en rendras compte. » En fait, il ne se rendit compte de rien.

---

8. **sentía nostalgia de la escuela** : de l'école où il vivait et où sa mère était institutrice.

9. **el tinajero** : l'endroit où l'on range les jarres (**tinajas**).

10. **al atardecer** : *à la tombée du soir.*

11. **Manaure** : village riche, producteur de sel, situé dans la péninsule de Guajira.

12. **el chinchorro** : au sens premier, *petite barque.*

No se dio cuenta a los 15 años, siendo ya demasiado grande para su edad, rebosante de esa salud insolente y atolondrada[1] que da la ociosidad. Hasta cuando cumplió los 20 años[2] su vida no fue nada esencialmente distinta de unos cambios de posición en el chinchorro. Pero para esa época su madre, obligada por el reumatismo, abandonó la escuela que había atendido[3] durante 18 años, de manera que se fueron a vivir a una casa de dos cuartos con un patio enorme, donde criaron gallinas de patas cenicientas como las que atravesaban el salón de clases.

El cuidado de las gallinas fue su primer contacto con la realidad[4]. Y había sido el único hasta el mes de julio, en que su madre pensó en la jubilación[5] y consideró que ya el hijo tenía suficiente sagacidad para gestionarla. Él colaboró de manera eficaz en la preparación de los documentos, y hasta tuvo el tacto necesario para convencer al párocco de que alterara en seis años la partida de bautismo[6] de su madre, que aún no tenía edad para la jubilación. El jueves recibió las últimas instrucciones escrupulosamente pormenorizadas[7] por la experiencia pedagógica de su madre, e inició el viaje hasta la ciudad con doce pesos, una muda de ropa, el legajo de documentos y una idea enteramente rudimentaria de la palabra «jubilación», que él interpretaba en bruto como una determinada cantidad de dinero que debía entregarle el gobierno para poner una cría de cerdos[8].

---

1. **atolondrada**: exactement, *écervelée, étourdie*.

2. **hasta cuando cumplió los 20 años**: m. à m., *jusqu'à ce qu'il ait eu 20 ans*; **unos cambios de posición en el chinchorro**: l'auteur suggère ainsi l'oisiveté totale du personnage.

3. **que había atendido**: m. à m., *dont elle s'était occupée*; **atender / esperar**: *attendre*.

4. **su primer contacto con la realidad**: sa première et unique activité à partir de 20 ans; on peut imaginer que ce fils est infantilisé par sa mère qui prend en charge tous les aspects de la vie matérielle.

5. **su madre pensó en la jubilación**: symboliquement, c'est à ce

Ni à quinze ans, alors qu'il était déjà trop grand pour son âge et débordait de cette santé insolente et frivole que donne le désœuvrement. Ni à vingt ans, quand sa vie consistait essentiellement à changer de temps en temps de position dans son hamac. A cette époque, pourtant, les rhumatismes contraignirent sa mère à abandonner l'école qu'elle avait dirigée pendant dix-huit ans pour aller vivre dans une maisonnette avec deux chambres et une cour énorme où ils élevèrent des poules aux pattes cendrées semblables à celles qui traversaient la salle de classe.

Soigner les poules avait été son premier contact avec la réalité. Le seul même, jusqu'à ce mois de juillet où sa mère avait songé à prendre sa retraite et jugé son fils suffisamment habile pour entreprendre les démarches. Il avait collaboré efficacement à la préparation des documents et avait même eu le doigté nécessaire pour convaincre le curé de falsifier l'extrait de naissance de sa mère, que six ans séparaient encore de l'âge de la retraite. Ce jeudi-là il avait reçu les dernières instructions scrupuleusement détaillées par l'expérience pédagogique maternelle et entrepris de se rendre à la ville avec douze pesos, un change, le dossier et une idée plus que rudimentaire au sujet du mot « retraite », qu'il interprétait comme une somme d'argent déterminée que le gouvernement devait lui remettre pour créer un élevage de cochons.

---

moment-là qu'elle lui donne la responsabilité de mener à bien les démarches.

6. **de que alterara... la partida de bautismo : convencer** se construit avec **de que** et une subordonnée au subjonctif.

7. **pormenorizadas :** *détaillées,* de **los pormenores :** *les détails.*

8. **para poner una cría de cerdos :** la retraite est pour lui une notion vague qu'il concrétise, qu'il traduit dans sa réalité. Dans le climat étrange du conte, le voyage du jeune homme est motivé par une démarche administrative bien réelle qui donne une base sociale à l'histoire.

Adormilado en el corredor del hotel, entorpecido por el bochorno[1], no se había detenido a pensar[2] en la gravedad de su situación. Suponía que el percance quedaría resuelto[3] al día siguiente[4] con el regreso del tren, de suerte que ahora su única preocupación era esperar el domingo para reanudar el viaje[5] y no acordarse jamás de ese pueblo donde hacía un calor insoportable. Un poco antes de las cuatro cayó en un sueño incómodo y pegajoso[6], pensando, mientras dormía, que era una lástima no haber traído el chinchorro. Entonces fue cuando[7] se dio cuenta de que había olvidado en el tren el envoltorio de la ropa y los documentos de la jubilación. Despertó abruptamente, sobresaltado, pensando en su madre y otra vez acorralado[8] por el pánico.

Cuando rodó el asiento hasta la sala se habían encendido las luces del pueblo. No conocía el alumbrado eléctrico, de manera que experimentó una fuerte impresión al ver las bombillas[9] pobres y manchadas del hotel. Luego recordó que su madre le había hablado de eso y siguió rodando[10] el asiento hasta el comedor, tratando de evitar los moscardones que se estrellaban como proyectiles en los espejos. Comió sin apetito, ofuscado por la clara evidencia de su situación, por el calor intenso, por la amargura de aquella soledad que padecía[11] por primera vez en su vida. Después de las nueve fue conducido al fondo de la casa, a un cuarto de madera empapelado con periódicos y revistas.

---

1. **el bochorno**: *la chaleur lourde,* toujours oppressante. Au sens figuré, **el bochorno** signifie *la honte.*

2. **no se había detenido a pensar**: m. à m., *il ne s'était pas arrêté à penser.*

3. **quedaría resuelto**: *serait résolu.* **Quedar** est ici employé comme semi-auxiliaire, équivalent de **estar**. **Resuelto** est le participe passé irrégulier de **resolver.**

4. **al día siguiente**: *le lendemain.*

5. **reanudar el viaje**: *reprendre le voyage.* Vers où?

6. **pegajoso**: *collant, gluant, poisseux;* de **pegar**: *coller.*

7. **entonces fue cuando**: forme redondante. **Ser** est au passé en

Somnolent dans le vestibule de l'hôtel, engourdi par la chaleur ambiante, il n'avait pas eu l'heur de penser à la gravité de la situation. Il supposait que le contretemps serait dissipé dès le lendemain avec le passage du train, aussi n'eut-il d'autre souci que d'attendre le dimanche pour continuer son voyage et oublier à tout jamais ce village insupportablement torride. Un peu avant quatre heures, il tomba dans un sommeil désagréable et gluant, en songeant, tandis qu'il dormait, qu'il était regrettable de ne pas avoir apporté son hamac. C'est alors qu'il se rendit compte qu'il avait oublié dans le train le paquet de linge et les documents du dossier. Il se réveilla dans un sursaut brutal, pensa à sa mère et fut à nouveau pris de panique.

Quand il roula le siège vers la salle, les lumières du village s'étaient allumées. Il ne connaissait pas l'éclairage électrique, si bien qu'il éprouva une sorte de saisissement en voyant les pauvres ampoules crasseuses de l'hôtel. Puis il se souvint que sa mère lui en avait parlé et continua de rouler son siège, en essayant d'éviter les frelons qui éclataient comme des projectiles contre les glaces. Il mangea sans appétit, troublé par l'évidence de sa situation, par la chaleur lourde, par l'amertume de cette solitude qui le tourmentait pour la première fois de sa vie. Il était plus de neuf heures quand on le conduisit au fond de la maison, dans une chambre de bois tapissée de journaux et de revues.

---

accord avec le contexte ; **cuando** reprend la notion temporelle de **entonces.**

8. **acorralado :** m. à m., *traqué*, cf. **acosado.**

9. **al ver las bombillas :** *en voyant les ampoules ;* **al** + infinitif exprime la simultanéité et la cause ici.

10. **siguió rodando : seguir** + gérondif (action continue).

11. **que padecía :** m. à m., *qu'il subissait* ou *dont il souffrait.* **Padecer** est transitif. Jamais il n'avait quitté sa mère auparavant. La solitude, thème marquésien par excellence, est ici nommée.

A la medianoche se hallaba sumergido en un sueño pantanoso[1] y febril, mientras a cinco cuadras[2] de allí el padre Antonio Isabel del Santísimo Sacramento del Altar, tendido boca arriba[3] en su catre[4], pensaba que las experiencias de esa noche reforzaban el sermón que tenía preparado[5] para las siete de la mañana. El padre reposaba con sus largos y ajustados pantaloncillos de sarga, entre el denso rumor de los zancudos[6]. Un poco antes de las doce había atravesado el pueblo para administrar la extremaunción a una mujer[7] y se sentía exaltado y nervioso, de manera que puso los elementos sacramentales junto al catre y se acostó a repasar el sermón[8]. Permaneció así varias horas, tendido boca arriba en el catre hasta cuando oyó el horario remoto de un alcaraván en la madrugada. Entonces trató de levantarse, se incorporó penosamente y pisó la campanilla y se fue de bruces[9] contra el suelo áspero y sólido de la habitación.

Apenas se dio cuenta de sí mismo cuando experimentó la sensación terebrante que le subió por el costado. En ese momento tuvo conciencia de su peso total[10]: juntos el peso de su cuerpo, de sus culpas y de su edad. Sintió contra la mejilla la solidez del suelo pedregoso[11] que tantas veces[12], al preparar sus sermones, le había servido para formarse una idea precisa del camino que conduce al infierno. «Cristo», murmuró asustado, pensando: «Seguro que nunca más podré ponerme en pie[13]».

---

1. **pantanoso**: de **pantano** = *marais*.
2. **a cinco cuadras**: m. à m., *à cinq pâtés de maison* cf. p. 143, note 6.
3. **boca arriba**: *sur le dos;* **boca abajo**: *sur le ventre*.
4. **su catre**: *lit rudimentaire, lit de camp;* cf. **la cama**.
5. **que tenía preparado**: que **había preparado**. Tener est employé parfois à la place de **haber** pour insister sur le fait que l'action est accomplie, il y a alors accord du participe passé.
6. **zancudos**: (Amér.) *moustiques;* autre sens: *qui a de longues jambes, échassier.*

A minuit, il était plongé dans un rêve fébrile et marécageux tandis qu'à cinq rues de là le père Antonio Isabel du Très Saint Sacrement de l'Autel, étendu le nez en l'air sur son lit, pensait que les expériences de cette nuit renforçaient le sermon qu'il avait préparé pour sept heures du matin. Le curé reposait dans son long pantalon de serge ajusté aux chevilles, environné par le vrombissement des moustiques. Un peu avant, il avait traversé le village pour administrer l'extrême-onction à une femme et il se sentait nerveux et surexcité, à tel point qu'il avait posé les éléments sacerdotaux près de son lit et s'était allongé pour parfaire son sermon. Il resta ainsi plusieurs heures, étendu le nez en l'air sur son lit, jusqu'au moment où il entendit l'horaire lointain d'un butor dans le petit matin. Alors il essaya de se lever, se redressa péniblement, piétina la clochette du viatique et s'étala de tout son long sur le sol dur de la chambre.

Il n'avait qu'une idée confuse de son propre corps quand une douleur térébrante grimpa au long de ses côtes. Il prit conscience de son poids total : celui de son individu, de ses fautes et de son âge. Il sentit contre sa joue la consistance du sol pavé qui si souvent, lorsqu'il préparait ses sermons, lui avait servi à se faire une idée exacte du chemin qui mène à l'enfer. « Jésus », murmura-t-il, effrayé, en pensant : *Jamais, non, jamais, je ne pourrai me relever.*

---

7. **la extremaunción a una mujer :** cf. p. 210. Le récit renoue avec le deuxième protagoniste, le curé.

8. **repasar el sermón :** exactement : *revoir le sermon.* **Repasar :** *réviser.*

9. **se fue de bruces :** ou **se cayó de bruces,** cf. : p. 202, note 3.

10. **su peso total :** *une somme hétérogène de poids divers,* au sens propre et au sens figuré.

11. **pedregoso :** *rocailleux,* de **piedra :** *pierre.*

12. **tantas veces :** *si souvent ;* **muchas veces, a menudo :** *souvent ;* **a veces :** *parfois.*

13. **ponerme en pie :** m. à m., *me mettre debout.* La chute est-elle un incident banal ou a-t-elle une signification symbolique ?

No supo[1] cuánto tiempo[2] permaneció postrado en el suelo, sin pensar en nada, sin acordarse siquiera de implorar una buena muerte. Fue como si, en realidad, hubiera estado muerto[3] por un instante. Pero cuando recobró el conocimiento ya no sentía dolor ni espanto. Vio la raya lívida debajo de la puerta; oyó, remoto y triste, el clamor de los gallos, y se dio cuenta de que estaba vivo y de que recordaba perfectamente las palabras del sermón.

Cuando descorrió la tranca[4] de la puerta estaba amaneciendo[5]. Había dejado de sentir dolor y hasta le parecía que el golpe lo había descargado de su ancianidad[6]. Toda la bondad, los extravíos y los padecimientos del pueblo penetraron hasta su corazón cuando tragó la primera bocanada de aquel aire que era una humedad azul llena de gallos. Luego miró en torno suyo[7], como para reconciliarse con la soledad, y vio a la tranquila penumbra del amanecer, uno, dos, tres pájaros muertos en el corredor.

Durante nueve minutos contempló los tres cadáveres, pensando, de acuerdo con el sermón previsto, que aquella muerte colectiva de los pájaros necesitaba una expiación[8]. Luego caminó hasta el otro extremo del corredor, recogió los tres pájaros muertos y regresó a la tinaja y la destapó y uno tras otro echó los pájaros en el agua verde y dormida sin conocer exactamente el objetivo de aquella acción. «Tres y tres hacen media docena en una semana», pensó, y un prodigioso relámpago de lucidez le indicó que había empezado a padecer el gran día de su vida.

---

1. **no supo**: passé simple irrégulier de **saber,** 3ᵉ personne du singulier.

2. **cuánto tiempo**: **cuanto** est un adjectif quantitatif qui s'accorde en genre et en nombre avec le nom.

3. **como si... hubiera estado muerto**: **como si** est suivi du plus-que-parfait du subjonctif.

4. **descorrió la tranca**: m. à m., *il enleva la barre.* De **correr** dans le sens de *tirer* pour ouvrir ou fermer, par ex., **correr la cortina**: *tirer le rideau.*

Il ne sut pas combien de temps il resta prostré sur le sol, la tête vide, oubliant même d'implorer le ciel de lui accorder une mort tranquille. Tout se passa comme s'il avait cessé de vivre durant un instant. Mais quand il reprit connaissance, il n'éprouvait plus ni douleur ni crainte. Il vit la raie livide sous la porte ; il entendit, lointains et tristes, les cris des coqs, et découvrit qu'il était vivant et se souvenait parfaitement des paroles du sermon.

Le jour se levait lorsqu'il déverrouilla sa porte. Il ne souffrait plus et il lui semblait même que le choc l'avait libéré de la vieillesse. Toute la bonté, les égarements et les maux du village s'engouffrèrent jusqu'à son cœur quand il avala la première bouffée de cet air qui était une humidité bleue peuplée de coqs. Puis il regarda autour de lui, comme pour se réconcilier avec la solitude, et vit la pénombre tranquille du petit matin : dans la galerie il y avait un, deux, trois oiseaux morts.

Durant neuf minutes il contempla les trois cadavres en pensant, conformément au sermon prévu, que cette mort collective des oiseaux exigeait une expiation. Après quoi il gagna l'autre bout de la galerie, ramassa les trois oiseaux morts, revint vers la cuve, en ôta le couvercle et, l'un après l'autre, jeta les trois oiseaux dans l'eau verte et dormante sans connaître exactement la raison de son geste. *Trois et trois font six. Six oiseaux en une semaine*, pensa-t-il, et un prodigieux éclair de lucidité lui révéla que le grand jour de sa vie était arrivé.

---

5. **estaba amaneciendo** : de **amanecer,** verbe impersonnel : *le jour se lève ;* cf. plus bas : **el amanecer.**

6. **lo había descargado de su ancianidad** : l'effet magique du choc ; le prêtre rajeuni et réconcilié avec le monde.

7. **en torno suyo** : ou **alrededor suyo** : *autour de lui.*

8. **aquella muerte colectiva de los pájaros necesitaba una expiación** : la mort des oiseaux apparaît comme une malédiction sur le village, marqué par le péché. Le curé, ayant déjà vu le diable par trois fois, ne s'en étonne pas outre mesure, il y voit un sujet de sermon ; cf. **de acuerdo con el sermón previsto** et p. 188.

A las siete había empezado el calor. En el hotel, el único comensal aguardaba[1] el desayuno. La muchacha del gramófono[2] no se había levantado aún. La propietaria se acercó y en ese instante parecía como si estuvieran sonando[3] dentro de su vientre abultado las siete campanadas del reloj.

—Siempre fue que lo dejó el tren —dijo con un acento de tardía conmiseración. Y luego trajo[4] el desayuno: café con leche, un huevo frito y tajadas de[5] plátano verde.

Él trató de comer, pero no sentía hambre. Se sentía alarmado de que hubiera empezado el calor. Sudaba a chorros[6]. Se asfixiaba. Había dormido mal, con la ropa puesta[7], y ahora tenía un poco de fiebre. Sentía otra vez el pánico y se acordaba de su madre, en el instante en que la propietaria se acercó a recoger los platos, radiante dentro de su traje nuevo de grandes flores verdes. El traje de la propietaria le hizo recordar que era domingo[8].

—¿Hay misa? —le preguntó.

—Sí hay —dijo la mujer—. Pero es como si no hubiera[9] porque no va casi nadie. Es que no han querido mandar un padre nuevo.

—¿Y qué pasa con el de ahora?

—Que tiene como cien años y está medio chiflado —dijo la mujer, y permaneció inmóvil, pensativa, con todos los platos en una mano.

Luego dijo:

---

1. **aguardaba**: syn. *esperaba.* Retour du récit sur l'étranger.

2. **la muchacha del gramófono**: elle est caractérisée par l'objet dont elle ne se sépare pas, cf. p. 216 et p. 220.

3. **como si estuvieran sonando**: **como si** est suivi de l'imparfait du subjonctif, ici à la forme progressive.

4. **trajo**: passé simple irrégulier de **traer**, 3e pers. du singulier.

5. **tajadas**: *des tranches;* syn. **lonchas**; **una rebanada**: *une tranche* de pain.

6. **a chorros**: *à grosses gouttes.* Cf. **llueve a chorros**: *il pleut à torrents.* La chaleur est déjà redoutable à sept heures du matin.

7. **con la ropa puesta**: m. à m., *avec les vêtements mis.* **La ropa**: *le*

A sept heures, la chaleur commença. A l'hôtel, l'unique convive attendait son petit déjeuner. La fille aux disques n'était pas encore levée. La propriétaire s'approcha et il eut l'impression que les sept coups de l'horloge sonnaient dans son ventre rond.

« C'est vrai que vous avez manqué votre train », dit-elle avec un accent de commisération bien tardive. Puis elle le servit : du café au lait, un œuf sur le plat et des rondelles de bananes vertes.

Il essaya de manger, mais n'avait aucun appétit. Il était effrayé par la chaleur montante. Son corps ruisselait de sueur. Il étouffait. Il avait mal dormi, tout habillé, et se sentait un peu fiévreux. La panique à nouveau le gagnait et il songeait à sa mère quand la propriétaire s'approcha pour enlever les assiettes ; elle rayonnait dans sa robe neuve à grandes fleurs vertes, qui lui rappela que c'était dimanche.

« Il y a une messe ? demanda-t-il.

— Oui, mais c'est comme s'il n'y en avait pas, car personne n'y va. Ils n'ont pas voulu nous envoyer un nouveau curé.

— Et le curé actuel ?

— Il est presque centenaire et à moitié cinglé », dit la femme qui resta immobile et songeuse, avec toutes les assiettes à la main.

Et elle ajouta :

---

linge, *les vêtements ;* **el vestido :** *la robe ;* **el traje :** *l'ensemble, le costume.*

8. **era domingo :** cf. le titre de la nouvelle ; le jour marqué, « **el gran día de su vida** », p. 230.

9. **como si no hubiera : como si** est suivi de l'imparfait du subjonctif de **haber.** Le village en entier est en état de péché puisque plus personne n'assiste à la messe.

—El otro día juró en el púlpito que había visto al diablo[1] y desde entonces casi nadie volvió a la misa.

De manera que fue a la iglesia, en parte por su desesperación y en parte por la curiosidad de conocer a una persona de cien años. Advirtió que era un pueblo muerto, con calles interminables y polvorientas y sombrías casas de madera con techos de cinc, que parecían deshabitadas. Eso era el pueblo en domingo: calles sin hierba, casas con alambreras y un cielo profundo y maravilloso sobre un calor asfixiante. Pensó que no había ahí ninguna señal que permitiera distinguir el domingo de otro día cualquiera[2], y mientras caminaba por la calle[3] desierta se acordó de su madre[4]: «Todas las calles de todos los pueblos conducen inexorablemente a la iglesia o al cementerio». En este instante desembocó en una pequeña plaza empedrada con un edificio de cal con una torre y un gallo de madera en la cúspide y un reloj parado en las cuatro y diez.

Sin apresurarse atravesó la plaza, subió por los tres escalones del atrio e inmediatamente sintió el olor del envejecido sudor humano revuelto[5] con el olor del incienso, y penetró en la tibia penumbra de la iglesia casi vacía.

El padre Antonio Isabel del Santísimo Sacramento del Altar acababa de subir[6] al púlpito. Iba[7] a iniciar el sermón cuando vio entrar a un muchacho con el sombrero puesto[8]. Lo vio examinar con sus grandes ojos serenos y transparentes el templo casi vacío.

---

1. **que había visto al diablo**: le prêtre présente des symptômes de possession alors qu'il devrait être à même d'exorciser quiconque serait dans ce cas.

2. **no había ahí ninguna señal que permitiera distinguir el domingo de otro día cualquiera**: m. à m., *il n'y avait là aucun signe qui permît de distinguer le dimanche d'un autre jour quelconque.* L'affluence à l'église est habituellement le signe de distinction du dimanche.

3. **caminaba por la calle**: **por** indique un mouvement à travers un espace.

4. **se acordó de su madre**: sa mère toujours présente; cf. p. 222, 232. Elle est à l'origine de ce voyage qui tourne à l'absurde: les papiers de la

« L'autre jour, il a juré en chaire qu'il avait vu le diable et, depuis, presque personne n'est retourné à la messe. »

Il se rendit donc à l'église, en partie par désespoir et en partie poussé par la curiosité de voir de près un centenaire. Il constata que c'était un village mort, avec des rues interminables et poussiéreuses, et des maisons de bois sombres recouvertes de tôles et qui paraissaient inhabitées. Le dimanche, le village offrait cet aspect : des rues sans herbe, des maisons grillagées et un ciel profond et merveilleux sur la chaleur asphyxiante. Il pensa qu'il n'y avait ici aucun signe permettant de distinguer le dimanche d'un autre jour, et tout en marchant dans la rue déserte il se souvint de sa mère : « Toutes les rues de tous les villages conduisent immanquablement à l'église ou au cimetière. » Au même instant il déboucha sur une placette pavée où se dressait un bâtiment badigeonné à la chaux, avec un clocher et un coq au sommet ; l'horloge, arrêtée, marquait quatre heures dix.

Il traversa la place sans se presser, grimpa les trois marches du parvis, respira aussitôt une odeur de vieille sueur humaine mêlée à celle de l'encens et pénétra dans la pénombre tiède de l'église presque vide.

Le père Antonio Isabel du Très Saint Sacrement de l'Autel venait de monter en chaire. Il allait commencer son sermon quand il vit entrer un garçon avec son chapeau sur la tête. Il le vit examiner de ses grands yeux calmes et transparents l'église.

---

retraite oubliés dans un train raté, une étape forcée dans ce village abandonné où le vieux curé a perdu tous ses fidèles.

5. **revuelto** : m. à m., *brouillé*.

6. **acababa de subir** : *venait de monter*.

7. **iba** : imparfait irrégulier de **ir**.

8. **con el sombrero puesto** : m. à m., *avec le chapeau mis*. Les hommes doivent entrer sans chapeau dans une église, à l'inverse de la synagogue où il faut absolument qu'ils se couvrent la tête.

Lo vio sentarse en el último escaño, la cabeza ladeada y las manos sobre las rodillas. Se dio cuenta de que era un forastero[1]. Tenía más de 20 años de estar en el pueblo[2] y habría podido[3] reconocer a cualquiera de sus habitantes por el olor. Por eso sabía que el muchacho que acababa de llegar[4] era un forastero. En una mirada breve e intensa observó que era un ser taciturno y un poco triste y que tenía la ropa sucia y arrugada. «Es como si tuviera mucho tiempo de estar durmiendo con ella[5]», pensó, con un sentimiento que era una mescolanza[6] de repugnancia y piedad. Pero después, viéndolo en el escaño, sintió que su alma desbordaba gratitud y se dispuso[7] a pronunciar para él el gran sermón de su vida. «Cristo —pensaba mientras tanto—, permite que recuerde el sombrero[8] para que no tenga que echarlo del templo.» Y comenzó el sermón.

Al principio habló sin darse cuenta de sus palabras. Ni siquiera se escuchaba a sí mismo. Oía apenas la melodía indefinida y suelta que fluía de un manantial dormido en su alma desde el principio del mundo. Tenía la confusa certidumbre de que las palabras estaban brotando precisas[9], oportunas, exactas, en el orden y la ocasión previstos. Sentía que un vapor caliente le presionaba las entrañas. Pero sabía también que su espíritu estaba limpio de vanidad y que la sensación de placer que le embargaba los sentidos no era soberbia, ni rebeldía, ni vanidad, sino el puro regocijo de su espíritu en Nuestro Señor.

---

1. **un forastero** : *un étranger au village.* Cf. p. 72, note 5.

2. **tenía más de 20 años de estar en el pueblo** : expression équivalente : **llevaba más de 20 años (viviendo) en el pueblo.**

3. **habría podido** : conditionnel passé de **poder** ; forme équivalente : **hubiera podido.**

4. **que acababa de llegar** : *qui venait d'arriver.*

5. **como si tuviera mucho tiempo de estar durmiendo con ella** : **como si** est suivi du subjonctif imparfait de **tener.** Expression équivalente : **como si llevara mucho tiempo durmiendo con ella.** On ne peut que s'étonner de l'admirable perspicacité et de l'excellente vue du curé (cf. p. 192).

6. **una mescolanza** : *un mélange ;* syn. : **una mezcla.**

Il le vit s'asseoir sur le dernier banc, la tête penchée et les mains appuyées sur les genoux, et il comprit qu'il s'agissait d'un étranger. Il vivait au village depuis plus de vingt ans et il aurait pu reconnaître n'importe qui à sa seule odeur. C'est pourquoi il savait que le garçon venait d'ailleurs. Un regard rapide et intense lui permit de se convaincre qu'il s'agissait d'un être taciturne et un peu triste, qui portait un linge sale et fripé. *On dirait qu'il a dormi dedans pas mal de temps*, pensa-t-il, avec un sentiment qui mêlait répugnance et pitié. Pourtant, quand il le vit assis au fond de l'église, il sentit que son âme débordait de gratitude et il se prépara à prononcer pour lui le grand discours de sa vie. *Jésus*, songeait-il, *fait qu'il pense à son chapeau, pour que je n'aie pas à le chasser du temple*. Et il commença son homélie.

Au début, il parla sans se rendre compte de ses paroles. Il ne s'écoutait même pas. Il entendait à peine le flot de cette mélodie orientée qui s'échappait d'une source endormie dans son âme depuis l'origine du monde. Il avait la certitude confuse que ses mots jaillissaient précis, opportuns, exacts, dans l'ordre et la circonstance prévus. Il sentait qu'une vapeur chaude lui opprimait les entrailles. Mais il savait aussi que son esprit était sans vanité et que cette sensation de plaisir qui dilatait ses sens n'était due ni à l'orgueil, ni à la rébellion, ni à la fatuité, mais à la pure délectation de son esprit dans le Seigneur.

---

7. **se dispuso :** passé simple irrégulier de **disponer,** 3ᵉ personne du singulier, cf. **poner.**

8. **permite que recuerde el sombrero :** *qu'il ait l'idée d'ôter son chapeau.*

9. **las palabras estaban brotando precisas :** le curé sent qu'il est inspiré et s'écoute avec un plaisir dénué de vanité.

En su alcoba, la señora Rebeca[1] se sentía desfallecer, comprendiendo que dentro de un momento[2] el calor se volvería imposible[3]. Si no se hubiera sentido arraigada al pueblo[4] por un oscuro temor a la novedad, habría metido[5] sus cachivaches en un baúl con naftalina y se hubiera ido a rodar por el mundo, como lo hizo su bisabuelo, según le habían contado. Pero íntimamente sabía que estaba destinada a morir en el pueblo, entre aquellos interminables corredores y las nueve alcobas cuyas alambreras[6], pensaba, haría reemplazar por vidrios erizados, cuando cesara el calor[7]. De manera que se quedaría allí, decidió (y esa era una decisión que tomaba siempre que ordenaba la ropa en el armario), y decidió también escribirle[8] a «mi ilustrísimo primo» para que mandara un padre joven y poder asistir de nuevo a la iglesia con su sombrero de minúsculas flores de terciopelo y oír otra vez una misa ordenada y sermones sensatos y edificantes. «Mañana es lunes», pensó, empezando a pensar de una vez en el encabezamiento de la carta para el obispo (encabezamiento que el coronel Buendía habría calificado de frívolo e irrespetuoso) cuando Argénida abrió bruscamente la puerta alambrada y exclamó:

—Señora, dicen que el padre se volvió loco en el púlpito[9].

La viuda volvió hacia la puerta un rostro otoñal y amargo, enteramente suyo.

---

1. **la señora Rebeca** : retour au premier protagoniste du conte.

2. **dentro de un momento** : m. à m., *dans un moment.*

3. **se volvería imposible** : **volverse** dans le sens de *devenir ;* cf. p. 195, note 6. La chaleur est mentionnée une fois de plus, elle agit sur l'état d'âme des personnages, ici de Rébecca qui serait prête, accablée qu'elle est, à quitter le village.

4. **si no se hubiera sentido arraigada al pueblo** : **si** suivi du plus-que-parfait du subjonctif exprime une condition non réalisée dans le passé.

5. **habría metido... y se hubiera ido** : conditionnel passé de **meter** et plus-que-parfait du subjonctif de **ir** ; les deux formes verbales ont la même valeur.

Dans sa chambre, Mme Rébecca se sentait défaillir à l'idée que d'un moment à l'autre la chaleur allait devenir insupportable. Si elle n'avait pas été aussi attachée au village par la crainte obscure de la nouveauté, elle aurait déposé toutes ses babioles dans une malle avec de la naphtaline et serait partie rouler sa bosse à travers le monde, suivant l'exemple de son arrière-grand-père, du moins si l'on en croyait les racontars. Mais au fond d'elle-même elle savait qu'elle était destinée à mourir au village, au milieu de ces interminables couloirs, avec ces neuf alcôves dont elle ferait remplacer, pensait-elle, les treillis par des tessons de verre dès que la chaleur ne sévirait plus. Bon, elle resterait donc dans ce patelin, décida-t-elle (c'était une décision qu'elle prenait chaque fois qu'elle rangeait le linge dans l'armoire), et elle décida aussi d'écrire à « mon illustrissime cousin » afin qu'il nous envoie un jeune curé et comme ça je pourrai assister de nouveau à la messe et mettre mon chapeau à petites fleurs de velours et entendre enfin un office cohérent et des sermons sensés et édifiants. *Demain c'est lundi*, pensa-t-elle, et elle s'était mise à penser une fois pour toutes à la formule qu'elle emploierait pour s'adresser à l'évêque (une formule frivole et irrespectueuse, selon le colonel Buendia) quand Argénida ouvrit brusquement la porte grillagée et s'écria :

« Madame, paraît que le curé est devenu complètement maboul pendant le sermon. »

La veuve tourna vers la porte un visage automnal et amer. Un visage bien à elle.

---

6. **cuyas alambreras :** cf. p. 21, note 6.

7. **cuando cesara el calor :** imparfait du subjonctif de **cesar ;** correspond à un futur dans un récit au passé (conditionnel en français).

8. **decidió también escribirle : decidir** se construit directement avec un infinitif. Dans *Cien años de soledad,* elle envoie aussi des lettres à l'évêque.

9. **se volvió loco :** cf. n. 3.

—Hace por lo menos cinco años[1] que está loco —dijo. Y siguió aplicada a la clasificación de su ropa[2], diciendo—: Debe ser que volvió a ver al diablo.

—Ahora no fue el diablo —dijo Argénida.

—¿Y entonces a quién? —preguntó la señora Rebeca, estirada, indiferente.

—Ahora dice que vio al Judío Errante[3].

La viuda sintió que se le crispaba la piel. Un tropel de revueltas ideas entre las cuales no podía diferenciar sus alambreras rotas[4], el calor, los pájaros muertos y la peste[4], pasó por su cabeza al escuchar esas palabras[5] que no recordaba desde las tardes de su infancia remota: «El Judío Errante». Y entonces comenzó a moverse, lívida, helada, hacia donde Argénida la contemplaba con la boca abierta.

—Es verdad[6] —dijo, con una voz que se le subió de las entrañas[7]—. Ahora me explico por qué se están muriendo los pájaros[8].

Impulsada por el terror, se tocó[9] con una negra mantilla bordada y atravesó como una exhalación el largo corredor y la sala recargada de objetos decorativos y la puerta de la calle y las dos cuadras que la separaban de la iglesia, en donde el padre Antonio Isabel del Santísimo Sacramento del Altar, transfigurado, decía: «...Os juro que lo vi. Os juro que se atravesó en mi camino esta madrugada, cuando regresaba de administrar los santos óleos a la mujer de Jonás, el carpintero.

---

1. **hace por lo menos cinco años**: **hace** traduit *il y a* avec une notion de temps.

2. **siguió aplicada a la clasificación de su ropa**: m. à m., *elle continua de s'occuper du rangement de son linge*. **Seguir** dans le sens de *continuer* peut être aussi suivi d'un participe passé ou d'un adjectif.

3. **vió al Judío Errante**: cf. p. 210.

4. **sus alambreras rotas, ... la peste**: énumération apocalyptique de tous les maux subis par la veuve et par le village en référence à un épisode de la Bible.

« Il y a au moins cinq ans qu'il est maboul », dit-elle. Et tout en continuant de ranger son linge, elle ajouta : « Il a sans doute revu le diable.

— Maintenant, ce n'est plus le diable, dit Argénida.

— Et alors, c'est qui ? » demanda Mme Rébecca, guindée, indifférente.

« Maintenant, il dit qu'il a vu le Juif errant. »

La peau de la veuve se crispa. Un tourbillon d'idées confuses parmi lesquelles elle n'arrivait pas à distinguer ses treillis défoncés, la chaleur, les oiseaux morts et la peste, passa dans sa tête en entendant les mots qu'elle avait oubliés depuis les soirs lointains de son enfance : « Le Juif errant. » Elle se dirigea, livide, glacée, vers Argénida qui la regardait bouche bée.

« C'est vrai, dit-elle, d'une voix qui montait du fond d'elle-même. Maintenant, je m'explique pourquoi les oiseaux meurent. »

Mue par la terreur, elle ajusta sur sa tête une mantille de dentelle noire et brodée et traversa comme une flèche le long couloir, la salle surchargée de bibelots, la porte d'entrée et les deux rues qui la séparaient de l'église où le père Antonio Isabel du Très Saint Sacrement de l'Autel disait, transfiguré : « Je vous jure que je l'ai vu. Je vous jure que je l'ai rencontré sur ma route, ce matin, comme je revenais d'administrer les saintes huiles à la femme de Jonas, le menuisier.

---

5. **al escuchar esas palabras :** al + infinitif, cf. passim.

6. **es verdad :** elle reconnaît pour la première fois le bien-fondé des déclarations du père Antonio Isabel.

7. **las entrañas :** m. à m., *les entrailles.*

8. **ahora me explico por qué se están muriendo los pájaros :** « l'explication » se trouve en fait dans *Cien años de soledad* où il est fait allusion à l'époque où passa le Juif Errant, responsable de la chaleur qui a entraîné la mort des oiseaux.

9. **se tocó :** *elle se coiffa.* Sens inhabituel, à partir de **toca :** *voilette.*

Os juro que tenía el rostro embetunado[1] con la maldición del Señor y que dejaba a su paso una huella de ceniza ardiente.»

La palabra quedó trunca[2], flotando en el aire. Se dio cuenta de que no podía contener el temblor de las manos, de que todo su cuerpo temblaba y que por su columna vertebral descendía lentamente un hilo de sudor helado. Se sentía mal, sintiendo el temblor y sintiendo[3] la sed y una fuerte torcedura en las tripas y un rumor que resonó como la profunda nota de un órgano[4] en sus entrañas. Entonces se dio cuenta de la verdad.

Vio que había gente en la iglesia y que por la nave central avanzaba la señora Rebeca[5], patética, espectacular, con los brazos abiertos y el rostro amargo y frío vuelto[6] hacia la alturas. Confusamente comprendió lo que estaba ocurriendo[7] y hasta tuvo la lucidez suficiente para comprender que habría sido vanidad creer que estaba patrocinando un milagro[8]. Humildemente apoyó las manos temblorosas en el borde de madera y reanudó el discurso.

—Entonces caminó hacia mí —dijo. Y esta vez escuchó su propia voz convincente, apasionada—. Caminó hacia mí y tenía los ojos de esmeralda y la áspera pelambre y el olor de un macho cabrío. Y yo levanté la mano para recriminarlo en el nombre de Nuestro Señor, y le dije: «Detente[9]. Nunca ha sido el domingo buen día para sacrificar un cordero[10]».

---

1. **embetunado :** de **betún :** *bitume ; cirage.*

2. **trunca :** *tronquée, incomplète.* **Trunco** est un adjectif qui existe à côté du participe passé **truncado.**

3. **sintiendo :** gérondif de **sentir** qui diphtongue et qui alterne les voyelles **e/i.**

4. **como la profunda nota de un órgano :** la comparaison est bienvenue, l'orgue étant un instrument propre à la musique religieuse des églises.

5. **por la nave central avanzaba la señora Rebeca :** l'église est le lieu de rencontre des trois protagonistes du conte.

6. **vuelto :** *tourné ;* participe passé irrégulier de **volver.**

Je vous jure qu'il avait le visage tout barbouillé des malédictions de Notre Seigneur et qu'il laissait derrière lui une traînée de braise. »

La parole du curé s'interrompit, flottant dans l'air. Il découvrit qu'il ne pouvait plus contenir le tremblement de ses mains, tout son corps frissonnait et un filet de sueur froide descendait lentement le long de sa colonne vertébrale. Il défaillait, ses frissons redoublaient, il avait soif, son ventre se nouait et une rumeur retentissait avec une gravité d'orgue dans ses entrailles. Alors il se rendit compte de la vérité.

Il vit qu'il y avait des gens dans l'église et que par la nef principale Mme Rébecca s'avançait, pathétique, spectaculaire, les bras en croix et le visage, amer et froid, tourné vers les hauteurs. Confusément, il comprit la situation et il eut même suffisamment de lucidité pour ne pas s'abandonner à la vanité de croire qu'il assistait à un miracle. Humblement, il appuya ses mains tremblantes sur le rebord de la chaire et reprit son discours :

« Alors il s'est avancé vers moi. » Et cette fois-ci, il entendit sa propre voix convaincante, passionnée : « Alors, il s'est avancé vers moi et il avait des yeux d'émeraude, le poil rugueux et l'odeur d'un bouc. J'ai levé la main pour l'admonester au nom de Notre Seigneur et je lui ai dit : ''Halte-là ! le dimanche n'a jamais été un bon jour pour sacrifier un agneau de Dieu.'' »

---

7. **lo que estaba ocurriendo** : m. à m., *ce qui était en train de se passer.*

8. **habría sido vanidad creer que estaba patrocinando un milagro** : m. à m., *c'eût été vanité de croire qu'il était en train de parrainer un miracle ;* à savoir le retour des fidèles à l'église.

9. **detente** : impératif irrégulier de **detenerse,** cf. **tener.**

10. **sacrificar un cordero** : pratique juive du sacrifice de l'agneau à l'occasion de la célébration de la Pâque.

Cuando terminó había empezado el calor[1]. Ese calor intenso, sólido y abrasante de aquel agosto inolvidable. Pero el padre Antonio Isabel ya no se daba cuenta del calor. Sabía que ahí, a sus espaldas, estaba el pueblo otra vez postrado, sobrecogido por el sermón, pero ni siquiera se alegraba de eso. Ni siquiera se alegraba con la perspectiva inmediata de que el vino le aliviara la garganta[2] estragada[3]. Se sentía incómodo y desadaptado. Se sentía aturdido y no pudo concentrarse en el momento supremo del sacrificio. Desde hacía algún tiempo[4] le ocurría lo mismo[5], pero ahora fue una distracción diferente porque su pensamiento estaba colmado por una inquietud definida. Por primera vez en su vida conoció entonces la soberbia[6]. Y tal como lo había imaginado y definido en sus sermones, sintió que la soberbia era un apremio igual a la sed. Cerró con energía el tabernáculo, y dijo:

—Pitágoras[7].

El acólito, un niño de cabeza rapada y lustrosa, ahijado del padre Antonio Isabel y a quien éste había puesto nombre, se acercó al altar.

—Recoge la limosna[8] —dijo el sacerdote.

El niño pestañeó, dio una vuelta completa y luego dijo con una voz casi imperceptible:

—No sé dónde está el platillo.

Era cierto. Hacía meses que no se recogía la limosna.

—Entonces busca una bolsa grande en la sacristía y recoge lo más que puedas[9] —dijo el padre.

---

1. **había empezado el calor**: elle avait déjà commencé p. 232. Ces références multiples à la chaleur confirment qu'elle fait partie des calamités qui pleuvent sur le village.

2. **de que el vino le aliviara la garganta**: imparfait du subjonctif de **aliviar** en concordance avec l'imparfait **alegraba**.

3. **estragada**: m. à m., *ravagée*, de **estrago**: *destruction, dégât*.

4. **desde hacía algún tiempo**: cf. p. 197, note 6.

5. **le ocurría lo mismo**: *il lui arrivait la même chose*; cf. p. 119, note 7 et p. 34, note 1.

La chaleur montait. La chaleur intense, solide et brûlante de ce mois d'août inoubliable. Pourtant, le père Antonio Isabel ne s'en souciait plus. Il savait que là, dans son dos, le village était à nouveau prosterné, terrorisé par le sermon ; il ne s'en réjouissait pas, pas plus que de la perspective immédiate du vin soulageant sa gorge délabrée. Il se sentait mal à l'aise, inapte à réagir dans les circonstances présentes, et si hébété qu'il ne put se concentrer à l'instant suprême du sacrifice. Cela lui arrivait déjà depuis quelque temps mais maintenant c'était une distraction différente car sa pensée était absorbée par une inquiétude précise. Pour la première fois de sa vie, il connut l'arrogance. Et telle qu'il l'avait imaginée et définie dans ses sermons, il entrevit que l'arrogance était aussi pressante que la soif. Il referma énergiquement le tabernacle et appela :

« Pythagore. »

L'enfant de chœur, un gamin à la tête rasée et brillante, filleul du père Antonio Isabel qui l'avait affublé de ce prénom, s'approcha de l'autel.

« Fais la quête », dit le prêtre.

L'enfant cligna des yeux, fit un tour complet sur lui-même et prononça d'une voix presque imperceptible :

« Je ne sais pas où est le plateau. »

C'était vrai. Depuis des mois, on ne faisait plus la quête.

« Alors, va chercher une grande bourse dans la sacristie et ramasse le plus possible, dit le père.

---

6. **la soberbia :** *l'orgueil ;* un péché capital qui a dû faire l'objet de plus d'un sermon.

7. **Pitágoras :** le nom donné par le prêtre à son filleul rappelle sa formation d'helléniste, cf. p. 190 ; l'enfant présente peut-être des dons de mathématicien.

8. **la limosna :** m. à m., *l'aumône.*

9. **lo más que puedas :** m. à m., *le plus que tu pourras.*

—¿Y qué digo? —dijo el muchacho.

El padre contempló pensativo el cráneo pelado y azul, las articulaciones pronunciadas. Ahora fue él quien pestañeó[1]:

—Di que es para desterrar al Judío Errante[2] —dijo y sintió que al decirlo[3] soportaba un gran peso en su corazón. Por un instante no escuchó nada más que el chisporroteo de los cirios en el templo silencioso, y su propia respiración excitada y difícil. Luego, poniendo la mano en el hombro del acólito que lo miraba con los redondos ojos espantados, dijo:

—Después coges la plata[4] y se la llevas[5] al muchacho que estaba solo al principio, y le dices que ahí le manda el padre para que se compre un sombrero nuevo[6].

---

1. **fue él quien pestañeó**: m. à m., *ce fut lui qui cligna les yeux*. La tournure redondante, moins employée en espagnol qu'en français, fait conjuguer **ser** au temps du contexte et reprendre le sujet sous la forme **quien** ou **el que**. **Pestañear**: de **pestañas**: *les cils*.
2. **desterrar al Judío Errante**: expression paradoxale puisque, par définition, le Juif Errant est un exilé permanent; cependant elle établit l'identification entre le jeune voyageur égaré et le mythe.
3. **al decirlo**: **al** + infinitif indique la simultanéité et la cause.
4. **la plata**: en Espagne, on dirait **el dinero**.
5. **se la llevas**: lorsque deux pronoms personnels de la 3e personne se combinent, le premier (l'indirect **le** ou **les**) devient **se**.

— Et qu'est-ce que je dis ? » demanda l'enfant.

Le curé contempla, passif, le crâne rasé et bleu, et les grosses jointures du gamin. C'était cette fois à lui de cligner des yeux.

« Dis-leur que c'est pour exiler le Juif errant », murmura-t-il, et il sentit qu'en disant cela il portait un grand fardeau sur le cœur.

Durant une seconde, il n'entendit que le crépitement des cierges dans l'église silencieuse et sa propre haleine, pénible et fébrile. Puis il posa la main sur l'épaule de l'enfant de chœur qui le regardait de ses yeux ronds et effrayés :

« Et après, dit-il, tu réuniras l'argent et tu le porteras au garçon qui était tout seul au début, et tu lui diras que c'est de la part du curé pour qu'il achète un chapeau neuf. »

---

6. **un sombrero nuevo** : le chapeau est un objet qui apparaît plusieurs fois dans le récit : c'est le cadeau d'anniversaire de la mère, c'est l'élément insolite dans l'église qui fait assimiler le jeune homme et le Juif, c'est encore le cadeau que le prêtre lui fait avec le fruit de la quête, peut-être par reconnaissance pour avoir, involontairement, rempli de nouveau l'église. Il n'est pas rare que Márquez fasse intervenir, dans les contes de cette époque, un élément étrange qui débloque les rapports fixes du village. C'est bien le rôle que joue le visiteur innocent ici. Une fois de plus, la nouvelle n'est pas fermée, le lecteur reste en suspens, l'auteur ne donnant pas de réponse.

ROSAS ARTIFICIALES

LES ROSES ARTIFICIELLES

Moviéndose a tientas en la penumbra del amanecer, Mina se puso el vestido sin mangas[1] que la noche anterior había colgado junto a la cama, y revolvió[2] el baúl en busca de las mangas postizas. Las buscó después[3] en los clavos de las paredes y detrás de las puertas, procurando[4] no hacer ruido para no despertar a la abuela ciega que dormía en el mismo cuarto. Pero cuando se acostumbró a la oscuridad, se dio cuenta de que la abuela se había levantado y fue a la cocina a preguntarle por las mangas[5].

—Están en el baño[6] —dijo la ciega—. Las lavé ayer tarde.

Allí estaban, colgadas de un alambre con dos prendedores de madera. Todavía estaban húmedas. Mina volvió a la cocina y extendió las mangas sobre las piedras de la hornilla[7]. Frente a ella, la ciega revolvía el café, fijas las pupilas muertas en el reborde de ladrillos del corredor, donde había una hilera de tiestos con hierbas medicinales.

—No vuelvas a coger mis cosas —dijo Mina—. En estos días no se puede contar con el sol[8].

La ciega movió el rostro hacia la voz.

—Se me había olvidado[9] que era el primer viernes —dijo.

Después de comprobar con una aspiración profunda que ya estaba el café[10], retiró la olla del fogón.

---

1. **se puso el vestido sin mangas** : *elle mit la robe sans manches.* **Puso** : passé simple irrégulier de **poner. El vestido** : *la robe.* Un vêtement : **una prenda de vestir.**

2. **revolvió** : de **revolver** : *remuer ; fouiller.*

3. **las buscó después...** : la recherche active des manches occupe Mina pendant plusieurs lignes du début de la nouvelle et éveille notre attention : qu'est-ce qui peut bien se jouer derrière cette simplicité du quotidien ?

4. **procurando** : *en s'efforçant de.* À ne pas confondre avec **proporcionar** : *procurer.*

En se dirigeant à tâtons dans la pénombre du petit matin, Mina enfila la robe sans manches qu'elle avait accrochée la veille près de son lit et fouilla dans la malle à la recherche des fausses manches. Elle fureta ensuite du côté des clous des murs et derrière la porte, en tâchant de ne pas faire de bruit pour ne pas réveiller la grand-mère aveugle qui dormait dans la même chambre. Une fois familiarisée avec l'obscurité, elle se rendit compte que la grand-mère s'était levée et elle alla à la cuisine lui demander où étaient les manches.

« Elles sont dans la salle de bains, lui dit l'aveugle. Je les ai lavées hier après-midi. »

Elles étaient bien là, suspendues à un fil de fer avec deux pinces en bois. Elles étaient encore humides. Mina revint à la cuisine et étendit les manches sur les pierres du foyer. Devant elle, l'aveugle remuait le café, ses pupilles mortes fixées sur le muret de brique de la galerie où étaient alignés des pots remplis d'herbes médicinales.

« Ne t'occupe plus de mes affaires, lui dit Mina. Ces jours-ci, on ne peut pas compter sur le soleil. »

L'aveugle tourna le visage en direction de la voix.

« J'avais oublié que c'était le premier vendredi du mois », dit-elle.

Après avoir humé longuement le café pour constater qu'il était prêt, elle retira la casserole du feu.

---

5. **preguntarle por las mangas**: m. à m., *l'interroger au sujet des manches*. **Preguntar por alguien**: *demander des nouvelles de quelqu'un.*

6. **el baño**: *la salle de bains;* manière fréquente de désigner **el cuarto de baño**.

7. **la hornilla**: *fourneau, réchaud.* Il ne s'agit pas d'un diminutif; **horno** veut dire *four.*

8. **contar con el sol**: *compter sur le soleil.*

9. **se me había olvidado**: ou **me había olvidado de que** ou **había olvidado que**; les trois constructions sont possibles.

10. **ya estaba el café**: *le café était prêt;* **ya está**: *ça y est.*

—Pon[1] un papel debajo, porque esas piedras están sucias —dijo.

Mina restregó[2] el índice contra las piedras de la hornilla. Estaban sucias, pero de una costra de hollín apelmazado que no ensuciaría las mangas si no se frotaban contra las piedras.

—Si se ensucian tú eres la responsable —dijo.

La ciega se había servido una taza de café.

—Tienes rabia[3] —dijo, rodando un asiento hacia el corredor—. Es sacrilegio comulgar[4] cuando se tiene rabia. —Se sentó a tomar el café frente a las rosas[5] del patio.

Cuando sonó el tercer toque para misa[6], Mina retiró las mangas de la hornilla, y todavía estaban húmedas. Pero se las puso. El padre Ángel no le daría la comunión con un vestido de hombros descubiertos. No se lavó la cara. Se quitó con una toalla los restos del colorete[7], recogió en el cuarto el libro de oraciones y la mantilla, y salió a la calle. Un cuarto de hora después estaba de regreso.

—Vas a llegar después del evangelio —dijo la ciega, sentada frente a las rosas del patio.

Mina pasó directamente hacia el excusado.

—No puedo ir a misa —dijo—. Las mangas están mojadas y toda mi ropa sin planchar[8]. —Se sintió perseguida por una mirada clarividente[9].

—Primer viernes y no vas a misa —dijo la ciega.

---

1. **pon** : impératif irrégulier 2ᵉ personne de **poner.** Malgré sa cécité, la grand-mère suit attentivement les faits et gestes de Mina.

2. **restregó** : exactement, *frotta.*

3. **tienes rabia** : l'aveugle perçoit au-delà de ce que Mina laisse entrevoir de ses préoccupations.

4. **es sacrilegio comulgar...** : es + nom + infinitif, construit directement sans **de.**

5. **frente a las rosas** : cf. **enfrente de.** Devant un élément concret les deux prépositions sont possibles. Devant une notion abstraite, seule **frente a** s'emploie.

6. **el tercer toque para misa** : m. à m., *le troisième coup de cloche pour la messe.* **Tercero** perd le **o** devant un nom masculin. **Misa** s'emploie

« Mets un papier dessous, car ces pierres sont sales », dit l'aveugle.

Mina passa le doigt sur les pierres de l'âtre. Elles étaient sales, mais la croûte de suie compacte ne pouvait pas salir les manches si on ne les frottait pas contre les pierres.

« Si elles ont des taches, ce sera de ta faute », dit-elle.

L'aveugle s'était servie une tasse de café.

« Tu es en colère, dit-elle en traînant un siège vers la galerie. C'est un sacrilège de communier quand on est en colère. »

Elle s'assit pour boire son café devant les roses de la cour. Quand le troisième coup de cloche retentit à l'église, Mina retira les manches de l'âtre. Elles étaient encore humides et pourtant elle les enfila. Le père Angel ne lui donnerait pas la communion si elle avait une robe sans manches. Elle ne se lava pas. Elle effaça avec une serviette les traces de rouge à lèvres, prit dans la chambre son missel et sa mantille, et sortit. Un quart d'heure plus tard elle réapparaissait.

« Tu vas arriver après l'Évangile », dit l'aveugle, assise devant les roses de la cour.

Mina fila directement aux cabinets.

« Je ne peux pas aller à la messe, dit-elle. Les manches sont humides et ma robe n'est pas repassée. »

Elle sentit qu'un regard pénétrant la poursuivait.

« Nous sommes le premier vendredi du mois et tu ne vas pas à la messe ? » dit l'aveugle.

_____

sans article en position de complément : **ir a misa** (cf. plus bas), **está en misa...**

7. **se quitó... los restos del colorete** : m. à m., *elle enleva les restes de son maquillage.* Les détails du texte nous montrent l'aspect routinier et social de la pratique religieuse chez Mina.

8. **mi ropa sin planchar :** *mon linge n'est pas repassé ;* **sin** + inf. cf., p. 14, note 4.

9. **una mirada clarividente :** la vieille aveugle lit le trouble dans l'attitude incohérente de Mina.

De vuelta del excusado[1], Mina se sirvió[2] una taza de café y se sentó contra el quicio de cal, junto a la ciega. Pero no pudo tomar el café.

—Tú tienes la culpa[3] —murmuró, con un rencor sordo, sintiendo que se ahogaba en lágrimas.

—Estás llorando —exclamó la ciega.

Puso el tarro de regar[4] junto a las macetas de orégano y salió al patio, repitiendo:

—Estás llorando.

Mina puso la taza en el suelo antes de incorporarse[5].

—Lloro de rabia —dijo. Y agregó al pasar[6] junto a la abuela—: Tienes que confesarte, porque me hiciste perder la comunión[7] del primer viernes.

La ciega permaneció inmóvil esperando que Mina cerrara[8] la puerta del dormitorio. Luego caminó hacia el extremo del corredor. Se inclinó, tanteando, hasta encontrar en el suelo la taza intacta. Mientras vertía el café[9] en la olla de barro, siguió diciendo:

—Dios sabe que tengo la conciencia tranquila.

La madre de Mina[10] salió del dormitorio.

—¿Con quién hablas? —preguntó.

—Con nadie —dijo la ciega—. Ya te he dicho que me estoy volviendo loca.

Encerrada en su cuarto, Mina se desabotonó el corpiño y sacó tres llavecitas[11] que llevaba prendidas con un alfiler de nodriza.

---

1. excusado : *les toilettes,* syn.: el cuarto de baño, el aseo, los servicios...
2. Mina se sirvió : passé simple de servirse.
3. tú tienes la culpa : aussi es culpa tuya.
4. el tarro de regar : syn.: la regadera.
5. incorporarse : m. à m., *se redresser, se relever.*
6. al pasar : al + infinitif = simultanéité.
7. me hiciste perder la comunión : passé simple irrég. de hacer, 2e personne du singulier. Mina rend sa grand-mère responsable du contretemps.
8. esperando que Mina cerrara la puerta : cerrara, imparfait du

Mina revint des cabinets et se servit une tasse de café. Puis elle alla s'asseoir contre un des montants de chaux de la porte, près de l'aveugle. Mais elle ne put rien avaler.

« C'est ta faute, murmura-t-elle avec une rancœur sourde, sentant qu'elle allait fondre en larmes.

— Mais tu pleures ! » s'écria l'aveugle.

Elle posa l'arrosoir près des pots de marjolaine et sortit dans la cour en répétant :

« Mais tu pleures ! »

Mina posa la tasse par terre avant de se mettre debout.

« Je pleure de rage », dit-elle. Et elle ajouta, en passant près de la grand-mère : « Tu dois aller te confesser, car c'est toi qui m'as fait rater la communion de ce premier vendredi. »

L'aveugle, immobile, attendit que Mina eût fermé la porte de sa chambre. Ensuite elle alla au bout de la galerie, se pencha et chercha à tâtons la tasse restée sur le sol. Tout en renversant le café dans le pot d'argile, elle murmura :

« Dieu sait que j'ai la conscience tranquille. »

La mère de Mina sortit de la chambre.

« A qui parles-tu ? demanda-t-elle.

— A personne, répondit l'aveugle. Je t'ai dit que j'étais en train de perdre la boule. »

Enfermée dans sa chambre, Mina dégrafa son corsage et en sortit trois petites clefs qu'elle portait toujours sur elle, attachées avec une épingle de nourrice.

---

subjonctif de **cerrar** en concordance avec le passé simple de **permaneció**.

9. **mientras vertía el café** : m. à m., *pendant qu'elle versait le café*. Le sens du détail n'exclut pas la tension psychologique entre les deux personnages.

10. **la madre de Mina** : personnage en dehors du tour de force entre la grand-mère et la petite-fille.

11. **tres llavecitas** : diminutif de **llave** avec **-cito, a,** comme tous les mots terminés par une consonne ou **-e**. Nous avons l'impression de nous approcher de la découverte d'un secret.

Con una de las llaves abrió la gaveta inferior del armario y extrajo[1] un baúl de madera en miniatura. Lo abrió con la otra llave. Adentro había un paquete de cartas en papeles de color[2], atadas con una cinta elástica. Se las guardó[3] en el corpiño, puso el baulito en su puesto y volvió a cerrar la gaveta con llave. Después fue al excusado y echó las cartas en el fondo[4].

—Te hacía en misa[5] —le dijo la madre.

—No pudo ir —intervino la ciega[6]—. Se me olvidó que era el primer viernes y lavé las mangas ayer tarde.

—Todavía están húmedas —murmuró Mina.

—Ha tenido que trabajar mucho en estos días —dijo la ciega.

—Son ciento cincuenta docenas de rosas que tengo que entregar en la Pascua —dijo Mina.

El sol calentó temprano. Antes de la siete Mina instaló en la sala su taller de rosas artificiales[7]: una cesta llena de pétalos y alambres, un cajón de papel elástico, dos pares de tijeras, un rollo de hilo y un frasco de goma. Un momento después llegó Trinidad[8], con su caja de cartón bajo el brazo, a preguntarle por qué no había ido a misa.

—No tenía mangas —dijo Mina.

—Cualquiera hubiera podido prestártelas —dijo Trinidad.

---

1. **extrajo**: passé simple irrégulier de **extraer**, cf. traer. Syn.: **sacó**.

2. **un paquete de cartas en papeles de color**: l'auteur ne fait qu'insinuer l'histoire d'amour de l'adolescente.

3. **se las guardó**: la forme réfléchie du verbe intensifie l'action.

4. **fue al excusado y echó las cartas en el fondo**: le lieu est sûr mais annule toute possible interprétation romantique.

5. **te hacía en misa**: m. à m., *je te croyais à la messe*. Emploi idiomatique de **hacer. En misa**, cf.: p. 252, note 6. (**casa** et **clase** font la même omission de l'article).

6. **intervino la ciega**: la grand-mère protège le secret de Mina (dont elle a l'intuition) face à la mère laissée en dehors et qui se contente de l'explication insuffisante de la grand-mère.

7. **su taller de rosas artificiales**: pour la première fois apparaît

Elle prit une des clefs, ouvrit le tiroir du bas de l'armoire et en retira une malle de bois en miniature. Elle l'ouvrit avec une autre clef. A l'intérieur il y avait un paquet de lettres sur papier teinté, liées par un élastique. Elle les glissa dans son corsage, remit la petite malle à sa place et referma le tiroir à clef. Puis elle alla aux cabinets et jeta les lettres dans la fosse.

« Je pensais que tu étais à la messe, lui dit sa mère.

— Elle n'a pas pu y aller », intervint l'aveugle. J'avais oublié que c'était le premier vendredi du mois et j'ai lavé les manches de sa robe hier après-midi.

— Elles sont encore humides, murmura Mina.

— Tu as beaucoup de travail ces jours-ci, dit l'aveugle.

— Je dois livrer pour Pâques cent cinquante douzaines de roses », dit Mina.

Le soleil darda très tôt. Avant sept heures, Mina installa dans la salle son atelier de roses artificielles : une corbeille remplie de pétales et de tiges de fil de fer, un assortiment de papier crépon, deux paires de ciseaux, une bobine de fil et un pot de colle. Un peu plus tard, Trinidad entra avec une boîte de carton sous le bras et lui demanda pourquoi elle n'était pas allée à la messe.

« Je n'avais pas de manches pour ma robe, répondit Mina.

— Mais l'une ou l'autre d'entre nous aurait pu t'en prêter », dit Trinidad.

---

l'activité professionnelle de Mina qui éclaire la signification du titre. Il peut aussi s'appliquer symboliquement à l'histoire d'amour malheureuse.

8. **Trinidad :** *Trinité* (prénom tiré du mystère divin) est par ailleurs le troisième personnage dans le jeu du secret à trois clés (**las tres llavecitas**).

Rodó una silla para sentarse junto al canasto de pétalos.

—Se me hizo tarde[1] —dijo Mina.

Terminó una rosa. Después acercó el canasto para rizar[2] pétalos con las tijeras. Trinidad puso la caja de cartón en el suelo e intervino en la labor[3].

Mina observó la caja.

—¿Compraste zapatos? —preguntó.

—Son ratones muertos[4] —dijo Trinidad.

Como Trinidad era experta en el rizado de pétalos, Mina se dedicó a fabricar tallos de alambre forrados en papel verde. Trabajaron en silencio sin advertir el sol que avanzaba[5] en la sala decorada con cuadros idílicos y fotografías familiares. Cuando terminó los tallos, Mina volvió hacia Trinidad un rostro que parecía acabado en algo inmaterial. Trinidad rizaba con admirable pulcritud, moviendo apenas la punta de los dedos, las piernas muy juntas. Mina observó sus zapatos masculinos[6]. Trinidad eludió la mirada, sin levantar la cabeza, apenas arrastrando los pies hacia atrás e interrumpió el trabajo.

—¿Qué pasó? —dijo.

Mina se inclinó hacia ella.

—Que se fue[7] —dijo.

Trinidad soltó las tijeras en el regazo.

—No.

—Se fue —repitió Mina.

---

1. **se me hizo tarde:** m. à m., *il se fit tard pour moi*. Cette construction est employée lorsque l'action se passe à l'insu du sujet.

2. **rizar:** aussi *friser;* cf. : **el pelo rizado,** *les cheveux frisés.*

3. **la labor:** *le travail.* L'adjectif **laboral** s'emploie pour tout ce qui concerne le monde du travail.

4. **son ratones muertos:** le contenu de la boîte en carton rappelle *Un día después del sábado,* p. 178. Mina ne s'en étonne pas.

5. **trabajaron en silencio... el sol que avanzaba:** la journée passe sans que les deux amies parlent des amours de Mina.

Elle traîna une chaise pour venir s'asseoir près de la corbeille pleine de pétales.

« J'étais trop en retard », dit Mina.

Elle avait terminé une rose. Elle rapprocha la corbeille et entreprit de plisser des pétales avec les ciseaux. Trinidad posa le carton par terre et se mit à travailler.

Mina regardait la boîte.

« Tu as acheté des chaussures ? demanda-t-elle.

— Ce sont des souris mortes », dit Trinidad.

Comme Trinidad excellait dans la confection des pétales, Mina se mit à fabriquer les tiges de fil de fer recouvertes de papier vert. Elles travaillaient en silence sans remarquer le soleil qui envahissait peu à peu la salle décorée de tableaux idylliques et de photos de famille. Une fois les tiges achevées, Mina tourna vers Trinidad un visage qui avait un air immatériel. Trinidad ondulait avec soin les pétales, en remuant à peine le bout des doigts, les jambes serrées l'une contre l'autre. Mina observa ses chaussures masculines. Trinidad évita son regard, sans relever la tête, repoussant légèrement ses pieds en arrière. Elle interrompit son travail.

« Que se passe-t-il ? » demanda-t-elle.

Mina se pencha vers elle.

« Il est parti », dit-elle.

Trinidad laissa tomber ses ciseaux sur son giron.

« Non ?

— Il est parti », répéta Mina.

---

6. **sus zapatos masculinos** : ce détail, qui peut paraître réaliste pour indiquer la pauvreté du milieu, introduit l'homme toujours absent dans le récit.

7. **¿ qué pasó ?... que se fue** : l'amant n'entre explicitement dans le récit que par son départ. L'histoire d'amour de Mina est terminée. Les seuls vestiges ont fini dans les toilettes.

Trinidad la miró sin parpadear. Una arruga vertical dividió sus cejas encontradas.

—¿Y ahora? —preguntó.

Mina respondió sin temblor en la voz.

—Ahora, nada[1].

Trinidad se despidió[2] antes de la diez.

Liberada del peso de su intimidad, Mina la retuvo[3] un momento, para echar los ratones muertos en el excusado[4]. La ciega estaba podando el rosal.

—A que no sabes qué llevo en esta caja[5]? —le dijo Mina al pasar.

Hizo sonar los ratones.

La ciega puso atención.

—Muévela otra vez —dijo.

Mina repitió el movimiento, pero la ciega no pudo identificar los objetos, después de escuchar por tercera vez[6] con el índice apoyado en el lóbulo de la oreja.

—Son los ratones que cayeron anoche en las trampas de la iglesia[7] —dijo Mina.

Al regreso pasó junto a la ciega sin hablar. Pero la ciega la siguió. Cuando llegó a la sala, Mina estaba sola junto a la ventana cerrada, terminando las rosas artificiales.

—Mina —dijo la ciega—. Si quieres ser feliz, no te confieses con extraños.

Mina la miró sin hablar. La ciega ocupó la silla frente a ella e intentó intervenir en el trabajo[8]. Pero Mina se lo impidió[9].

---

1. **¿Y ahora? Ahora, nada**: *Et maintenant? Maintenant, rien.* Après le départ de l'homme, le néant.

2. **se despidió**: passé simple de **despedirse**, *dire au revoir.* **Despedir,** *congédier, renvoyer quelqu'un.*

3. **la retuvo**: passé simple irrégulier de **retener,** cf. : **tener.**

4. **echar los ratones muertos en el excusado**: les souris mortes rejoignent les restes des amours mortes.

5. **¿a que no sabes que llevo en esta caja?**: a que no sabes introduit une devinette, *tu sais ce que j'ai dans cette boîte?* Mina va livrer une

Trinidad la regarda sans sourciller. Une ride verticale divisa ses sourcils écartés.

« Et que vas-tu faire ? demanda-t-elle.

— Pour l'instant, rien. »

Trinidad la quitta avant dix heures.

Libérée du poids de ses confidences, Mina la retint un moment, pour aller jeter les souris crevées dans les cabinets. L'aveugle taillait le rosier.

« Je te parie que tu ne sais pas ce que j'ai dans cette boîte », lui dit Mina en passant.

Elle secoua les souris dans le carton. L'aveugle écouta avec attention.

« Remue-la encore », dit-elle.

Mina la secoua à nouveau, mais la vieille ne put identifier son contenu, même après l'avoir entendu une troisième fois, le doigt sur le lobe de l'oreille.

« Ce sont les souris qui se sont laissé prendre cette nuit dans les pièges de l'église », dit Mina.

Au retour elle passa près de l'aveugle sans rien dire. Mais l'aveugle la suivit. Quand elle arriva dans la salle, Mina était seule, près de la fenêtre fermée, en train d'achever les roses artificielles.

« Mina, dit l'aveugle. Si tu veux être heureuse, ne te confie pas à des étrangers. »

Mina la regarda sans parler. L'aveugle s'installa sur la chaise d'en face et voulut apporter son aide, mais Mina le lui interdit.

---

fausse clé du secret (la troisième clé qui n'ouvre rien ?, cf. : p. 256) à la curiosité de l'aveugle.

6. **después de escuchar por tercera vez** : la grand-mère écoute trois fois et (logiquement) ne devine pas.

7. **los ratones... cayeron... en las trampas de la iglesia** : les souris qu'apporte Trinidad, comme les oiseaux de *Un día después del sábado,* meurent à l'église, mais les souris sont tombées dans son piège.

8. **intentó intervenir en el trabajo** : la grand-mère essaie de prendre la place de Trinidad.

9. **Mina se lo impidió** : m. à m. *Mina l'en empêcha.*

—Estás nerviosa —dijo la ciega.

—Por tu culpa —dijo Mina.

—¿Por qué no fuiste a misa[1]? —preguntó la ciega.

—Tú lo sabes mejor que nadie[2].

—Si hubiera sido por las mangas no te hubieras tomado el trabajo[3] de salir de la casa —dijo la ciega—. En el camino te esperaba alguien que te ocasionó una contrariedad.

Mina pasó las manos frente a los ojos de la abuela, como limpiando un cristal invisible.

—Eres adivina[4] —dijo.

—Has ido al excusado dos veces[5] esta mañana —dijo la ciega—. Nunca vas más de una vez.

Mina siguió haciendo rosas.

—¿Serías capaz de mostrarme lo que guardas en la gaveta del armario? —preguntó la ciega.

Sin apresurarse, Mina clavó la rosa en el marco de la ventana, se sacó las tres llavecitas del corpiño y se las puso a la ciega en la mano. Ella misma le cerró los dedos.

—Anda a verlo con tus propios ojos[6] —dijo.

La ciega examinó la llavecitas con las puntas de los dedos.

—Mis ojos no pueden ver en el fondo del excusado[7].

Mina levantó la cabeza y entonces experimentó[8] una sensación diferente: sintió que la ciega sabía que la estaba mirando.

---

1. **¿por qué no fuiste a misa?**: l'aveugle cherche à connaître la vraie raison; Mina est en état de péché, elle ne peut donc pas communier.

2. **tú lo sabes mejor que nadie**: Mina renvoie la responsabilité à sa grand-mère.

3. **si hubiera sido por las mangas, no te hubieras tomado el trabajo...**: les verbes sont au plus-que-parfait du subjonctif pour exprimer une condition non réalisée dans le passé. **Tomarse el trabajo**: *prendre la peine.*

4. **eres adivina**: m. à m., *tu es devineresse.*

5. **has ido al excusado dos veces**: la grand-mère expose le fruit de ses déductions de détective. C'est la scène de confrontation où la grand-

« Tu es nerveuse, dit l'aveugle.

— C'est de ta faute, lui répondit Mina.

— Pourquoi n'es-tu pas allée à la messe ?

— Tu le sais mieux que n'importe qui.

— Si c'était à cause des manches, tu ne serais pas sortie de la maison, fit l'aveugle. Tu as rencontré quelqu'un en cours de route et il t'a contrariée. »

Mina passa les mains devant les yeux de sa grand-mère comme si elle nettoyait une vitre invisible.

« Tu devines tout, dit-elle.

— Ce matin, tu es allée deux fois aux cabinets. Tu n'y vas jamais plus d'une fois. »

Mina continuait à fabriquer des roses.

« Tu serais capable de me montrer ce que tu caches dans le tiroir de l'armoire ? » demanda l'aveugle.

Lentement Mina planta la rose dans l'encadrement de la fenêtre, sortit les trois petites clefs de son corsage et les déposa dans les mains de l'aveugle, dont elle referma les doigts.

« Va voir là-bas de tes propres yeux », lui dit-elle.

L'aveugle palpa les petites clefs du bout des doigts.

« Mes yeux ne peuvent pas voir au fond des cabinets. »

Mina releva la tête et une nouvelle impression la traversa : elle sentit que l'aveugle s'était rendu compte qu'elle la regardait.

---

mère va déballer tout ce qu'elle sait de la vie secrète de Mina.

6. **anda a verlo con tus propios ojos :** la nouvelle est en partie fondée sur le paradoxe de l'aveugle qui voit. Ici, Mina la met au défi de découvrir quoi que ce soit.

7. **mis ojos no pueden ver en el fondo del excusado :** les limites de la clairvoyance de l'aveugle qui sait tout. Elle n'a pas de preuve, elle recherche des aveux. Les lieux et pièces à conviction sont mentionnés.

8. **experimentó :** de **experimentar,** *éprouver, ressentir.*

—Tírate al fondo del excusado[1] si te interesan tanto mis cosas —dijo.

La ciega evadió la interrupción.

Siempre escribes en la cama hasta la madrugada[2] —dijo.

—Tú misma apagas[3] la luz —dijo Mina.

—Y en seguida tú enciendes la linterna de mano —dijo la ciega—. Por tu respiración podría decirte entonces lo que estás escribiendo[4].

Mina hizo un esfuerzo para no alterarse.

—Bueno —dijo sin levantar la cabeza—. Y su poniendo que así sea: ¿qué tiene eso de particular?

—Nada —respondió la ciega—. Sólo que te hizo perder la comunión del primer viernes[5].

Mina recogió con las dos manos el rollo de hilo, las tijeras, y un puñado de tallos y rosas sin terminar. Puso todo dentro de la canasta y encaró[6] a la ciega.

—¿Quieres entonces que te diga qué fui a hacer al excusado[7]? —preguntó. Las dos permanecieron en suspenso, hasta cuando Mina respondió a su propia pregunta—: Fui a cagar[8].

La ciega tiró en el canasto las tres llavecitas[9].

—Sería una buena excusa —murmuró, dirigiéndose a la cocina—. Me habrías convencido si no fuera la primera vez en tu vida que te oigo decir una vulgaridad[10].

---

1. **tírate al fondo del excusado**: l'aveu ne sortira pas de la bouche de Mina ; sans nier quoi que ce soit, elle met sa grand-mère au défi.

2. **la madrugada**: *l'aube.* Cf. **madrugar**: *se lever tôt.*

3. **apagas**: *tu éteins.* Le contraire de **apagar** est **encender** cf. ligne suivante.

4. **por tu respiración podría decirte... lo que estás escribiendo**: l'infirme a développé une perspicacité des plus aiguës ; elle est à l'affût de tous les signes qui lui permettent de percer l'intimité de sa petite-fille.

5. **sólo que te hizo perder la comunión del primer viernes**: thème réitératif de la faute. La grand-mère insiste cruellement.

6. **encaró**: **encarar**, *affronter,* aussi *envisager.*

« Jette-toi au fond de la fosse si mes affaires t'intéressent tant que cela. »

L'aveugle fit celle qui n'avait rien entendu.

« Tu écris dans ton lit jusqu'au matin, lui dit celle-ci.

— C'est toi-même qui éteins la lumière, fit Mina.

— Et aussitôt après tu allumes ta lampe de poche. A ta façon de respirer, je pourrais très bien te dire ce que tu es en train d'écrire à ce moment-là. »

Mina fit un effort pour se contrôler.

« Bon, dit-elle sans lever la tête. Mais supposons que ce soit vrai : qu'est-ce que ça a d'extraordinaire ?

— Rien, répondit l'aveugle. Ça t'a simplement fait manquer la communion du premier vendredi du mois. »

Mina ramassa à deux mains la bobine de fil, les ciseaux et une poignée de tiges et de roses inachevées. Elle jeta le tout dans la corbeille et regarda l'aveugle en face.

« Tu veux donc que je te dise ce que je suis allée faire dans les cabinets ? » demanda-t-elle.

Toutes deux restèrent dans l'attente jusqu'au moment où Mina répondit à sa propre question :

« Je suis allée chier. »

L'aveugle lança dans la corbeille les trois petites clefs.

« C'est une excuse valable, murmura-t-elle en repartant vers la cuisine. Et tu m'aurais convaincue si ce n'était la première fois que je t'entendais prononcer une grossièreté. »

---

7. **¿quieres entonces que te diga...?** : une fois de plus, Mina feint d'être sur le point de faire une révélation (cf. p. 260, note 5).

8. **fui a cagar** : quoi de plus naturel ?

9. **tiró en el canasto las tres llavecitas** : la vieille sait qu'il n'y a plus rien à ouvrir.

10. **me habrías convencido... una vulgaridad** : la grand-mère sait tout.

La madre de Mina venía por el corredor en sentido contrario, cargada de ramos espinosos[1].

—¿Qué es lo que pasa[2]? —preguntó.

—Que estoy loca[3] —dijo la ciega—. Pero por lo visto[4] no piensan mandarme para el manicomio[5] mientras no empiece[6] a tirar piedras.

---

1. **cargada de ramos espinosos**: la mère a-t-elle ramassé les roses taillées par la grand-mère? Cf. p. 260.

2. **¿qué es lo que pasa?**: forme intensive de **¿qué pasa?** La mère de Mina perçoit une tension particulière entre sa fille et sa mère.

3. **que estoy loca**: dans l'ironie de la réponse laconique de la grand-mère le secret est préservé car elle sait ce qui se trouve au fond du cabinet de toilettes; cf. p. 254: **Ya te he dicho que me estoy volviendo loca.**

La mère de Mina arriva par l'autre extrémité de la galerie, les bras chargés de bouquets épineux.

« Qu'est-ce qui se passe ? demanda-t-elle.

— Je suis folle, dit l'aveugle. Mais je vous assure qu'on ne pourra pas m'envoyer à l'asile avant que je ne jette des pierres à la tête des gens ! »

---

4. **por lo visto :** *apparemment, vraisemblablement.*

5. **no piensan mandarme para el manicomio :** *on n'a pas l'intention de m'envoyer à l'asile.*

6. **mientras no empiece :** l'emploi du subjonctif avec **mientras** introduit une proposition conditionnelle. **Mientras** ici n'est pas temporel *(pendant que).*

LOS FUNERALES DE LA MAMÁ GRANDE

LES FUNÉRAILLES DE LA GRANDE MÉMÉ*

* Dans *Les funérailles de la Grande Mémé* je raconte une inimaginable, une impossible visite du pape dans une bourgade colombienne. Je décrivais le président qui l'accueillait comme un homme chauve et rondouillard, pour qu'il ne ressemble pas à celui qui gouvernait alors le pays, qui était grand et très maigre. Onze ans après la rédaction de cette nouvelle, le pape est allé en Colombie, et le président qui l'a reçu était bien, comme dans mon histoire, chauve et rondouillard (G. García Márquez : *Une odeur de goyave,* entretiens avec Plinio Mendoza).

Esta es, incrédulos[1] del mundo entero, la verídica historia de la Mamá Grande, soberana absoluta del reino de Macondo, que vivió en función de dominio durante 92 años y murió en olor de santidad un martes de septiembre pasado, y a cuyos funerales[2] vino el Sumo Pontífice[3].

Ahora que[4] la nación[5] sacudida en sus entrañas ha recobrado el equilibrio; ahora que los gaiteros[6] de San Jacinto[7], los contrabandistas de la Guajira[8], los arroceros del Sinú[9], las prostitutas de Guacamayal[10], los hechiceros de la Sierpe[11] y los bananeros de Aracataca[12] han colgado sus toldos para restablecerse de la extenuante vigilia, y que han recuperado la serenidad y vuelto a tomar posesión de sus estados el presidente de la República y sus ministros y todos aquellos que representaron al poder público y a las potencias sobrenaturales en la más espléndida ocasión funeraria que registren los anales históricos; ahora que el Sumo Pontífice ha subido a los Cielos en cuerpo y alma, y que es imposible transitar en Macondo a causa de las botellas vacías, las colillas de cigarrillos, los huesos roídos, las latas y trapos y excrementos que dejó la muchedumbre que vino al entierro, ahora es la hora de recostar un taburete a la puerta de la calle y empezar a contar desde el principio los pormenores de esta conmoción nacional, antes de que tengan tiempo de llegar los historiadores[13].

---

1. **ésta es, incrédulos...** : le ton du conte traditionnel.

2. **a cuyos funerales** : le relatif **cuyo** (cf. p. 21, note 6) peut être précédé d'une préposition.

3. **el Sumo Pontífice** : exactement *le Souverain Pontife.*

4. **ahora que...** : répétition rhétorique, anaphore et effet d'énumération.

5. **la nación** : la Colombie, sans jamais la nommer.

6. **gaiteros** : joueurs de flûte de la côte colombienne. L'instrument est composé de bambous creux et d'une plume de dindon dans laquelle souffle le musicien (N.d.T.); en Espagne, *joueurs de cornemuse* (**gaita**).

7. **San Jacinto** : village situé dans la partie nord.

8. **la Guajira** : péninsule du nord de la Colombie « *de sables brûlants*

Et voici maintenant, incrédules du monde entier, l'histoire véridique de la Grande Mémé, souveraine absolue du royaume de Macondo, qui gouverna sur ses domaines durant quatre-vingt-douze ans et mourut en odeur de sainteté un mardi du dernier mois de septembre, et aux funérailles de laquelle assista le Saint-Père en personne.

Maintenant que la nation secouée dans ses entrailles a retrouvé son équilibre ; maintenant que les gaïteros de San Jacinto, les contrebandiers de la Guajira, les riziculteurs du Sinu, les putains de Guacamayal, les sorciers de la Sierpe et les planteurs de bananes d'Aracataca ont monté leurs tentes pour se reposer de l'épuisante veillée funèbre, et que le président de la république et ses ministres et tous ceux qui représentaient les pouvoirs publics et les puissances surnaturelles dans le plus extraordinaire événement funéraire enregistré par les annales ont récupéré leur sérénité et repris possession de leurs états ; maintenant que le Souverain Pontife est monté aux cieux corps et âme, et qu'il est impossible de déambuler dans Macondo à cause des bouteilles vides, des mégots, des os rongés, des boîtes de conserve, des chiffons et des excréments laissés par la foule accourue à l'enterrement ; maintenant, oui, l'heure est venue d'appuyer un tabouret contre la porte de la rue et de raconter par le menu les détails de cette commotion nationale, sans laisser aux historiens le temps de venir y mettre leur nez.

---

où n'habitaient que des Indiens, des contrebandiers et des sorciers » (Plinio Mendoza, *Une odeur de goyave*) ; région dont est originaire la famille de Márquez du côté de sa grand-mère maternelle.

9. **el Sinú :** région riche sur le río Magdalena.

10. **Guacamayal :** le quartier « chaud » dans une ville.

11. **la Sierpe :** le Serpent, région inventée par l'auteur.

12. **Aracataca :** village natal de Márquez (cf. p. 10).

13. **antes de que tengan tiempo de llegar los historiadores :** l'auteur se pose en chroniqueur de l'événement « à chaud ».

Hace catorce semanas[1], después de interminables noches de cataplasmas, sinapismos y ventosas, demolida por la delirante agonía, la Mamá Grande ordenó que la sentaran en su viejo mecedor de bejuco para expresar su última voluntad. Era el único requisito[2] que le hacía falta para morir. Aquella mañana, por intermedio del padre Antonio Isabel[3], había arreglado los negocios de su alma, y sólo le faltaba arreglar los de sus arcas con los nueve sobrinos, sus herederos universales, que velaban en torno al lecho. El párroco, hablando solo y a punto de cumplir cien años[4], permanecía en el cuarto. Se habían necesitado diez hombres para subirlo hasta la alcoba de la Mamá Grande, y se había decidido que allí permaneciera[5] para no tener que bajarlo y volverlo a subir en el minuto final.

Nicanor, el sobrino mayor, titánico y montaraz[6], vestido de caqui, botas con espuelas y un revólver calibre 38, cañón largo, ajustado bajo la camisa, fue en busca del notario. La enorme mansión de dos plantas, olorosa a melaza y a orégano, con sus oscuros aposentos atiborrados de arcones[7] y cachivaches de cuatro generaciones convertidas en polvo, se había paralizado desde la semana anterior a la expectativa de aquel momento. En el profundo corredor central, con garfios en las paredes donde en otro tiempo se colgaron cerdos desollados y se desangraban venados en los soñolientos domingos de agosto, los peones dormían amontonados sobre sacos de sal y útiles[8] de labranza, esperando la orden de ensillar las bestias para divulgar la mala noticia en el ámbito de la hacienda desmedida[9].

---

1. **hace catorce semanas :** le décompte par les semaines participe de la démesure caractéristique de cette nouvelle.

2. **el único requisito :** *la seule formalité ;* aussi *la condition requise ;* s'emploie généralement avec **cumplir.**

3. **el padre Antonio Isabel :** le curé de Macondo est un des principaux personnages de *Un día después del sábado.*

4. **a punto de cumplir cien años :** dans la nouvelle précédente, il avait déjà un âge canonique.

Donc, il y a de cela quatorze semaines, après d'interminables nuits de cataplasmes, de sinapismes et de ventouses, abattue par la délirante agonie, la Grande Mémé demanda à être assise dans son vieux rocking-chair de liane afin d'exprimer ses dernières volontés. C'était la seule formalité qu'elle devait encore remplir avant de mourir. Ce matin-là, par l'intermédiaire du père Antonio Isabel, elle avait réglé les affaires de son âme et il ne lui restait plus qu'à régler celle des coffres avec les neuf neveux, ses légataires universels, qui veillaient autour de son lit. Le curé, qui parlait seul et allait avoir cent ans, était resté dans la chambre. Il avait fallu dix hommes pour le transporter jusqu'à l'alcôve de la Grande Mémé et on avait décidé qu'il n'en bougerait plus pour ne pas avoir à refaire le voyage dans les deux sens à l'instant fatal.

Nicanor, l'aîné des neveux, un géant des bois, tenue kaki, bottes à éperons et revolver 38 millimètres à canon long, sanglé sous la chemise, alla chercher le notaire. L'énorme demeure à deux étages, qui sentait la mélasse et la marjolaine, avec ses pièces obscures bourrées de coffres et de bricoles de quatre générations tombées en poussière, vivait figée depuis une semaine dans l'attente de ce moment. Dans la profonde galerie centrale dont les murs portaient des crocs d'acier auxquels en d'autres temps on avait pendu des porcs écorchés et où, durant les somnolents dimanches d'août, des cerfs avaient saigné, les péons dormaient entassés sur des sacs de sel et des instruments de labour, attendant l'ordre de seller les bêtes pour ébruiter la mauvaise nouvelle dans les limites monstrueuses de l'hacienda.

---

5. **que allí permaneciera :** m. à m., *qu'il y resterait ;* imparfait du subjonctif de **permanecer** en concordance avec le plus-que-parfait de **se había decidido.**

6. **montaraz :** *sauvage,* de **monte.**

7. **arcones :** *grands coffres* (augmentatif de **arcas**).

8. **útiles :** syn. **herramientas, aperos.**

9. **desmedida :** *démesurée ;* de **medida :** *mesure.*

El resto de la familia estaba en la sala. Las mujeres lívidas[1], desangradas por la herencia y la vigilia, guardaban un luto cerrado que era una suma de incontables lutos superpuestos[2]. La rigidez matriarcal de la Mamá Grande había cercado[3] su fortuna y su apellido con una alambrada sacramental, dentro de la cual los tíos se casaban con las hijas de las sobrinas, y los primos con las tías, y los hermanos con las cuñadas, hasta formar una intrincada maraña[4] de consanguinidad que convirtió la procreación en un círculo vicioso[5]. Sólo Magdalena, la menor de las sobrinas, logró escapar[6] al cerco; aterrorizada por las alucinaciones se hizo exorcizar por el padre Antonio Isabel, se rapó la cabeza y renunció a las glorias y vanidades del mundo en el noviciado de la Prefectura Apostólica. Al margen de la familia oficial, y en ejercicio del derecho de pernada[7], los varones habían fecundado hatos, veredas y caseríos con toda una descendencia bastarda[8], que circulaba entre la servidumbre sin apellidos a título de ahijados, dependientes, favoritos y protegidos de la Mamá Grande.

La inminencia de la muerte removió la extenuante expectativa[9]. La voz de la moribunda, acostumbrada al homenaje y a la obediencia, no fue más sonora que un bajo de órgano en la pieza cerrada, pero resonó en los más apartados rincones de la hacienda. Nadie era indiferente a esa muerte.

---

1. **las mujeres lívidas**: la description suggère le climat morbide et la dégénérescence de la famille.

2. **superpuestos**: participe passé irrégulier de **superponer,** cf. **poner.**

3. **había cercado**: de **cerco**: *cercle.* La Grande Mémé contrôle tout, elle impose les unions entre les membres de la famille pour qu'aucun étranger ne pénètre dans le cercle et obtient ainsi l'inévitable dégénérescence.

4. **una maraña**: au sens propre: *buisson, broussaille.*

5. **un círculo vicioso**: cf. **había cercado** (plus haut), **cerco** (plus bas). Tous ces termes concourent à donner l'idée d'un enfermement de tous à l'intérieur d'un cercle tracé par la tyrannique Grande Mémé.

Le reste de la famille se tenait dans la salle. Les femmes livides, le sang épuisé par l'hérédité et la veille, gardaient un deuil rigoureux qui était la somme d'innombrables deuils superposés. La rigidité matriarcale de la Grande Mémé avait clôturé sa fortune et son nom avec un barbelé sacramentel, à l'intérieur duquel les oncles se mariaient avec les filles des nièces, et les cousins avec les tantes, et les frères avec les belles-sœurs, au point de former un enchevêtrement inextricable de consanguinité qui avait transformé la procréation en cercle vicieux. Seule Magdalena, la plus jeune des nièces, avait réussi à échapper au cercle de famille ; terrorisée par les hallucinations, elle s'était fait exorciser par le père Antonio Isabel, s'était tondu la tête et avait renoncé aux gloires et aux vanités du monde au noviciat de l'Évêché. Exerçant en marge de la famille officielle leur droit de cuissage, les mâles avaient engendré élevages, hameaux et fermes avec toute une progéniture bâtarde qui circulait parmi la domesticité anonyme à titre de filleuls, commissionnaires, chouchoux et protégés de la Grande Mémé.

L'imminence de la mort secoua l'harassante expectative. La voix de la moribonde, habituée aux hommages et à l'obéissance, ne fut guère plus sonore qu'une basse d'orgue dans la pièce fermée ; pourtant elle retentit jusqu'aux derniers recoins de l'hacienda. Personne n'était indifférent à cette mort.

---

6. **logró escapar** : syn. de **lograr : conseguir**. Les deux verbes sont transitifs (construits sans préposition).

7. **el derecho de pernada** : de **pierna** : *jambe*.

8. **toda una descendencia bastarda** : cette descendance « *circule* » à la périphérie du cercle.

9. **la inminencia de la muerte removió la extenuante expectativa** : procédé stylistique fréquent chez Márquez qui mêle un sujet et un complément abstraits avec un verbe concret (zeugme).

Durante el presente siglo, la Mamá Grande había sido el centro de gravedad[1] de Macondo[2], como sus hermanos, sus padres y los padres de sus padres lo fueron en el pasado, en una hegemonía que colmaba dos siglos. La aldea se fundó alrededor de su apellido. Nadie conocía el origen, ni los límites, ni el valor real del patrimonio, pero todo el mundo se había acostumbrado a creer que la Mamá Grande era dueña de[3] las aguas corrientes y estancadas, llovidas y por llover[4], y de los caminos vecinales, los postes del telégrafo, los años bisiestos y el calor, y que tenía además un derecho heredado sobre vidas y haciendas. Cuando se sentaba a tomar el fresco de la tarde en el balcón de su casa, con todo el peso de sus vísceras y su autoridad[5] aplastado en su viejo mecedor de bejuco, parecía en verdad infinitamente rica y poderosa, la matrona más rica y poderosa del mundo[6].

A nadie se le había ocurrido pensar[7] que la Mamá Grande fuera mortal, salvo a los miembros de su tribu, y ella misma, aguijoneada por las premoniciones seniles del padre Antonio Isabel. Pero ella confiaba en que viviría más de 100 años, como su abuela materna, que en la guerra de 1875 se enfrentó a una patrulla del coronel Aureliano Buendía, atrincherada en la cocina de la hacienda. Sólo en abril de este año comprendió la Mamá Grande que Dios no le concedería el privilegio de liquidar personalmente, en franca refriega, a una horda de masones federalistas.

---

1. **el centro de gravedad** : le centre du cercle autour duquel gravitent tous les sujets.

2. **Macondo** : c'est la première nouvelle qui nomme expressément le village qui devait être fondé par José Arcadio Buendía dans *Cien años de soledad.* Le nom de Macondo avait été déjà mentionné dans *Un día después del sábado,* p. 214.

3. **la Mamá Grande era dueña de...** : elle incarne le pouvoir absolu sur tout ce qui est matériel, sur toutes les vies humaines et sur tout l'immatériel, ce sur quoi l'être humain si puissant soit-il ne peut régner (la pluie et le beau temps). Márquez fait le portrait caricatural du monarque absolu.

Durant tout ce siècle, la Grande Mémé avait été le centre de gravité de Macondo, comme ses frères, ses parents et les parents de ses parents l'avaient été dans le passé, exerçant une hégémonie qui remontait à deux cents ans. Le village avait été fondé autour de leur nom. Nul ne connaissait l'origine, ni les limites, ni la valeur réelle du patrimoine, mais tout le monde croyait par habitude que la Grande Mémé était la maîtresse absolue des eaux courantes et dormantes, des pluies d'hier et de demain, des chemins vicinaux, des poteaux télégraphiques, des années bisextiles et de la chaleur, et qu'elle avait en outre un droit coutumier sur la vie et les haciendas. Quand elle s'asseyait le soir sur son balcon pour y prendre le frais, avec tout le poids de ses viscères et de son autorité affalée dans son vieux rocking-chair de liane, elle paraissait en vérité infiniment riche et puissante, la matrone la plus riche et la plus puissante du monde.

Nul n'aurait pu imaginer que la Grande Mémé mourrait un jour, à l'exception des membres de la tribu, et d'elle-même, aiguillonnée par les prémonitions séniles du père Antonio Isabel. Mais elle comptait vivre plus de cent ans, comme sa grand-mère maternelle qui, pendant la guerre de 1875, avait affronté une patrouille du colonel Aureliano Buendia, retranchée dans la cuisine de l'hacienda. Pourtant, quand avril arriva, la Grande Mémé comprit que Dieu ne lui accorderait pas le privilège de liquider personnellement, en combat ouvert, une horde de francs-maçons fédéralistes.

---

4. **las aguas... por llover** : m. à m., *les eaux à pleuvoir*. **Por** indique qu'une action est à accomplir.

5. **el peso de sus vísceras y su autoridad** : une fois de plus, l'auteur réunit un terme concret et un terme abstrait (cf. p. 275, n. 9).

6. **la matrona más rica y poderosa del mundo** : superlatif absolu (cf. p. 132, note 2).

7. **a nadie se le había ocurrido pensar** : m. à m., *il n'était venu à l'esprit de personne de penser que...*

En la primera semana de dolores el médico de la familia la entretuvo[1] con cataplasmas de mostaza y calcetines de lana. Era un médico hereditario, laureado en Montpellier[2], contrario por convicción filosófica a los progresos de su ciencia[3], a quien la Mamá Grande había concedido la prebenda de que se impidiera[4] en Macondo el establecimiento de otros médicos. En un tiempo recorría el pueblo a caballo, visitando los lúgubres enfermos del atardecer, y la naturaleza le concedió el privilegio de ser padre de numerosos hijos ajenos. Pero la artritis le anquilosó en un chinchorro[5], y terminó por atender a[6] sus pacientes sin visitarlos, por medio de suposiciones, correveidiles[7] y recados. Requerido por la Mamá Grande atravesó la plaza en pijama, apoyado en dos bastones, y se instaló en la alcoba de la enferma. Sólo cuando comprendió que la Mamá Grande agonizaba, hizo llevar una arca con pomos de porcelana marcados en latín y durante tres semanas embadurnó a la moribunda[8] por dentro y por fuera con toda suerte de emplastos académicos, julepes magníficos y supositorios magistrales. Después le aplicó sapos ahumados en el sitio del dolor y sanguijuelas en los riñones, hasta la madrugada de ese día en que tuvo que enfrentarse a la disyuntiva de hacerla sangrar por el barbero o exorcizar por el padre Antonio Isabel.

1. **entretuvo :** m. à m., *il amusa, il distrait ;* passé simple irrégulier de **entretener** (sur le modèle de **tener**), 3e personne du singulier.
2. **laureado en Montpellier :** l'Université française semble fournir un grand nombre de médecins dans le monde marquésien mais si l'on en juge par la suite, ce n'est pas une référence de qualité ; le médecin de *El amor en los tiempos del cólera* a fait, lui, ses études à Paris.
3. **contrario por convicción filosófica a los progresos de su ciencia :** définition d'un esprit réactionnaire, théoriquement incompatible avec l'exercice de la médecine. La Grande Mémé, se reconnaissant dans cette idéologie, lui accorda le monopole de la médecine à Macondo.
4. **de que se impidiera :** la proposition est introduite par **de que** en complément du nom **prebenda ; impidiera** est à l'imparfait du subjonctif en concordance avec le plus-que-parfait de **había concedido.**

La première semaine, le médecin de famille abusa la douleur grâce à des cataplasmes à la moutarde et à des chaussettes de laine. C'était un fils de médecin, ancien lauréat de la Faculté de Montpellier, opposé par conviction philosophique aux progrès de la science, à qui la Grande Mémé avait concédé la prébende d'exercer seul et à jamais la médecine à Macondo. Durant une époque, il avait parcouru le village à cheval, visitant les lugubres malades du soir, et la nature lui avait accordé le privilège d'être le père de nombreux enfants d'autrui. Mais l'arthrite l'avait immobilisé dans un hamac, et il avait fini par soigner ses clients sans bouger, au moyen de superstitions, de cancans et de messages. Convoqué par la Grande Mémé, il avait traversé la place en pyjama, appuyé sur deux cannes, et s'était installé dans la chambre de la malade. C'est seulement quand il comprit que la Grande Mémé agonisait qu'il fit apporter un coffre avec des pots de porcelaine aux inscriptions latines et que durant trois semaines il badigeonna la moribonde par-dedans et par-dehors avec toutes sortes d'emplâtres académiques, renforcés de juleps et de suppositoires magistraux. Après, il lui appliqua des crapauds fumés là où elle souffrait et des sangsues autour des reins, jusqu'à l'aube de ce jour où il dut affronter l'alternative de la faire saigner par le barbier ou exorciser par le père Antonio Isabel.

5. **un chinchorro :** cf. p. 223, note 12.

6. **atender a :** *s'occuper de ;* cf. p. 224, note 3 et p. 76, note 2, (pour un sens différent).

7. **correveidile :** *commère, rapporteur, cancanier.* Terme péjoratif formé à partir de trois impératifs : **corre, ve y dile.**

8. **embadurnó a la moribunda :** la médecine moyenâgeuse.

Nicanor mandó a buscar[1] al párroco. Sus diez hombres mejores lo llevaron desde la casa cural hasta el dormitorio de la Mamá Grande, sentado en su crujiente mecedor de mimbre bajo el mohoso[2] palio de las grandes ocasiones. La campanilla del Viático en el tibio amanecer de septiembre fue la primera notificación a los habitantes de Macondo. Cuando salió el sol, la placita frente a la casa de la Mamá Grande parecía una feria rural.

Era como el recuerdo de otra época[3]. Hasta cuando cumplió los 70, la Mamá Grande celebró su cumpleaños con las ferias más prolongadas y tumultuosas de que se tenga memoria[4]. Se ponían damajuanas de aguardiente a disposición del pueblo, se sacrificaban reses[5] en la plaza pública, y una banda de músicos instalada sobre una mesa tocaba sin tregua durante tres días. Bajo los almendros polvorientos[6] donde la primera semana del siglo acamparon las legiones del coronel Aureliano Buendía[7], se ponían ventas de masato*, bollos, morcillas, chicharrones, empanadas, butifarras, caribañolas, pandeyuca, almojábanas, buñuelos, arepuelas, hojaldres, longanizas, mondongos, cocadas, guarapo, entre todo género de menudencias, chucherías, baratijas y cacharros, y peleas de gallos[8] y juegos de lotería. En medio de la confusión de la muchedumbre alborotada, se vendían estampas y escapularios con la imagen de la Mamá Grande[9].

---

1. **mandó a buscar**: cf. p. 138, note 6.

2. **mohoso**: de **moho**: *le moisi*.

3. **era como el recuerdo de otra época**: cette phrase introduit un retour en arrière sur la vie de la Mamá Grande.

4. **de que se tenga memoria**: le subjonctif présent s'applique à une action non réalisée.

5. **reses**: *bêtes, animaux; bœufs* (en Amérique).

6. **bajo los almendros polvorientos**: les amandiers font partie du décor de Macondo. Ils apparaissent dans *La siesta del martes* et dans *Cien años de soledad* où « *José Arcadio Buendía plante des amandiers à la place des acacias* ».

7. **las legiones del coronel Buendía**: héros de *Cien años de soledad*.

Nicanor envoya chercher le curé. Ses dix hommes les plus solides le transportèrent du presbytère à la chambre de la Grande Mémé, assise dans son crissant rocking-chair de liane sous le dais moisi réservé aux grandes occasions. La clochette du viatique dans le petit matin tiède de septembre fut la première notification adressée aux habitants de Macondo. Quand le soleil parut, la petite place située devant la maison de la Grande Mémé avait des allures de fête campagnarde.

On se serait cru revenu à une autre époque. Car jusqu'à l'âge de soixante-dix ans, la Grande Mémé avait célébré son anniversaire par les bamboches les plus longues et les plus tumultueuses jamais connues de mémoire d'homme. On mettait des bonbonnes d'eau-de-vie à la disposition du peuple, on sacrifiait des bœufs sur la place publique, et une fanfare de musiciens grimpés sur une table jouait sans répit pendant trois jours. Sous les amandiers poussiéreux où, la première semaine de ce siècle, avaient campé les légions du colonel Aureliano Buendia, on dressait des éventaires regorgeant de masato*, de petits pains, de boudin, de rillons, de friands, de saucissons, de manioc farci ou brioché, de galettes au fromage, de beignets, de fouaces de maïs, de feuilletés, de saucisses, de tripes, de confitures à la noix de coco, de tafia, parmi toutes sortes de bricoles, de babioles, de bagatelles et d'ustensiles, avec aussi des combats de coqs et des loteries. Au milieu de l'agitation de la foule en liesse on vendait des images et des scapulaires avec le portrait de la Grande Mémé.

---

* Friandise composée de noix de coco râpée, de farine , de maïs et de sucre. (N.d.T.)

---

8. **peleas de gallos** : distraction très populaire en Colombie. Cf. *El coronel no tiene quien le escriba*.

9. **se vendían estampas y escapularios con la imagen de la Mamá Grande** : le culte de la personnalité sur fond d'images pieuses.

Las festividades comenzaban la antevíspera y terminaban el día del cumpleaños, con un estruendo[1] de fuegos artificiales y un baile familiar en la casa de la Mamá Grande. Los selectos invitados y los miembros legítimos de la familia, generosamente servidos por la bastardía[2], bailaban al compás[3] de la vieja pianola[4] equipada con rollos de moda. La Mamá Grande presidía la fiesta desde el fondo del salón, en una poltrona[5] con almohadas de lino, impartiendo discretas instrucciones con su diestra adornada de anillos en todos los dedos. A veces en complicidad con los enamorados, pero casi siempre aconsejada por su propia inspiración, aquella noche concertaba los matrimonios[6] del año entrante[7]. Para clausurar el jubileo, la Mamá Grande salía al balcón adornado con diademas y faroles de papel, y arrojaba monedas[8] a la muchedumbre.

Aquella tradición se había interrumpido[9], en parte por los duelos[10] sucesivos de la familia, y en parte por la incertidumbre política de los últimos tiempos. Las nuevas generaciones no asistieron sino de oídas a aquellas manifestaciones de esplendor. No alcanzaron a ver a la Mamá Grande en la misa, abanicada por algún miembro de la autoridad civil[11], disfrutando del privilegio de no arrodillarse ni en el instante de la elevación para no estropear su saya de volantes holandeses y sus almidonados pollerines de olán.

---

1. **un estruendo**: *un fracas,* synonyme: **estrépito**.
2. **la bastardía**: m. à m., *la bâtardise.* La hiérarchie est rigoureusement respectée, c'est l'étiquette du royaume de Macondo.
3. **al compás**: al ritmo.
4. **la vieja pianola**: l'instrument rappelle le piano mécanique que Pietro Crespi apporte à Macondo dans *Cien años de soledad* « *au grand étonnement du village et pour le plus grand plaisir de la jeunesse* ».
5. **una poltrona**: de l'adjectif **poltrón**: *paresseux, indolent.*
6. **concertaba los matrimonios**: à l'intérieur du cercle familial, cf. p. 274.
7. **el año entrante**: *l'année qui commence.*

Commencées l'avant-veille, les festivités s'achevaient le jour de l'anniversaire par un assourdissant feu d'artifice et un bal privé au domicile de la Grande Mémé. Les invités triés sur le volet et les membres légitimes de la famille, généreusement servis par les bâtards, dansaient au rythme du vieux piano mécanique équipé de rouleaux de chansons en vogue. La Grande Mémé présidait la fête, du fond du salon ; assise dans une bergère aux coussins de lin, elle donnait des ordres discrets de sa main droite ornée de bagues à tous les doigts. Parfois en complicité avec les amoureux, mais le plus souvent guidée par sa propre inspiration, elle concertait cette nuit-là les mariages de l'année. Pour clore la réjouissance, la Grande Mémé se montrait au balcon décoré de diadèmes et de lampions, et jetait des piécettes à la foule.

Cette tradition avait été interrompue, en partie par les deuils successifs de la famille, en partie par l'incertitude politique des derniers temps. Les nouvelles générations n'avaient assisté que par ouï-dire à ces manifestations fastueuses. Elles ne réussirent plus à voir la Grande Mémé à la messe, éventée par un membre de l'autorité civile, jouissant du privilège de ne pas s'agenouiller un seul instant durant l'élévation pour ne pas abîmer sa jupe à volants hollandais et ses jupons de taffetas amidonnés.

---

8. **arrojaba monedas :** synonyme de **arrojar : tirar.** Le geste symbolise le paternalisme de la despote.

9. **aquella tradición se había interrumpido :** le faste correspond à une période de grandeur, un âge d'or du pouvoir absolu.

10. **los duelos :** autre sens du mot : *duels.*

11. **abanicada por algún miembro de la autoridad civil :** geste qui dénote l'esclavage ; l'autorité civile était alors bien bas. L'auteur suggère que, dans la dernière période, il y a eu une évolution en partie due à « l'incertitude politique » et qui se marque par l'abandon de ces pratiques.

Los ancianos recordaban como una alucinación de la juventud los doscientos metros[1] de esteras que se tendieron desde la casa solariega[2] hasta el altar mayor, la tarde en que María del Rosario Castañeda y Montero[3] asistió a los funerales de su padre, y regresó por la calle esterada investida de su nueva e irradiante dignidad[4], a los 22 años convertida en la Mamá Grande. Aquella visión medieval pertenecía entonces no sólo al pasado de la familia sino al pasado de la nación[5]. Cada vez más imprecisa y remota, visible apenas en su balcón sofocado entonces por los geranios en las tardes de calor, la Mamá Grande se esfumaba en su propia leyenda[6]. Su autoridad se ejercía a través de Nicanor[7]. Existía la promesa tácita, formulada por la tradición, de que el día en que la Mamá Grande lacrara su testamento[8], los herederos decretarían tres noches de jolgorios públicos. Pero se sabía asimismo que ella había decidido no expresar su voluntad última hasta pocas horas antes de morir, y nadie pensaba seriamente en la posibilidad de que la Mamá Grande fuera mortal. Sólo esa madrugada, despertados por los cencerros del Viático, los habitantes de Macondo se convencieron de que la Mamá Grande no sólo era mortal, sino que se estaba muriendo.

Su hora era llegada[9]. En su cama de lienzo, embadurnada de áloes hasta las orejas, bajo la marquesina de polvorienta espumilla, apenas se adivinaba la vida en la tenue respiración de sus tetas matriarcales.

---

1. **recordaban... los doscientos metros**: cf. p. 203, note 8.

2. **la casa solariega**: *le manoir, la maison noble.*

3. **María del Rosario Castañeda y Montero**: son nom de famille est le même que celui du curé de *Un día después del sábado.*

4. **investida de su nueva e irradiante dignidad**: le sacre de la Mamá Grande.

5. **no sólo al pasado de la familia sino al pasado de la nación**: **no sólo... sino** traduit *non seulement... mais;* cf. p. 58, note 3. Grandeur et décadence du royaume de Macondo.

Les vieux évoquaient comme une hallucination de jeunesse les deux cents mètres de natte qu'on avait tendus de la résidence jusqu'au maître-autel, le soir où Maria del Rosario Castañeda y Montero avait assisté aux funérailles de son père, et où elle était revenue par la rue nattée, investie de sa nouvelle et radieuse dignité, devenue, à vingt-deux ans, la Grande Mémé. Cette vision médiévale appartenait alors non seulement au passé de la famille mais au passé de la nation. Chaque jour plus imprécise et plus lointaine, à peine visible à son balcon étouffé alors par les géraniums les soirs de chaleur, la Grande Mémé se dissipait dans sa propre légende. Son autorité s'exerçait par l'intermédiaire de Nicanor. Il existait une promesse tacite, formulée par la tradition, selon laquelle le jour où la Grande Mémé scellerait son testament, les héritiers décréteraient trois nuits de faridon publique. Mais on savait aussi qu'elle avait décidé de n'exprimer ses dernières volontés qu'à l'heure ou presque de mourir, et personne ne croyait sérieusement à la possibilité que la Grande Mémé fût mortelle. Ce matin-là, pourtant, réveillés par les grelots du viatique, les habitants de Macondo se convainquirent que la Grande Mémé non seulement était mortelle mais qu'elle était bel et bien en train de mourir.

Son heure était arrivée. Dans son lit de toile, badigeonnée d'aloès jusqu'aux oreilles, sous le vélum de crêpe poussiéreux, à peine devinait-on la vie dans la respiration ténue de ses nichons matriarcaux.

---

6. **se esfumaba en sa propia leyenda** : le mythe vivant.

7. **Nicanor** : c'est le nom du curé de Macondo dans *Cien años de soledad*.

8. **de que el día en que la Mamá Grande lacrara su testamento** : proposition introduite par **de que**, complétive de **la promesa** ; **lacrara** est à l'imparfait du subjonctif en concordance avec l'imparfait **existía**.

9. **su hora era llegada** : archaïsme de la construction qui confère une solennité à l'événement ; la forme moderne est : **su hora había llegado**.

La Mamá Grande, que hasta los cincuenta años rechazó a los más apasionados pretendientes, y que fue dotada por la naturaleza para amamantar ella sola a toda su especie, agonizaba virgen y sin hijos[1]. En el momento de la extremaunción, el padre Antonio Isabel tuvo que pedir ayuda[2] para aplicarle los óleos en la palma de las manos, pues desde el principio de su agonía la Mamá Grande tenía los puños cerrados. De nada valió[3] el concurso de las sobrinas. En el forcejeo, por primera vez en una semana, la moribunda apretó contra su pecho la mano constelada de piedras preciosas, y fijó en las sobrinas su mirada sin color, diciendo: «Salteadoras[4].» Luego vio al padre Antonio Isabel en indumentaria litúrgica y al monaguillo con los instrumentos sacramentales, y murmuró con una convicción apacible: «Me estoy muriendo.» Entonces se quitó el anillo con el Diamante Mayor y se lo dio a Magdalena[5], la novicia, a quien correspondía por ser la heredera menor. Aquel era el final de una tradición: Magdalena había renunciado a su herencia en favor de la Iglesia.

Al amanecer, la Mamá Grande pidió que la dejaran a solas[6] con Nicanor para impartir sus últimas instrucciones. Durante media hora, con perfecto dominio de sus facultades, se informó de la marcha de los negocios. Hizo formulaciones especiales sobre el destino de su cadáver, y se ocupó por último de las velaciones.

---

1. **agonizaba virgen y sin hijos**: l'exercice du pouvoir absolu est incompatible avec la réalisation de la féminité.

2. **tuvo que pedir ayuda**: *il dut demander de l'aide.* Passé simple irrégulier de **tener que,** qui traduit l'obligation personnelle (avec un sujet exprimé). **Pedir ayuda** s'emploie sans article; cf. **pedir permiso**: *demander la permission.*

3. **de nada valió**: expression équivalente: **de nada sirvió.** Lorsque **nada** est placé avant le verbe, il exclut le **no,** par contre il faut dire: **no valió de nada.**

4. **salteadoras**: elle pense dans un premier temps que ses nièces cherchent à la dépouiller.

La Grande Mémé qui, jusqu'à la cinquantaine, avait repoussé les prétendants les plus passionnés, et que la nature avait dotée de mamelles capables d'allaiter à elles seules toute son espèce, agonisait vierge et sans enfant. Au moment de l'extrême-onction, le père Antonio Isabel dut demander de l'aide pour lui appliquer les huiles sur la paume des mains, étant donné que depuis le début de son agonie la Grande Mémé gardait les poings fermés. Le concours des nièces se révéla vain. Pendant l'opération, pour la première fois en une semaine, la moribonde serra contre son cœur sa main constellée de pierres précieuses et fixa sur les nièces son regard déteint : « Détrousseuses ! » cria-t-elle. Puis elle vit le père Antonio Isabel en tenue liturgique et l'enfant de chœur qui tenait les instruments sacrés et elle murmura avec une conviction paisible : « Je vais mourir. » Elle ôta alors sa bague ornée du Grand Diamant et la tendit à Magdalena, la novice, à qui elle revenait pour être la plus jeune des héritières. Ce geste marquait la fin d'une tradition : Magdalena avait en effet offert tous ses biens à l'Église.

A l'aube, la Grande Mémé demanda à rester tête à tête avec Nicanor pour lui dicter ses dernières instructions. Durant une demi-heure, avec une parfaite maîtrise de ses facultés, elle s'informa de la marche des affaires. Elle fit des recommandations spéciales concernant le destin de son cadavre et s'occupa pour finir de la veillée funèbre.

---

5. **se lo dio a Magdalena :** lorsque deux pronoms personnels de la troisième personne sont employés, l'indirect (**le, les**) devient **se**. Par ailleurs, le complément indirect placé après le verbe (**Magdalena**) est annoncé par un pronom personnel : **le, les.**

6. **pidió que la dejaran a solas :** **dejaran** est au subjonctif imparfait, 3e personne du pluriel (forme impersonnelle : *qu'on la laisse seule*), en concordance avec le passé simple : **pidió.**

«Tienes que estar con los ojos abiertos», dijo. «Guarda bajo llave todas las cosas de valor, pues mucha gente no viene a los velorios sino a robar[1].» Un momento después, a solas con el párroco, hizo una confesión dispendiosa, sincera y detallada, y comulgó más tarde en presencia de los sobrinos. Entonces fue cuando pidió[2] que la sentaran en el mecedor de bejuco para expresar su última voluntad.

Nicanor había preparado, en veinticuatro folios escritos con letra muy clara, una escrupulosa relación[3] de sus bienes. Respirando apaciblemente, con el médico y el padre Antonio Isabel por testigos, la Mamá Grande dictó al notario la lista de sus propiedades, fuente suprema y única de su grandeza y autoridad. Reducido a sus proporciones reales, el patrimonio físico se reducía a tres encomiendas[4] adjudicadas por Cédula Real durante la Colonia, y que con el transcurso del tiempo, en virtud de intrincados matrimonios de conveniencia, se habían acumulado bajo el dominio de la Mamá Grande. En ese territorio ocioso, sin límites definidos, que abarcaba[5] cinco municipios y en el cual no se sembró nunca un solo grano por cuenta de los propietarios, vivían a título de arrendatarias[6] 352 familias. Todos los años, en vísperas de su onomástico[7], la Mamá Grande ejercía el único acto de dominio que había impedido el regreso de las tierras al Estado: el cobro de los arrendamientos[8].

---

1. **mucha gente no viene a los velorios sino a robar** : la Mamá Grande règle même les détails de sa veillée funèbre. Sur son lit de mort, elle manifeste encore sa méfiance à l'égard de l'humanité.

2. **entonces fue cuando pidió** : la tournure redondante *(c'est alors que)* se construit avec **ser** au temps du récit (ici au passé simple) et **cuando** qui reprend la notion de temps. *C'est ainsi que cela se passa* : **fue así como pasó**.

3. **una escrupulosa relación** : synonyme : **una reseña**.

4. **encomiendas** : institution coloniale espagnole en Amérique selon laquelle terres et Indiens étaient répartis entre les conquistadores (N.d.T.) ; à l'origine, les terres et Indiens confiés à l'**encomendero** restaient la propriété de la Couronne. Les Indiens devaient travailler

« Il faudra que tu ouvres l'œil ! lui dit-elle. Mets sous clef toutes les choses de valeur, car beaucoup de gens ne viennent veiller les morts que pour voler. » Un moment plus tard, seule avec le curé, elle se livra à une confession dispendieuse, sincère et détaillée, après quoi elle communia en présence de ses neveux. Et c'est alors qu'elle demanda à aller s'asseoir dans son rocking-chair de liane afin d'exprimer ses dernières volontés.

Nicanor avait dressé sur vingt-quatre feuillets presque calligraphiés un scrupuleux inventaire de ses biens. En respirant paisiblement, avec pour témoins le médecin et le père Antonio Isabel, la Grande Mémé dicta au notaire la liste de ses propriétés, source suprême et unique de sa grandeur et de son autorité. Considéré dans ses proportions réelles, le patrimoine physique se réduisait à trois *encomiendas* concédées par Ordonnance Royale à l'époque de la Colonie et qui, avec le temps, en vertu d'un embrouillamini de mariages de raison, s'étaient accumulées sous l'autorité de la Grande Mémé. Sur ce territoire disponible, sans limites définies, qui comprenait cinq communes et où l'on n'avait jamais semé une seule graine pour le compte des propriétaires, trois cent cinquante-deux familles vivaient à titre de métayers. Tous les ans, la veille de sa fête, la Grande Mémé exerçait le seul acte d'autorité qui avait empêché le retour des terres à l'État : le recouvrement des fermages.

---

pour l'**encomendero** et lui verser un impôt en échange de quoi ils étaient protégés et évangélisés.

5. **abarcaba** : m. à m., *embrassait*.

6. **arrendatarias** : de **arrendar** : *louer*.

7. **onomástico** : (onomástica) *le jour de la fête* (d'une personne).

8. **el cobro de los arrendamientos** : c'est la marque de la propriété. La Mamá Grande est la seule propriétaire de toutes les terres de son royaume.

Sentada en el corredor interior de su casa, ella recibía personalmente el pago[1] del derecho de habitar en sus tierras, como durante más de un siglo lo recibieron sus antepasados de los antepasados de los arrendatarios. Pasados los tres días de la recolección[2], el patio estaba atiborrado[3] de cerdos, pavos y gallinas, y de los diezmos y primicias sobre los frutos de la tierra que se depositaban allí en calidad de regalo. En realidad, esa era la única cosecha que jamás recogió la familia de un territorio muerto desde sus orígenes, calculado a primera vista en 100.000 hectáreas. Pero las circunstancias históricas habían dispuesto[4] que dentro de esos límites crecieran y prosperaran[5] las seis poblaciones[6] del distrito de Macondo, incluso la cabecera del municipio, de manera que todo el que habitara[7] una casa no tenía más derecho de propiedad del que le correspondía sobre los materiales, pues la tierra pertenecía a la Mamá Grande y a ella se pagaba el alquiler, como tenía que pagarlo el gobierno[8] por el uso que los ciudadanos hacían de las calles.

En los alrededores de los caseríos merodeaba un número nunca contado y menos atendido de animales herrados en los cuartos traseros con la forma de un candado[9]. Ese hierro hereditario, que más por el desorden que por la cantidad se había hecho familiar en remotos departamentos donde llegaban en verano, muertas de sed, las reses desperdigadas, era uno de los más sólidos soportes de la leyenda.

---

1. **ella recibía personalmente el pago**: pratique traditionnelle et féodale de la famille de la Mamá Grande.

2. **pasados los tres días de la recolección**: m. à m., *une fois passés les trois jours de perception.* Le défilé des 352 métayers venant s'acquitter du loyer s'étale sur trois jours.

3. **estaba atiborrado**: m. à m., *était bourré.*

4. **habían dispuesto**: plus-que-parfait de **disponer**; **dispuesto**: participe passé irrégulier; cf. **poner.**

5. **crecieran y prosperaran**: imparfait du subjonctif de **crecer** et **prosperar,** en concordance avec **habían dispuesto.**

Assise dans la galerie intérieure de la maison, elle recevait en personne le paiement du droit d'habiter sur ses terres, comme durant plus d'un siècle ses aïeux l'avaient reçu des aïeux des métayers. Au bout de trois jours de perception, la cour regorgeait de cochons, de dindons et de poules, et des dîmes et quote-part sur les produits de la terre dont on déposait ici quelques exemplaires en cadeau. En réalité, c'était la seule récolte jamais effectuée par la famille sur un territoire mort depuis ses origines et évalué à première vue à cent mille hectares. Mais les circonstances historiques avaient voulu que grandissent et prospèrent dans ces limites les six villages du district de Macondo, y compris le chef-lieu de canton, de telle sorte que l'habitant d'une maison n'avait d'autre droit de propriété que celui qui correspondait aux matériaux, car la terre appartenait à la Grande Mémé à laquelle il fallait payer la location, comme devait le faire le gouvernement pour l'utilisation des rues par les citadins.

Aux alentours des hameaux maraudait une quantité jamais dénombrée et encore moins surveillée d'animaux portant à la croupe un cadenas marqué au fer. Ce signe héréditaire, que le désordre plus que le nombre avait rendu familier dans les secteurs lointains où arrivaient en été, mortes de soif, les bêtes dispersées, était l'un des supports les plus solides de la légende.

---

6. **poblaciones :** *villages ;* synonyme : **pueblos.** La **población** signifie aussi *la population.*

7. **todo el que habitara : habitara** est à l'imparfait du subjonctif car l'antécédent de la relative n'est pas déterminé.

8. **como tenía que pagarlo el gobierno :** l'État est aussi « locataire » de la Mamá Grande.

9. **animales herrados... con la forma de un candado :** ils portent la marque de la propriété.

Por razones que nadie se había detenido a explicar, las extensas caballerizas de la casa se habían vaciado progresivamente desde la última guerra civil[1], y en los últimos tiempos se habían instalado en ellas trapiches de caña, corrales de ordeño, y una piladora de arroz.

Aparte de lo enumerado[2], se hacía constar en el testamento la existencia de tres vasijas de morrocotas enterradas en algún lugar de la casa durante la guerra de Independencia[3], que no habían sido halladas en periódicas y laboriosas excavaciones. Con el derecho de continuar la explotación de la tierra arrendada y a percibir los diezmos y primicias y toda clase de dádivas extraordinarias, los herederos recibían un plano levantado de generación en generación, y por cada generación perfeccionado, que facilitaba el hallazgo del tesoro enterrado[4].

La Mamá Grande necesitó tres horas para enumerar sus asuntos terrenales[5]. En la sofocación de la alcoba, la voz de la moribunda parecía dignificar en su sitio cada cosa[6] enumerada. Cuando estampó su firma balbuciente, y debajo estamparon la suya los testigos, un temblor secreto sacudió el corazón de las muchedumbres que empezaban a concentrarse frente a la casa, a la sombra de los almendros polvorientos[7].

Sólo faltaba entonces la enumeración minuciosa de los bienes morales.

---

1. **desde la última guerra civil**: il est fait dans ce recueil de multiples références aux guerres civiles qui ont secoué le pays au cours du siècle dernier. Le climat de violence apparaît toujours en toile de fond.

2. **lo enumerado**: m. à m., *ce qui a été énuméré*. **Lo** + participe passé correspond à *ce qui...* Cf. **lo dicho**: *ce qui est dit*.

3. **la guerra de Independencia**: cf. p. 181, note 6.

4. **el hallazgo del tesoro enterrado**: le trésor enterré réapparaît dans *Cien años de soledad*. Malgré tous les efforts et travaux des personnages, il n'est jamais mis au jour.

5. **la Mamá Grande necesitó tres horas para enumerar sus asuntos terrenales**: l'importance de ses biens et le ton probablement monocorde de l'agonie font durer l'énoncé de ses richesses.

Pour des raisons que personne n'avait jamais cherché à expliquer, les grandes écuries de la maison s'étaient vidées progressivement depuis la dernière guerre civile et, récemment, on y avait installé des moulins à sucre, des étables à traire et une meule à riz.

Outre les éléments ci-dessus énumérés on consignait dans le testament l'existence de trois poteries pleines de pépettes anciennes enterrées en un certain lieu de la maison durant la guerre d'Indépendance et qui restaient introuvables malgré les fouilles périodiques et laborieuses. Avec le droit de poursuivre l'exploitation de la terre affermée et de percevoir les dîmes, quote-part et toutes sortes de contributions extraordinaires, les héritiers recevaient un plan dressé de génération en génération, et amélioré par chacune d'elles, pour faciliter la découverte du trésor enterré.

Il fallut trois heures à la Grande Mémé pour énumérer ses richesses terrestres. Dans l'atmosphère étouffante de la chambre la voix de la moribonde paraissait magnifier sur place chaque chose mentionnée. Quand elle apposa son paraphe balbutiant, et que les témoins apposèrent le leur au-dessous, un frisson secret secoua le cœur des foules qui commençaient à se rassembler devant la maison, à l'ombre des amandiers poussiéreux.

Il ne manquait plus alors que l'énumération minutieuse des biens moraux.

---

6. **la voz de la moribunda parecía dignificar en su sitio cada cosa :** sa voix, comme si elle venait d'outre-tombe, donne à la cérémonie une solennité qui atteint les foules rassemblées ; cf. p. 274.

7. **a la sombra de los almendros polvorientos :** cf. p. 280, note 6.

Haciendo un esfuerzo supremo[1] —el mismo que hicieron sus antepasados antes de morir para asegurar el predominio de su especie— la Mamá Grande se irguió sobre sus nalgas monumentales, y con voz dominante y sincera, abandonada a su memoria, dictó al notario la lista de su patrimonio invisible:

La riqueza del subsuelo[2], las aguas territoriales, los colores de la bandera, la soberanía nacional, los partidos tradicionales, los derechos del hombre, las libertades ciudadanas, el primer magistrado, la segunda instancia, el tercer debate, las cartas de recomendación, las constancias históricas, las elecciones libres, las reinas de la belleza, los discursos trascendentales, las grandiosas manifestaciones, las distinguidas señoritas, los correctos caballeros, los pundonorosos militares, su señoría ilustrísima, la corte suprema de justicia, los artículos de prohibida importación, las damas liberales, el problema de la carne, la pureza del lenguaje, los ejemplos para el mundo, el orden jurídico, la prensa libre pero responsable, la Atenas sudamericana, la opinión pública, las elecciones democráticas, la moral cristiana, la escasez de divisas, el derecho de asilo, el peligro comunista, la nave del Estado, la carestía de la vida, las tradiciones republicanas, las clases desfavorecidas, los mensajes de adhesión.

No alcanzó a terminar. La laboriosa enumeración tronchó su último vahaje. Ahogándose en el mare mágnum de fórmulas abstractas que durante dos siglos constituyeron la justificación moral del poderío de la familia, la Mamá Grande emitió un sonoro eructo y expiró.

---

1. **haciendo un esfuerzo supremo**: ce sont les « biens moraux » qui assurent l'hégémonie familiale ; ils font partie du patrimoine légué et doivent être consignés dans le testament.

2. **la riqueza del subsuelo...**: la longue liste, qui rappelle *l'Inventaire* de Jacques Prévert, rassemble tous les clichés de notre époque, « langue de bois » des journalistes et des hommes politiques. Les titres renvoient, pour certains, à des rubriques de journaux, d'autres à des thèmes

En faisant un effort suprême — le même qu'avaient fait ses aïeux avant de mourir pour assurer la prédominance de la race — la Grande Mémé se dressa sur ses fesses monumentales, et d'une voix impérieuse et sincère, abandonnée à sa mémoire, elle dicta au notaire la liste de son patrimoine invisible :

La richesse du sous-sol, les eaux territoriales, les couleurs du drapeau, la souveraineté nationale, les partis traditionnels, les droits de l'homme, les libertés du citoyen, le premier magistrat, la seconde instance, le troisième débat, les lettres de recommandation, les constances historiques, les élections libres, les reines de beauté, les discours magistraux, les manifestations grandioses, les demoiselles très distinguées, les beaux messieurs, les militaires chatouilleux, son illustrissime seigneurie, la haute cour de justice, les articles interdits à l'exportation, les dames libérales, le problème de la chair, la pureté du langage, les exemples pour le monde, l'ordre juridique, la presse libre mais responsable, l'Athènes sud-américaine, l'opinion publique, les leçons démocratiques, la morale chrétienne, le manque de devises, le droit d'asile, le danger communiste, la nef de l'État, la cherté de la vie, les traditions républicaines, les classes défavorisées, les messages d'adhésion.

Elle n'eut pas l'heur de terminer. L'énumération laborieuse coupa le fil de sa dernière brise. En se noyant dans le déluge de formules abstraites qui, durant deux siècles, avaient constitué la justification morale du pouvoir familial, la Grande Mémé lâcha un rot sonore et expira.

----

récurrents de la société actuelle. Cette page a une grande force critique : elle ridiculise sans appel la mythomanie du pouvoir dictatorial et raille avec vigueur l'usage des formules toutes faites et vides de contenu qui se substituent à la réflexion approfondie sur ces mêmes sujets.

Los habitantes de la capital remota y sombría[1] vieron esa tarde el retrato de una mujer de veinte años en la primera página de las ediciones extraordinarias, y pensaron que era una nueva reina de la belleza. La Mamá Grande vivía otra vez la momentánea juventud de su fotografía[2], ampliada a cuatro columnas y con retoques urgentes, su abundante cabellera recogida a lo alto del cráneo con un peine de marfil, y una diadema sobre la gola de encajes. Aquella imagen, captada por un fotógrafo ambulante que pasó por Macondo a principios de siglo y archivada por los periódicos durante muchos años en la división de personajes desconocidos, estaba destinada a perdurar en la memoria de las generaciones futuras. En los autobuses decrépitos, en los ascensores de los ministerios, en los lúgubres salones de té forrados de pálidas colgaduras, se susurró con veneración y respeto de la autoridad muerta en su distrito de calor y malaria, cuyo nombre se ignoraba[3] en el resto del país hacía pocas horas, antes de ser consagrado por la palabra impresa[4]. Una llovizna menuda cubría de recelo y de verdín a los transeúntes[5]. Las campanas de todas las iglesias tocaban a muerto. El presidente de la República, sorprendido por la noticia cuando se dirigía al acto de graduación de los nuevos cadetes[6], sugirió al ministro de la Guerra, en una nota escrita de su puño y letra en el revés del telegrama, que concluyera su discurso con un minuto de silencio en homenaje a la Mamá Grande.

---

1. **la capital remota y sombría** : le royaume de Macondo semble être un îlot éloigné du reste du pays. García Márquez, l'homme de la côte, a toujours considéré que Bogotá appartenait à un autre monde que le sien.

2. **vivía otra vez la momentánea juventud de su fotografía** : le miracle de la vieille photo qui ressuscite le personnage dans la beauté de sa jeunesse ; image trompeuse de la vieille matrone autoritaire qu'était en réalité la Mamá Grande.

3. **cuyo nombre se ignoraba** : *dont on ignorait le nom.* Cf. p. 21, note 6, pour l'emploi et la construction de **cuyo**.

Les habitants de la capitale lointaine et ténébreuse virent ce soir-là la photo d'une femme de vingt ans à la une des éditions spéciales et pensèrent que c'était une nouvelle reine de beauté. La Grande Mémé revivait la jeunesse momentanée de son portrait, agrandi sur quatre colonnes et retouché pour la circonstance : son abondante chevelure avait été ramenée et fixée sur le haut du crâne par un peigne d'ivoire et un diadème surmontait la fraise de dentelles. Cette image, captée par un photographe ambulant qui passa à Macondo au début du siècle et qui fut classée durant bien des années par les journaux dans la section des personnages inconnus, était destinée à survivre dans le souvenir des générations futures. Dans les autobus déglingués, dans les ascenseurs des ministères, dans les lugubres salons de thé recouverts de tentures passées, on commentait avec vénération et respect le cas de cette grande dame morte dans son patelin de chaleur et de malaria et dont le nom était resté ignoré des autres régions du pays jusqu'à ces heures récentes où l'encre d'imprimerie l'avait consacré. Une petite pluie fine couvrait les passants de méfiance et de vert-de-gris. Les cloches de toutes les églises sonnaient le glas. Le président de la république, surpris par la nouvelle alors qu'il se rendait à la cérémonie de promotion des nouveaux cadets, suggéra au ministre de la Guerre, dans une note écrite de sa main au dos du télégramme, de terminer son discours par une minute de silence en hommage à la Grande Mémé.

---

4. **antes de ser consagrado por la palabra impresa** : la presse crée l'événement et l'émotion. La Mamá Grande, inconnue jusqu'alors en dehors de son royaume, devient héroïne nationale.

5. **una llovizna... cubría de recelo y de verdín a los traseúntes** : cette phrase allie deux termes de registres différents, l'un abstrait (**recelo**), l'autre concret (**verdín**) cf. passim.

6. **el presidente de la República... los nuevos cadetes** : en pleine cérémonie militaire.

El orden social había sido rozado por la muerte[1]. El propio presidente de la República, a quien los sentimientos urbanos[2] llegaban como a través de un filtro de purificación, alcanzó a percibir desde su automóvil en una visión instantánea pero hasta un cierto punto brutal, la silenciosa consternación de la ciudad. Sólo permanecían abiertos algunos cafetines de mala muerte[3], y la Catedral Metropolitana, dispuesta para nueve días de honras fúnebres. En el Capitolio Nacional, donde los mendigos envueltos en papeles dormían al amparo de columnas dóricas y taciturnas estatuas de presidentes muertos, las luces del Congreso estaban encendidas. Cuando el primer mandatario entró a su despacho[4], conmovido por la visión de la capital enlutada, sus ministros lo esperaban vestidos de tafetán funerario, de pie, más solemnes y pálidos que de costumbre.

Los acontecimientos de aquella noche y las siguientes serían más tarde definidos como una lección histórica[5]. No sólo por el espíritu cristiano que inspiró a los más elevados personeros[6] del poder público, sino por la abnegación con que se conciliaron intereses disímiles y criterios contrapuestos, en el propósito común[7] de enterrar un cadáver ilustre. Durante muchos años la Mamá Grande había garantizado la paz social y la concordia política de su imperio, en virtud de los tres baúles de cédulas electorales falsas que formaban parte de su patrimonio secreto[8].

---

1. **el orden social había sido rozado por la muerte**: la mort de la Grande Mémé affecte le pays en entier. De manière invraisemblable, cette femme tyrannique connue uniquement dans les strictes limites de sa juridiction atteint, par sa mort, la gloire nationale. L'auteur revendique l'authenticité de son récit de chroniqueur à l'ancienne en s'adressant aux « *incrédules du monde entier* », cf. p. 270 et p. 318.

2. **los sentimientos urbanos**: on pourrait traduire: *la température de la ville.*

3. **cafetines de mala muerte**: le diminutif de **café** est péjoratif dans le contexte. **De mala muerte** est une expression familière de la langue courante pour dire: *misérable, de rien du tout, minable.*

L'ordre social avait été effleuré par la mort. Le président de la république en personne, à qui les sentiments urbains arrivaient comme à travers un filtre de purification, réussit à surprendre du fond de son automobile, par une vision instantanée mais en un certain sens brutale, la consternation muette de la ville. Seuls demeuraient ouverts quelques bistrots minables, et la Cathédrale, préparée pour neuf jours solennels de veillée funèbre. Près du Panthéon, où les mendiants enveloppés dans de vieux journaux dormaient à l'abri des colonnes doriques et des statues taciturnes des présidents morts, les lampes du Congrès étaient allumées. Quand le numéro un de la patrie entra dans son bureau, ému par le spectacle de la capitale endeuillée, ses ministres l'attendaient vêtus de serge noire, debout, plus solennels et plus pâles qu'à l'accoutumée.

Les événements de cette nuit-là et des suivantes devaient être définis plus tard comme une leçon d'histoire. Non seulement à cause de l'esprit chrétien qui inspira les représentants les plus éminents des pouvoirs publics, mais du fait de l'abnégation dont on fit preuve pour concilier des intérêts opposés et des critères contradictoires, dans l'intention commune d'enterrer un cadavre illustre. Durant bien des années, la Grande Mémé avait garanti la paix sociale et la concorde politique de son empire grâce aux trois malles de fausses cartes électorales qui constituaient une partie de son patrimoine secret.

---

4. **entró a su despacho :** (américanisme), en Espagne : **entró en su despacho.**

5. **como una lección histórica :** il faut comprendre : *une leçon exemplaire de l'histoire.*

6. **personeros :** *procureurs, mandataires.*

7. **en el propósito común :** consensus national autour du cadavre de la Grande Mémé.

8. **su patrimonio secreto :** celui-là n'est pas répertorié.

Los varones de la servidumbre[1], sus protegidos y arrendatarios, mayores y menores de edad, ejercitaban no sólo su
propio derecho de sufragio, sino también el de los electores
muertos[2] en un siglo. Ella[3] era la prioridad del poder
tradicional sobre la autoridad transitoria, el predominio de
la clase sobre la plebe, la trascendencia de la sabiduría
divina sobre la improvisación mortal[4]. En tiempos
pacíficos, su voluntad hegemónica acordaba y desacordaba
canonjías[5], prebendas y sinecuras, y velaba por el bienes-
tar de los asociados así tuviera[6] para lograrlo que recurrir a
la trapisonda o al fraude electoral. En tiempos tormento-
sos, la Mamá Grande contribuyó en secreto para armar a
sus partidarios, y socorrió en público a sus víctimas. Aquel
celo patriótico[7] la acreditaba para los más altos honores.

El presidente de la República no había tenido necesidad
de recurrir a sus consejeros para medir el peso de su
responsabilidad. Entre la sala de audiencias de Palacio y el
patiecito adoquinado que sirvío de cochera a los virreyes,
mediaba[8] un jardín interior de cipreses oscuros donde un
fraile portugués se ahorcó por amor[9] en las postrimerías de
la Colonia. A pesar de su ruidoso aparato de oficiales
condecorados, el presidente no podía reprimir un ligero
temblor de incertidumbre cuando pasaba por ese lugar
después del crepúsculo. Pero aquella noche, el estremeci-
miento tuvo la fuerza de una premonición.

----

1. **los varones de la servidumbre...** : seuls les hommes ont le droit de
vote.

2. **el de los electores muertos** : c'est la fraude électorale classique.

3. **Ella** : telle une divinité. Elle n'a pas besoin d'être nommée.

4. **la trascendencia de la sabiduría divina sobre la improvisación
mortal** : cette hyperbole ironique qui clôt l'énumération place la Grande
Mémé au rang de Dieu.

5. **canonjías** : au sens premier, *charges et prébendes des chanoines.*
Elle a donc aussi un pouvoir ecclésiastique. Au deuxième sens, *planque.*
Les deux sens ici sont à retenir.

6. **así tuviera** : m. à m., *même si elle devait ;* concessive qui équivaut à
aunque tuviera.

Les hommes de la domesticité, ses protégés et ses métayers, majeurs et mineurs, exerçaient non seulement leur propre droit de vote mais aussi celui des électeurs morts depuis un siècle. Elle représentait la propriété du pouvoir traditionnel sur l'autorité passagère, la prédominance de la classe sur la canaille, la transcendance du savoir divin sur l'improvisation mortelle. En temps de paix, sa volonté tyrannique accordait et retirait planques, piston et sinécures, et veillait au bien-être des collaborateurs, dût-elle pour y parvenir recourir à la chicane ou à la fraude électorale. Durant les époques agitées, la Grande Mémé avait secrètement contribué à armer ses partisans, tout en secourant publiquement ses victimes. Ce zèle patriotique la destinait aux plus hautes distinctions.

Le président de la république n'avait pas eu besoin de consulter ses conseillers pour mesurer le poids de sa responsabilité. Entre la salle d'audience du palais et la courette pavée qui avait servi de remise aux vice-rois s'étendait un jardin de cyprès noirs où un religieux portugais s'était pendu à la suite d'un chagrin d'amour, durant les dernières années de la Colonie. En dépit du bruyant apparat des officiers bardés de décorations, le président ne pouvait réprimer un léger frisson d'incertitude quand il passait par là après le crépuscule. Ce soir-là, le frisson eut la force d'une prémonition.

---

7. **aquel celo patriótico** : c'est ainsi qu'est considéré le machiavélisme de la Grande Mémé.

8. **mediaba** : *se trouvait au milieu.*

9. **un fraile portugués se ahorcó por amor** : anecdote romantique dont est friand García Márquez et qui jure avec le contexte.

Entonces adquirió plena conciencia de su destino histórico[1], y decretó nueve días de duelo nacional, y honores póstumos a la Mamá Grande en la categoría de heroína muerta por la patria en el campo de batalla[2]. Como lo expresó en la dramática alocución que aquella madrugada dirigió a sus compatriotas a través de la cadena nacional de radio y televisión, el primer magistrado de la nación confiaba en que[3] los funerales de la Mamá Grande constituyeran[4] un nuevo ejemplo para el mundo.

Tan altos propósitos debían tropezar[5] sin embargo con graves inconvenientes. La estructura jurídica del país, construida por remotos ascendientes de la Mamá Grande, no estaba preparada para acontecimientos como los que empezaban a producirse. Sabios doctores de la ley, probados alquimistas del derecho[6] ahondaron en hermeneúticas[7] y silogismos, en busca de la fórmula que permitiera al presidente de la República asistir a los funerales. Se vivieron días de sobresalto en las altas esferas de la política, el clero y las finanzas. En el vasto hemiciclo del Congreso, enrarecido[8] por un siglo de legislación abstracta[9], entre óleos de próceres[10] nacionales y bustos de pensadores griegos, la evocación de la Mamá Grande alcanzó proporciones insospechables, mientras su cadáver se llenaba de burbujas[11] en el duro septiembre de Macondo.

---

1. **su destino histórico**: la Grande Mémé, par sa mort, donne au Président de la République l'occasion de faire son entrée dans l'histoire du pays.

2. **heroína muerta por la patria en el campo de batalla**: elle a droit aux plus grandes distinctions de l'État. La patrie lui est reconnaissante pour son « *zèle* », cf. p. 300.

3. **confiaba en que**: *espérait que* ou *avait bon espoir que...* **Confiar** s'emploie avec la préposition **en.**

4. **constituyeran**: imparfait du subjonctif de **constituir** en concordance avec l'imparfait de **confiaba.**

5. **tropezar**: premier sens, *trébucher.*

6. **probados alquimistas del derecho**: dans un pays sans respect des lois, les juristes, toujours au service de la Grande Mémé, se penchent sur un détail de protocole.

Alors il acquit une pleine conscience de son destin héroïque et décréta neuf jours de deuil national, et des honneurs posthumes pour la Grande Mémé, héroïne tombée au champ d'honneur pour la patrie. Dans la dramatique allocution qu'il adressa le lendemain matin à ses compatriotes sur la chaîne nationale de radio et de télévision, le premier magistrat de la nation certifiait que les funérailles de la Grande Mémé allaient constituer un nouvel exemple pour le monde.

Des intentions aussi nobles devaient se heurter pourtant à de graves inconvénients. La structure juridique du pays, bâtie par de lointains ancêtres de la Grande Mémé, n'était pas préparée pour des événements comme ceux qui commençaient à se produire. De savants docteurs de la loi, des alchimistes éprouvés du droit étudièrent à fond herméneutique et syllogismes, à la recherche de la formule qui permettrait au président de la république d'assister aux funérailles. On vécut des jours de branle-bas dans les hautes sphères de la politique, du clergé et de la finance. Dans le vaste hémicycle du Congrès, éclairci par un siècle de législature abstraite, parmi des portraits de héros nationaux et des bustes de penseurs grecs, l'évocation de la Grande Mémé atteignit des proportions insoupçonnables, tandis que son cadavre se remplissait de bulles en ce dur septembre à Macondo.

---

7. **hermeneúticas**: *l'herméneutique,* interprétation des textes, générale-ment religieux ou philosophiques.

8. **enrarecido**: m. à m., *raréfié.* Ici il faut comprendre que la fréquentation de l'hémicycle était devenue rare.

9. **legislación abstracta**: la loi est lettre morte.

10. **próceres**: m. à m., *personnages illustres.*

11. **su cadáver se llenaba de burbujas**: détail réaliste qui contraste avec les vaines discussions protocolaires.

Por primera vez se habló de ella y se la concibió sin su mecedor de bejuco, sus sopores a las dos de la tarde y sus cataplasmas de mostaza, y se la vio pura y sin edad, destilada por la leyenda[1].

Horas interminables se llenaron de palabras, palabras, palabras[2] que repercutían en el ámbito de la República, aprestigiadas[3] por los altavoces de la letra impresa[4]. Hasta que alguien dotado de sentido de la realidad en aquella asamblea de jurisconsultos asépticos, interrumpió el blablablá histórico para recordar que el cadáver de la Mamá Grande esperaba la decisión a 40 grados[5] a la sombra. Nadie se inmutó frente a aquella irrupción del sentido común en la atmósfera pura de la ley escrita[6]. Se impartieron órdenes para que fuera embalsamado el cadáver, mientras se encontraban fórmulas, se conciliaban pareceres o se hacían enmiendas constitucionales que permitieran al presidente de la República asistir al entierro.

Tanto se había parlado[7], que los parloteos traspusieron las fronteras, traspasaron el océano y atravesaron como un presentimiento por las habitaciones pontificias de Castelgandolfo. Repuesto de la modorra del ferragosto reciente, el Sumo Pontífice estaba en la ventana, viendo en el lago sumergirse los buzos que buscaban la cabeza de la doncella decapitada[8]. En las últimas semanas los periódicos de la tarde no se habían ocupado de otra cosa, y el Sumo Pontífice no podía ser indiferente a un enigma planteado a tan corta distancia de su residencia de verano.

---

1. **destilada por la leyenda** : dès sa mort on a de la Grande Mémé une vision éthérée.

2. **palabras, palabras, palabras** : la triplication a un effet d'écho.

3. **aprestigiadas** : la forme habituelle est **prestigiar** (qui est un néologisme).

4. **por los altavoces de la letra impresa** : avec cette alliance métaphorique de mots, l'auteur suggère que la presse entérine et amplifie les parlotes officielles.

5. **el cadáver... esperaba la decisión a 40 grados...** : retour à la réalité du cadavre en décomposition.

Pour la première fois on la rappela et on l'imagina dans son rocking-chair de liane, dans ses assoupissements à deux heures de l'après-midi et sans ses cataplasmes à la moutarde, et on la vit pure et sans âge, distillée par la légende.

Des heures interminables se remplirent de palabres qui se répercutaient dans l'enceinte de la république, magnifiées par les haut-parleurs de la lettre imprimée. Jusqu'au moment où quelqu'un, qui possédait le sens de la réalité dans cette assemblée de juristes aseptiques, interrompit le bla-bla historique pour rappeler que le cadavre de la Grande Mémé attendait la décision par quarante degrés à l'ombre. Personne ne se troubla devant cette irruption du bon sens dans l'atmosphère pure de la loi écrite. Des ordres furent donnés d'embaumer le cadavre, ce qui permettrait de trouver des formules, d'harmoniser des opinions ou d'amender la constitution afin de permettre au président de la république d'assister à l'enterrement.

On avait tellement parlé que les parlotes franchirent les frontières, passèrent l'Océan et traversèrent comme un pressentiment les appartements pontificaux de Castel Gandolfo. Remis de l'engourdissement du pénible et récent mois d'août, le Saint-Père était à sa fenêtre, regardant plonger dans le lac les scaphandriers qui cherchaient la tête de la jeune fille décapitée. Depuis quelques semaines les journaux du soir ne s'étaient pas occupés d'autre chose, et le Souverain Pontife ne pouvait rester indifférent à une énigme née à deux pas de sa résidence d'été.

---

6. **la atmósfera pura de la ley escrita** : cf., **jurisconsultos asépticos**.

7. **tanto se había parlado** : de **parlar,** peu fréquent, *bavarder*. **Parloteo** vient du verbe.

8. **la cabeza de la doncella decapitada** : irruption d'un événement insolite et d'un fait divers étrange qui préoccupe le Saint Père comme tout un chacun.

Pero aquella tarde, en una sustitución imprevista, los periódicos cambiaron las fotografías de las posibles víctimas[1], por la de una sola mujer de veinte años, señalada con una blonda[2] de luto. «La Mamá Grande», exclamó el Sumo Pontífice, reconociendo al instante[3] el borroso daguerrotipo[4] que muchos años antes le había sido ofrendado[5] con ocasión de su ascenso a la silla de San Pedro. «La Mamá Grande», exclamaron a coro en sus habitaciones privadas los miembros del Colegio Cardenalicio, y por tercera vez en veinte siglos[6] hubo una hora de desconciertos, sofoquines y correndillas en el imperio sin límites de la cristiandad, hasta que el Sumo Pontífice estuvo instalado en su larga góndola negra[7], rumbo a[8] los fantásticos y remotos funerales de la Mamá Grande.

Detrás quedaron los luminosos sembrados de melocotones, la Via Apia Antica con tibias actrices de cine dorándose en las terrazas sin todavía tener noticias de la conmoción, y después el sombrío promontorio del Castelsantangelo en el horizonte del Tíber. Al crepúsculo, los profundos dobles de la Basílica de San Pedro se entreveraron con los bronces cuarteados de Macondo. Desde su toldo sofocante, a través de los caños intrincados y las ciénagas sigilosas que marcaban el límite del Imperio Romano y los hatos de la Mamá Grande[9], el Sumo Pontífice oyó toda la noche la bullaranga[10] de los monos alborotados por el paso de las muchedumbres.

---

1. **las posibles víctimas**: allusion à une certaine presse sensationnaliste. Cf., p. 304, **la doncella decapitada**.

2. **una blonda**: synonyme, **un encaje**. L'adjectif *blond* se dit **rubio**.

3. **al instante**: synonyme, **inmediatamente**.

4. **el borroso daguerrotipo**: ce procédé de reproduction de l'image dû à Daguerre (1839) donne un repère chronologique pour situer l'histoire.

5. **que... le había sido ofrendado**: l'offrande a de quoi nous étonner. Márquez manipule avec aisance les invraisemblances dans ce récit.

6. **por tercera vez en veinte siglos**: c'est le troisième événement essentiel du Vatican pendant toute l'ère chrétienne.

Mais ce jour-là, par un remplacement imprévu, les journaux avaient troqué les photos des victimes possibles contre celle d'une seule femme de vingt ans, entourée d'une dentelle de deuil. « La Grande Mémé ! » s'écria le Saint Père, qui reconnut immédiatement le daguerréotype plutôt flou qu'on lui avait offert cela faisait bien des années à l'occasion de son accession au Fauteuil de saint Pierre. « La Grande Mémé ! », reprirent en chœur dans leurs appartements privés les membres du Sacré Collège, et pour la troisième fois en vingt siècles il y eut une heure de désarroi, de coups au cœur et d'affolement dans l'empire sans limites de la chrétienté, jusqu'au moment où le Saint-Père, installé dans sa longue gondole noire, partit pour les funérailles fantastiques et lointaines de la Grande Mémé.

Il laissa derrière lui les lumineuses plantations de pêchers, la Via Apia Antica avec ses starlettes désabusées qui se doraient aux terrasses des bistrots en ignorant tout encore du chambardement, puis le sombre promontoire du Castelsantangelo aux limites du Tibre. Au crépuscule, le glas profond de la Basilique Saint-Pierre s'entremêla au bronze lézardé de Macondo. Sous sa bâche étouffante, au long du lacis de chenaux et de marécages secrets qui séparait l'Empire romain et les troupeaux de la Grande Mémé, le Saint-Père entendit toute la nuit le charivari des singes affolés par le passage des foules.

---

7. **su larga góndola negra** : cette embarcation est un nouveau trait d'invraisemblance qui nie la distance entre Rome et Macondo.

8. **rumbo a** : m. à m., *en direction de.*

9. **que marcaban el límite del Imperio romano y los hatos de la Mamá Grande** : les deux empires se touchent.

10. **bullaranga** : américanisme pour **bullanga**.

En su itinerario nocturno la canoa pontificia[1] se había ido llenando[2] de costales de yuca, racimos de plátanos verde y huacales[3] de gallinas, y de hombres y mujeres[4] que abandonaban sus ocupaciones habituales para tentar fortuna con cosas de vender en los funerales de la Mamá Grande. Su Santidad padeció esa noche, por primera vez en la historia de la Iglesia, la fiebre de la vigilia[5] y el tormento de los zancudos. Pero el prodigioso amanecer sobre los dominios de la Gran Vieja, la visión primigenia[6] del reino de la balsamina[7] y de la iguana, borraron de su memoria los padecimientos del viaje y lo compensaron del sacrificio.

Nicanor había sido despertado por tres golpes[8] en la puerta que anunciaban el arribo[9] inminente de Su Santidad. La muerte había tomado posesión de la casa. Inspirados por sucesivas y apremiantes alocuciones presidenciales, por las febriles controversias de los parlamentarios que habían perdido la voz y continuaban entendiéndose por medio de signos convencionales, hombres y congregaciones de todo el mundo se desentendieron[10] de sus asuntos y colmaron con su presencia los oscuros corredores, los atiborrados pasadizos, las asfixiantes buhardas[11], y quienes llegaron con retardo se treparon y acomodaron del mejor modo en barbacanas, palenques, atalayas, maderámenes y matacanes.

---

1. **la canoa pontificia** : la gondole devient pirogue une fois franchies les limites de l'empire romain.

2. **se había ido llenando** : **ir** + gérondif marque la progression d'une action.

3. **huacales** : également **guacal**, américanisme pour **cesta, caja,** *panier, cageot.*

4. **llenando de costales... de hombres y mujeres** : l'embarcation pontificale se transforme en transport collectif.

5. **la fiebre de la vigilia** : il y a dans *Cien años de soledad* une épidémie de ce type.

6. **primigenia** : *première,* peu courant pour **primitivo.**

Au cours de son itinéraire nocturne, le canot pontifical s'était rempli de sacs de manioc, de régimes de bananes vertes et de cageots de poules, ainsi que d'hommes et de femmes qui abandonnaient leurs occupations habituelles pour tenter fortune en allant vendre n'importe quoi aux funérailles de la Grande Mémé. Sa Sainteté souffrit cette nuit-là, pour la première fois dans l'histoire de l'Église, des fièvres de l'insomnie et du supplice des moustiques. Mais le prodigieux lever du jour sur le domaine de la Grande Mémé, la vision primitive du royaume de la balsamine et de l'iguane, effacèrent de sa mémoire les difficultés du voyage et le récompensèrent du sacrifice.

Nicanor avait été réveillé par trois coups frappés à la porte, signes de l'arrivée imminente de Sa Sainteté. La mort avait pris possession de la maison. Poussés par les allocutions présidentielles répétées et pressantes, ainsi que par les controverses fébriles des parlementaires qui avaient perdu la voix et continuaient à se parler au moyen de signes conventionnels, hommes et congrégations du monde entier s'étaient désintéressés de leurs affaires et encombraient les couloirs sombres, les passages surpeuplés, les galetas asphyxiants, tandis que les retardataires avaient grimpé plus haut et s'étaient installés tant bien que mal dans les barbacanes, les enceintes, les charpentes et les mâchicoulis.

---

7. **balsamina** : plante d'origine américaine employée jadis comme baume.

8. **tres golpes** : le numéro trois, plusieurs fois répété, est caractéristique des contes populaires.

9. **el arribo** : *l'accostage*, mot maritime. *L'arrivée* se dit **la llegada**.

10. **se desentendieron** : **desentenderse** n'est pas le contraire de **entenderse**.

11. **buhardas** : *mansardes*. Plus courant sous la forme **buhardillas**.

En el salón central, momificándose en espera de las grandes decisiones, yacía el cadáver de la Mamá Grande, bajo[1] un estremecido promontorio de telegramas[2]. Extenuados por las lágrimas, los nueve sobrinos velaban el cuerpo en un éxtasis de vigilancia recíproca.

Aún debió el universo prolongar el acecho[3] durante muchos días. En el salón del concejo municipal, acondicionado con cuatro taburetes de cuero, una tinaja de agua filtrada y una hamaca de lampazo, el Sumo Pontífice padeció un insomnio sudoroso[4], entreteniéndose con la lectura de memoriales y disposiciones administrativas en las dilatadas noches sofocantes. Durante el día, repartía caramelos italianos a los niños que se acercaban a verlo por la ventana, y almorzaba bajo la pérgola de astromelias con el padre Antonio Isabel, y ocasionalmente con Nicanor. Así vivió semanas interminables y meses alargados[5] por la expectativa y el calor, hasta que Pastor Pastrana[6] se plantó con su redoblante en el centro de la plaza y leyó el bando[7] de la decisión. Se declaraba turbado el orden público, tarrataplán, y el presidente de la República, tarrataplán, disponía de las facultades extraordinarias, tarrataplán, que le permitían asistir a los funerales de la Mamá Grande, tarrataplán, rataplán, plan, plan.

El gran día era venido[8]. En las calles congestionadas de ruletas, fritangas y mesas de lotería, y hombres con culebras enrolladas en el cuello que pregonaban el bálsamo definitivo para curar la erisipela y asegurar la vida eterna;

---

1. **bajo**: debajo de.
2. **un estremecido promontorio de telegramas**: la Grande Mémé est déjà enterrée une première fois sous les télégrammes de condoléances.
3. **el acecho**: *le guet*. **Estar al acecho,** *être aux aguets.*
4. **un insomnio sudoroso**: cette figure de style (hypallage) consiste à appliquer un adjectif du personnage (**sudoroso**) à un autre substantif qui ne peut pas posséder cette qualité (**insomnio**).
5. **semanas interminables y meses alargados**: la situation d'attente est hyperboliquement (et contre toute vraisemblance) allongée.

Dans le salon d'honneur, où il se momifiait en attendant les grandes décisions, gisait le cadavre de la Grande Mémé, sous un frémissant promontoire de télégrammes. Exténués par les larmes, les neuf neveux veillaient le corps dans une extase facilitant la surveillance réciproque.

L'univers dut encore prolonger l'attente durant de nombreux jours. Dans la salle de mairie, dont le mobilier se réduisait à quatre tabourets de cuir, une jarre d'eau filtrée et un hamac de fibres, le Saint-Père se débattait entre la sueur et l'insomnie et tuait les longues nuit étouffantes en lisant des requêtes et des dispositions administratives. Le jour, il distribuait des bonbons italiens aux enfants qui venaient le regarder par la fenêtre et déjeunait sous la pergola fleurie d'astromélias avec le père Antonio Isabel, ou à l'occasion avec Nicanor. Il vécut ainsi des semaines interminables et des mois dilatés par l'expectative et la chaleur, jusqu'au jour où Pastor Pastrana se planta avec son tambour au milieu de la place et lut l'arrêté. On y déclarait perturbé l'ordre public, rataplan ! rataplan ! et le président de la république, rataplan ! rataplan ! disposait des pouvoirs extraordinaires, rataplan ! rataplan ! pour lui permettre d'assister aux funérailles de la Grande Mémé, rataplan ! rataplan ! rataplan ! et plan ! et plan ! et plan !

Le grand jour était arrivé. Dans les rues encombrées de jeux de roulette, de marchands de friture, de tables de loterie, où des hommes avec des serpents enroulés autour du cou vantaient le baume radical pour guérir l'érysipèle et assurer la vie éternelle ;

---

6. **Pastor Pastrana :** le crieur public porte un nom fait d'une allitération.

7. **leyó el bando :** Macondo redevient un petit village.

8. **el gran día era venido :** cf. p. 285, note 9.

en la placita abigarrada donde las muchedumbres habían colgado sus toldos y desenrollado sus petates, apuestos ballesteros[1] despejaron el paso a la autoridad. Allí estaban[2], en espera del momento supremo, las lavanderas del San Jorge, los pescadores de perla del Cabo de Vela, los atarrayeros de Ciénaga, los camaroneros de Tasajera, los brujos de la Mojana, los salineros de Manaure, los acordeoneros de Valledupar, los chalanes de Ayapel, los papayeros de San Pelayo, los mamadores de gallo de La Cueva, los improvisadores de las Sabanas de Bolívar, los camajanes de Rebolo, los bogas del Magdalena, los tinterillos de Mompox, además de los que se enumeran al principio de esta crónica, y muchos otros. Hasta los veteranos del coronel Aureliano Buendía[3] —el duque de Marlborough[4] a la cabeza, con su atuendo de pieles y uñas y dientes de tigre— se sobrepusieron a su rencor centenario por la Mamá Grande y los de su especie, y vinieron a los funerales, para solicitar del presidente de la República el pago de las pensiones de guerra[5] que esperaban desde hacía sesenta años.

Poco antes de las once, la muchedumbre delirante que se asfixiaba al sol, contenida por una élite imperturbable de guerreros uniformados de dormanes guarnecidos y espumosos morriones, lanzó un poderoso rugido de júbilo.

---

1. **apuestos ballesteros**: ce n'est pas le seul détail anachronique du récit.

2. **allí estaban...**: la longue énumération qui suit renvoie aux premières pages de la nouvelle, c'est-à-dire au moment de l'enterrement lui-même. Les professions représentées sont des plus hétéroclites. La série énoncée rappelle la tradition du conte populaire et merveilleux.

3. **los veteranos del coronel Aureliano Buendía**: la figure du colonel, protagoniste de *Cien años de soledad,* s'inspire de celle du général Rafael Uribe Uribe, chef libéral qui se souleva en 1899 contre le gouvernement conservateur colombien.

4. **el duque de Marlborough**: le personnage historique du début du XVIIIe siècle devient un vétéran combattant des troupes du colonel Aureliano Buendía. Son apparition ne choque pas dans le ton de la

sur la petite place bigarrée où les foules avaient monté leurs tentes et déroulé leurs nattes, de beaux arbalétriers frayaient un chemin aux autorités. On voyait là, attendant le moment suprême, les lavandières de San Jorge, les pêcheurs de perles du cap de Vela, les pêcheurs au filet de Ciénaga, les pêcheurs de crevettes de Tasajera, les sorciers de la Mojana, les saliniers de Manaure, les accordéonistes de Valledupar, les dresseurs d'Ayapel, les planteurs de papayes de San Pelayo, les gobergeurs de La Cueva, les improvisateurs des Savanes de Bolivar, les traîne-savates de Rebolo, les piroguiers du Magdalena, les avocaillons du Mompox, sans compter tous ceux que nous avons énumérés au début de cette chronique et beaucoup d'autres encore. Même les vétérans du colonel Aureliano Buendia — le duc de Marlborough en tête, avec sa peau, ses griffes et ses crocs de tigre — surmontèrent leur rancœur centenaire envers la Grande Mémé et les siens, et vinrent aux funérailles avec l'intention de solliciter du président de la république le paiement des pensions de guerre qu'ils attendaient depuis quelque soixante ans.

Peu après onze heures, la foule délirante qui étouffait au soleil, contenue par une élite imperturbable de guerriers en grand uniforme — dolmans chamarrés et shakos à aigrettes —, lança un puissant rugissement de joie.

---

nouvelle car il est également le Malbrough de la chanson populaire (Malbrough s'en va-t-en guerre) et le **Mambrú** espagnol (**Mambrú se va a la guerra...**).

5. **el pago de las pensiones de guerra** : le sujet de la nouvelle *El coronel no tiene quien le escriba (Pas de lettre pour le colonel).*

Dignos, solemnes[1] en sus sacolevas[2] y chisteras[3], el presidente de la República y sus ministros, las comisiones del parlamento, la corte suprema de justicia, el consejo de Estado, los partidos tradicionales y el clero, y los representantes de la banca, el comercio y la industria, hicieron su aparición por la esquina de la telegrafía. Calvo y rechoncho[4], el anciano y enfermo presidente de la República desfiló frente a[5] los ojos atónitos de las muchedumbres que lo habían investido sin conocerlo y que sólo ahora podían dar un testimonio verídico de su existencia[6]. Entre los arzobispos extenuados por la gravedad de su ministerio y los militares de robusto tórax[7] acorazado de insignias, el primer magistrado de la nación transpiraba el hálito inconfundible del poder[8].

En segundo término, en un sereno transcurso de crespones luctuosos[9], desfilaban las reinas nacionales de todas las cosas habidas y por haber[10]. Por primera vez desprovistas del esplendor terrenal, allí pasaron, precedidas de la reina universal, la reina del mango de hilacha, la reina de la auyama verde, la reina del guineo manzano, la reina de la yuca harinosa, la reina de la guayaba perulera, la reina del coco de agua, la reina del fríjol de cabecita negra, la reina de 426 kilómetros de sartales de huevos de iguana, y todas las que se omiten por no hacer interminables estas crónicas.

---

1. **dignos, solemnes...**: ces deux adjectifs vont introduire une nouvelle énumération, réaliste cette fois, des personnalités politiques et de tous les pouvoirs. Placés entre un ensemble de petits métiers (fantaisistes pour certains) et les reines de beauté (plus ou moins insoupçonnables), qui défilent tout de suite après, ces personnages et leurs fonctions sont totalement ridiculisés.

2. **sacolevas**: américanisme pour **chaqué. Saco** en Amérique veut dire *veste.* En Espagne, **chaqueta.**

3. **chistera**: *chapeau haut de forme.* Synonyme, **sombrero de copa.**

4. **calvo y rechoncho**: cf. note page 269.

5. **frente a**: littéralement, *face à.*

6. **un testimonio verídico de su existencia**: le peuple n'avait aucune

Dignes et raides dans leurs queues-de-pie et tuyaux-de-poêle, le président de la république et ses ministres, les commissions du parlement, la haute cour de justice, le conseil d'État, les partis traditionnels et le clergé, les représentants de la banque, du commerce et de l'industrie firent leur apparition au coin de la rue du télégraphe. Chauve et boulot, vieux et malade, le président de la république passa sous les regards stupéfaits des foules qui l'avaient investi sans le connaître et qui aujourd'hui seulement pouvaient témoigner vraiment de son existence. Parmi les archevêques exténués par la gravité de leur ministère et les militaires aux thorax robustes bardés de décorations, le premier magistrat de la nation transpirait la sueur unique du pouvoir.

Aussitôt après, dans un flux serein de voiles lugubres, défilèrent les reines nationales de tous les produits exploités et à exploiter. Dépourvues pour la première fois de leur splendeur terrestre, on vit passer, précédées de la reine de l'univers, la reine de la mangue fibreuse, la reine de l'ahuyama vert, la reine de la banane jaune, la reine du manioc farineux, la reine de la goyave péruvienne, la reine des vertes noix de coco aqueuses, la reine des abricots à petites têtes noires, la reine des quatre cent vingt-six kilomètres de chapelets d'œufs d'iguanes, et toutes celles que nous omettons pour ne pas rendre interminable cette chronique.

---

preuve réelle de son existence jusqu'à ce jour, une fois morte la Grande Mémé.

7. **el robusto tórax** : l'adjectif est un cliché épique qui a une fonction ironique.

8. **transpiraba el hálito inconfundible del poder** : *il respirait le souffle inéquivoque du pouvoir.*

9. **luctuosos** : de **luto,** *deuil.*

10. **habidas y por haber** : locution populaire pour désigner une totalité, une énumération exhaustive. Par ailleurs l'auteur renonce rhétoriquement à continuer.

En su féretro con vueltas de púrpura, separada de la realidad por ocho torniquetes de cobre, la Mamá Grande estaba entonces demasiado embebida en su eternidad de formaldehído[1] para darse cuenta[2] de la magnitud de su grandeza. Todo el esplendor con que ella había soñado[3] en el balcón de su casa durante las vigilias del calor, se cumplió con aquellas cuarenta y ocho gloriosas[4] en que todos los símbolos de la época rindieron homenaje a su memoria. El propio Sumo Pontífice, a quien ella imaginó en sus delirios suspendido en una carroza resplandeciente sobre los jardines del Vaticano, se sobrepuso al calor con un abanico de palma trenzada y honró con su dignidad suprema los funerales más grandes del mundo[5].

Obnubilado por el espactáculo del poder, el populacho no determinó el ávido aleteo[6] que ocurrió en el caballete de la casa cuando se impuso el acuerdo en la disputa de los ilustres, y se sacó el catafalco a la calle en hombros de los más ilustres. Nadie vio la vigilante sombra de gallinazos que siguió al cortejo por las ardientes callecitas de Macondo, ni reparó que al paso de los ilustres éstas se iban cubriendo de un pestilente rastro de desperdicios. Nadie advirtió[7] que los sobrinos, ahijados, sirvientes y protegidos de la Mamá Grande cerraron las puertas tan pronto como sacaron el cadáver, y desmontaron las puertas, desenclavaron las tablas y desenterraron los cimientos para repartirse la casa.

---

1. **embebida en su eternidad de formaldehído:** *imbibée dans son éternité de formol.*

2. **darse cuenta:** *se rendre compte.*

3. **con que... había soñado: soñar** s'emploie avec la préposition **con.**

4. **cuarenta y ocho gloriosas:** il faut sous-entendre **horas,** *quarante-huit heures de gloire.*

5. **los funerales más grandes del mundo:** il y est fait allusion dans *Cien años de soledad* à propos de l'enterrement du gitan Melquíades: « *fue el primer entierro y el más concurrido que se vio en el pueblo, superado apenas un siglo después por el carnaval funerario de la Mamá Grande* ».

Dans son cercueil à plis pourprés, séparée de la réalité par huit tourniquets de cuivre, la Grande Mémé était plongée dans son éternité de circonstance pour imaginer l'étendue de sa magnificence. Tout le faste dont elle avait rêvé à son balcon au cours des nuits torrides d'insomnie l'environnait durant ces quarante-huit Glorieuses où tous les symboles de l'époque rendaient hommage à sa mémoire. Le Saint-Père lui-même que, dans ses délires, elle avait imaginé flottant dans un carrosse resplendissant au-dessus des jardins du Vatican, contrecarra la chaleur avec un éventail de palmes tressées et honora de sa dignité suprême les funérailles les plus grandioses du monde.

Obnubilée par le spectacle du pouvoir, la populace ne perçut pas le battement d'ailes avide qui retentit sur le toit de la maison quand, ayant imposé un accord à la dispute des illustres, on sortit dans la rue le catafalque sur les épaules des plus illustres. Nul ne vit l'ombre vigilante des charognards qui suivit le cortège à travers les ruelles brûlantes de Macondo, de même qu'on ne remarqua pas que celles-ci, au passage des illustres, se couvraient d'une traînée de détritus pestilentiels. Nul n'observa que les neveux, les filleuls, les serviteurs et les protégés de la Grande Mémé fermèrent les portes dès qu'on eut sorti le cadavre, et qu'ils démontèrent les gonds, déclouèrent les planches et dégagèrent les fondations pour se partager la maison.

---

6. **el ávido aleteo :** il annonce le dépouillement des biens de la Grande Mémé par les membres de sa famille et ses serviteurs dès qu'elle quitte la maison. Cf. un peu plus loin.

7. **nadie vio..., ni reparó... Nadie advirtió :** le procédé anaphorique nous confirme que les membres de la famille sont aussi des vautours.

Lo único que para nadie pasó inadvertido[1] en el fragor de aquel entierro, fue el estruendoso suspiro de descanso que exhalaron las muchedumbres cuando se cumplieron los catorce días de plegarias, exaltaciones y ditirambos, y la tumba fue sellada con una plataforma de plomo. Algunos de los allí presentes dispusieron de la suficiente clarividencia para comprender que estaban asistiendo al nacimiento de una nueva época[2]. Ahora podía el Sumo Pontífice subir al cielo en cuerpo y alma, cumplida su misión en la tierra[3], y podía el presidente de la República sentarse a gobernar[4] según su buen criterio, y podían las reinas de todo lo habido y por haber casarse y ser felices y engendrar y parir muchos hijos, y podían las muchedumbres colgar sus toldos según su leal modo de saber y entender en los desmesurados dominios de la Mamá Grande, porque la única que podía oponerse a ello[5] y tenía suficiente poder para hacerlo[6] había empezado a pudrirse bajo una plataforma de plomo. Sólo faltaba entonces que alguien recostara un taburete en la puerta para contar esta historia, lección y escarmiento de las generaciones futuras, y que ninguno de los incrédulos del mundo se quedara sin conocer la noticia de la Mamá Grande, que mañana miércoles vendrán los barrenderos y barrerán la basura de sus funerales, por todos los siglos de los siglos[7].

---

1. **lo único que para nadie pasó inadvertido** : cette phrase poursuit l'anaphore mais elle est en rupture par le sens avec ce qui précède.

2. **estaban asistiendo al nacimiento de una nueva época** : la fin du règne de la matriarche marque le début d'une ère nouvelle.

3. **cumplida su misión en la tierra** : le participe passé est toujours placé devant le nom dans ce type de proposition.

4. **sentarse a gobernar** : le a introduit le but.

5. **la única que podía oponerse a ello** : ello est un pronom personnel neutre : *cela*.

La seule chose qui ne passa pas inaperçue dans le tohu-bohu de cet enterrement fut le fracassant soupir de soulagement que poussèrent les foules quand, achevés les quatorze jours de prières, de louanges et de dithyrambes, la tombe fut scellée avec une dalle de plomb. Quelques-uns des présents disposèrent d'une lucidité suffisante pour comprendre qu'ils assistaient à la naissance d'une nouvelle époque. Maintenant le Saint-Père, sa mission accomplie, pouvait monter au ciel corps et âme, et le président de la république pouvait s'asseoir pour gouverner selon son bon critère, et les reines de tous les produits exploités et à exploiter pouvaient se marier et être heureuses et engendrer et mettre au monde beaucoup d'enfants, et les foules pouvaient monter leurs tentes selon leur loyale manière de savoir et d'entendre sur les domaines démesurés de la Grande Mémé, car la seule qui aurait pu s'y opposer, ayant en effet le pouvoir suffisant pour le faire, avait commencé à pourrir sous sa dalle de plomb. Dès lors il ne restait plus qu'à appuyer un tabouret contre la porte de la rue et à raconter cette histoire, leçon et exemple pour les générations futures, afin que personne parmi les incrédules de ce monde n'ignore l'histoire de la Grande Mémé ; en effet, demain, mercredi, les balayeurs arriveront et ils balayeront l'ordure de ses funérailles, et cela pour l'éternité.

---

6. **tenía suficiente poder para hacerlo** : la Grande Mémé préfigure le personnage du dictateur de *El otoño del patriarca*. Ce dernier paragraphe renoue avec un certain réalisme sérieux ; il annonce la naissance du temps historique.

7. **por todos los siglos de los siglos** : c'est ainsi que se terminent les prières.

Composition réalisée par COMPOFAC - PARIS

IMPRIMÉ EN FRANCE PAR BRODARD ET TAUPIN
Usine de La Flèche (Sarthe).
LIBRAIRIE GÉNÉRALE FRANÇAISE - 43, quai de Grenelle - 75015 Paris.

ISBN : 2 - 253 - 04723 - 6   ✦ 30/8701/2